U0906079

浙江历史人文读本

主　编　张伟斌
执行主编　陈　野

岁时年景

俞为洁　郑绩　陈刚　著

浙江古籍出版社
浙江出版联合集团

《浙江历史人文读本》编辑委员会

序　言

中共浙江省委书记
浙江省人大常委会主任　夏宝龙

浙江是中国古代文明的发祥地之一，素有“文物之邦”之称，历史悠久，文化灿烂。数千年绵延不绝的历史积淀，构筑起悠久厚重的历史文化传统，汇聚成我们今天取之不尽、用之不竭的智慧宝库。浙江人民传续至今的爱国情怀、求真理念、务实本质、开拓精神、顽强意志、勤勉品性，是中华民族优秀品质的有机因子；浙江社会曾经承受的自然灾祸、战火硝烟、内忧外患，是中国人民沧桑磨难的共同记忆；浙江大地不屈不挠的卓绝抗争、革故鼎新、砥砺奋进，是民族伟业不朽华章的璀璨篇幅。

读史可以明智，知古方能鉴今。历史是一个民族和一个国家形成、发展及其盛衰兴亡的真实记录，是前人各种知识、经验和智慧的总汇。读一点历史，汲取人类积淀的思想精华，可以帮助我们清心明智；学一点历史，掌握社会发展的基本规律，可以帮助我们明辨方向；用一点历史，回顾中华文明的灿烂辉煌，可以激发我们共筑共圆中华民族伟大复兴“中国梦”的豪情壮志。对领导干部来说，读历史、用历史显得尤为重要。前贤先烈的品德情操、多难兴邦的执著奋斗、治国理政的经验教训，值得我们认真学习、深入思索，以之为镜、资治辅政。正因如此，习近平总书记多次强调领导干部要读点历史。他指出："领导干部不管处在哪个层次和岗位，都应该读点历史，通过学习历史不断深化对人类社会发展规律、社会主义建设规律和共产党执政规律的认识，不断丰富自己的历史知识，这样才能使自己的眼界和胸襟大为开阔，认识能力和精神境界大为提高，使自己的领导工作水平不断得以提升。"

历史文化只有走近今天、走向大众，才能更好地传承和弘扬。浙江省社会科学院作为我省从事哲学社会科学研究的综合机构，组织编写"浙江历史人文读本"丛书，是推动浙江历史大众化、普及化的探索和创新，是建设文化强省的实际举措。该丛书八个分册，系统梳理、精心选取了浙江历史上有重大意义、重要成就、突出影响、鲜明特色的精华材质，内容翔实丰富，具生动性又不失真实性，具通俗性又不失学术性，是活化浙江历史的精品力作，是了解浙江人文的"百科全书"。希望大家抽出时间来看一看这套丛书，爱历史、学历史、知历史、用历史，在共筑共圆"中国梦"的征程中，留下我们无愧于先人、造福于后世的浓墨重彩。

2013 年 4 月 2 日于杭州

导言：构建公众视野中的历史世界

历史是曾经鲜活的生命、已然过往的生活、陶炼积淀的业绩，是纷繁的思绪、驳杂的心境、丰富的情感。它们随时间的流逝，翻落进文明的深处，累生而成一个我们谓之为“传统”的世界。在那里，思想的绿树常青，智慧如繁花盛开，气象万千，人文璀璨，厚重而灿烂。

然而，对于这样一个已成往昔的世界，如果我们不回首，便不得见。因为它在我们匆匆前行的身影后面，绚烂之极，归于平淡；它在远离我们当下人生的时间彼岸，兀自静默，莫能与语。

回望历史，是一种人性的光辉，因为它是对先人的礼敬；是一种博大的胸怀，因为它是对文化的包容；是一种理性的力量，因为它是对规律的揭示；是一种勇敢的担当，因为我们探究来路的目的，是为了更加坚定地走向未来。

因此，我们愿意站在今天的浙江，做一个历史的眺望者，穿梭万年的时空，打量这块土地上连绵不绝、波澜壮阔的前尘往事；做一个历史的梳理者，秉持理性的烛火，将沉落于往昔世界的影像重投于时间的光影之墙；做一个历史的思考者，博学审问、慎思明辨，探寻其与当下社会的关联；更重要的是，做一个历史的传播者，让历史走出尘封的书海和学者的案头，走向社会大众，让来自历史的智慧，充实心灵的世界，照亮今天的生活。

一、浙江大地承载着深厚的历史传统和光辉的文化精神

2006年，时任中共浙江省委书记习近平在为《浙江文化研究工程成果文库》所作总序中指出 ："千百年来，浙江人民积淀和传承了一个底蕴深厚的文化传统。这种文化传统的独特性，正在于它令人惊叹的富于创造力的智慧和力量。"浙江历史的变迁和文化传统的形成，并非同一文化要素的简单累加和重复，而是在其精进图强的历史步伐中，通过开拓创新的创造活动得以实现，并因此自然地生发出十分鲜明的勇于开新造大、敢为天下先的文化价值取向，且已成为浙江文化传统中最具地域特色的精义。如果我们深入地去探究，可以看到如下种种鲜明的文化特征。

1. 在浙江的文化精神中，充溢着捍卫主权、反抗侵略的爱国主题

"夫越乃报仇雪耻之乡。"在浙江历史上，爱国主义是浙江文化的生命线，捍卫主权、反抗侵略、抵御外侮是浙江人民的优秀传统。在爱国主义价值观的哺育下，爱国英雄们在国族危难、大厦将倾之时，有的挺身而出，最终以身殉国；有的在重重困难之中，不放弃信念和理想，知其不可而为之。陆游"位卑未敢忘忧国"；于谦为了力挽狂澜于既倒，不惜牺牲一己的仕途乃至生命；抗倭名将戚继光在浙江招募和训练"戚家军"，在台州九战九捷，平定倭患。近代浙江人民在反封建反侵略斗争中前赴后继，可歌可泣。鸦片战争中壮烈

殉国的“定海三总兵”彪炳千秋;“鉴湖女侠”秋瑾“夜夜龙泉壁上鸣”的诗句，激励了无数中华儿女以天下兴亡为己任；嘉兴南湖上的红船，刘英、张秋人、俞秀松、宣中华等革命烈士的舍生取义，更彰显了在中国共产党领导中国人民开展的谋取民族独立、国家解放、人民幸福的革命斗争中浙江儿女的光辉业绩。这些浙江先贤刚健有为、坚贞不屈的崇高气节，谱写了中华民族爱国主义正气歌中的华彩乐章。

2. 在浙江的文化精神中，蕴含着求真务实、经世致用的本质内核

求真务实是浙江文化的本质内核，它贯穿于浙江历史发展的每一个时期，深刻影响着当代浙江人的行为模式和思维方式。求真务实蕴涵着科学求真。越王剑、通济堰、捍海塘、秘色瓷、印刷术、钱江桥，都是浙江科技史上的光辉成就；毕昇、杨辉、李之藻、李善兰、茅以升，都是浙江科技史上的著名人物。其中，最为人所称道的，当推北宋沈括及其《梦溪笔谈》。英国学者李约瑟将沈括称为“中国整部科学史中最卓越的人物”,《梦溪笔谈》则是中国科学史的里程碑。求真务实蕴涵着思想求真。东汉王充对当时散布虚妄迷信的谶纬之学、虚论惑众的经学之风的严厉批判和抨击，明代王阳明对理性自由和人性解放的要求,晚清章太炎“学所以经世,固非空言著述”的主张，无一不是浙江文化精神中“追求真理”“实事求是”本质内核的体现。

经世意识在浙江文化中有突出的表现。例如以陈亮为代表的永康学派，反对朱陆空谈义理和心性，提出修实政、行实德、建实功、改革社会、变弱致强的主张；近代佛学大师太虚、印顺回溯佛法本源，积极推进佛教革新。

这种独特的一脉相承的经世致用思想，体现了传统知识分子以思想、学术、知识认识改造世界的不懈努力和价值关怀，是浙江对中国文化的独特贡献。

3. 在浙江的文化精神中，聚合着义利双行、达观通变的商业伦理

义利文化观是浙江历史文化精神的一大特色。宋代以叶适为代表的永嘉事功学派倡导“义利双行”，用道德伦理引导对现实功利的追求，用现实功利检验主体对价值观、道德信仰理解的有效性。“义”与“利”由此成为辩证统一的有机体。在这种“义”“利”文化观的熏陶下，浙江人及其商业活动，用经营生产造福社会；同时又以“道义”规范经营生产行为，保持了悠久的“讲信修睦”的传统，哺育出许多誉满海内的老字号、老品牌。

“义利双行”的商业伦理观念，给浙江人带来了达观通变的经济发展理念和市场行为。宋元以后盛行浙地的长途贩运，使浙江成为当时全国客商趋之若鹜的货物集散地，增进了区域之间的经济交流，扩大了商品流通，促进了商人货币资本的大规模积累。明代中叶以后，雇用大量工人的手工作坊与手工工厂在浙江普遍出现，促进了市镇自由劳动力市场的形成。它们虽不足以定论为资本主义的萌芽，但无疑是对传统生产关系的变革，是对我国长期处于封闭状态的传统自然经济具有历史意义的重大突破。

4. 在浙江的文化精神中，闪烁着批判自觉、创新开拓的理性智慧

浙江是历史上盛产具有创新精神的思想大师之地。我们可以毫不夸张地说，浙江文化的思想创新，多次起到了“导夫先路”的先锋作用。陈亮、叶

适的事功之学，王阳明的心学，黄宗羲的政治学说，章学诚的“六经皆史”之论，龚自珍的变革启蒙思想等等，都是浙江文化富于创新性的表现。被誉为“清初三大思想家”之一的黄宗羲，猛烈批判和否定整个封建君主专制制度，破天荒地喊出了“为天下之大害者，君而已矣”的口号，提出了用“天下之法”代替君主“一家之法”的法律平等思想、“人各得自私自利”“贵不在朝廷，贱不在草莽”的人权平等原则以及近似近代议会民主的政治理想。在明清之际的中国，可谓空谷足音。其大无畏的批判精神和创造性的思想贡献，成为清末维新志士的思想法宝，也是现代革命者用以反对、批判封建专制制度的精神武器，启迪和影响了浙江的近代化进程。

作为新文学运动的奠基人和五四新文化运动的主将，鲁迅敢于直面惨淡的人生，对吃人的封建礼教和制度作猛烈地揭露和批判，进行不屈不挠的斗争；勇于以社会批评和文明批评为已任，以一生精力和独立人格进行充满韧性的奋斗和努力，为浙江文化传统增添不屈的风骨、独立的人格、批判的精神和自辟新路的理念与勇气。他不仅为中国文化开拓了新路，也为家乡人民留下了一份创新进取的宝贵思想财富。

5．在浙江的文化精神中，融铸着兼容并蓄、自强自立的个性品格

凭借濒临大海的地理优势，浙江文化在持续的中外文化交流中逐渐成熟，培养出兼容并蓄的海洋个性。我国古代早期对外交流以贸易为主，浙江生产的茶叶、丝绸、青瓷等物品成为文化向外输出的物质载体，进而带动人与文化的交流，既引导了外部世界对中国文化的认知，也是浙江文化自我更新、自我丰富的重要途径。马可·波罗、利马窦、卫匡国、马戛尔尼等西人纷纷来到浙江，天台山佛教文化、径山茶文化、温州华侨、留日学生群体等等，都是浙江文化走出去的典型。

兼容并蓄并不意味着主体性的缺失，自强自立同样是浙江的品格。自然资源稀缺的压力，让浙江人具有强烈的危机意识，肯定个体的独立、欲望与利益，崇拜竞争拼搏、不等不靠、自我奋斗的精神。发轫于南宋、鼎盛于清乾隆年间的“龙游商帮”，凭借不畏艰难、自强自立的精神，“多向天涯海角，远行商贾”，人称“无远弗届，遍地龙游”，为浙西南的经济崛起作出了巨大贡献。这种“虽千万人吾往矣”的“拼劲”、一往无前的“冲劲”、无孔不入的“钻劲”,与中国传统文化的个体“义务”本位、儒家文化的“温良恭俭让”、老庄哲学的“夫唯不争，是以不去”等等主流思想，有着极大的区别，是对中国文化传统的一种很好的补充与丰富。

6. 在浙江的文化精神中，体现着澄怀观道、现实关切的审美情操

浙江是一块洋溢着文学才情、艺术灵性的土地，王羲之、骆宾王、赵孟頫、黄公望、徐渭、吴昌硕、郁达夫等等，都是在中国文学艺术史上具有熠熠光彩的著名人物。他们在诗词、书法、绘画、小说、戏剧、建筑、工艺、文艺理论等各个领域，都撰有开一代新风的里程碑式作品，百代标程，至今传颂。

中国文艺传统讲究“文以载道”。综合起来看，这个“道”，既有儒家美学讲求的仁、爱、礼、义，“善美一体”的伦理德性之道，也有道家追求虚静简远的任顺自然之道、玄学任性率真的个性放逸之道，还有现实生活层面对时代潮流、社会变革、世道人心、国计民生的人文关切之道。浙江的文学艺术很好地体现了中国文艺独特之“道”的各个方面。王羲之等魏晋士人洒脱旷达的艺术境界，黄公望等文人画家的山水情怀，龚自珍《己亥杂诗》对制度的批判、国运的担忧、思想的启蒙，抗战文艺的蓬勃兴旺，兰溪诸葛八卦村、浦江郑氏义门、俞源太极星象村等古村落的建筑形制，都向我们展示了浙江文化艺术的深厚内涵。她既在哲学思辨的境界里升华，澄怀观道，为中国文艺传统提炼和奉献了众多具有中国特色的美学概念、范式、结构形式、表现手法，又在现实生活的沃土中扎根，观照现实，直面人生。

7. 在浙江的文化精神中，孕育着天人合一、人我共生的人文情怀

浙江文化既能够“登山则情满于山，观海则意溢于海”，与和风细雨的大自然和谐相处；同时也极善回应来自大自然的挑战，在变动的自然环境中成长。浙江漫长的海岸线及其潮汐侵蚀之下的变化、破坏性热带风暴的侵袭，都是大自然发出的挑战。对此，浙江人同样以“天人合一,万物一体”的整体关怀，通过各种努力与方式，追求人与自然的和谐。

为了降伏不羁的大自然，浙江人民修建了庞大、复杂的水利系统，孕育了发达的水利文化。如果说大禹疏导治水是追求与自然和谐意识的萌动与最初实践，西湖的开发则是浙江人民在发展中改造自然、在改造中保护自然的典范。西湖经钱镠、李泌、苏轼、白居易、杨孟瑛、阮元等人的疏浚治理，呈现出旖旎秀丽的韵致，以其精致和谐的人文风情，构筑成人间天堂的特色。

河姆渡原始艺术中精美神秘的“鸟日同体”纹饰，良渚文化中繁缛威严的神人兽面纹，都体现了浙江人热爱自然、赞美自然和融入自然的美好情愫。

8. 在浙江的文化精神中，彰显着知行合一、事上磨炼的哲学思维

思想学术丰富深刻的浙江，必然具有自己独特的哲学思维。这就是王阳明的哲学观点。“知行合一”强调知即是行、行即是知。人不仅要对自己的行动负责，而且要为自己的思维活动负责。正确认知的最终确立，须得以付诸实践检验为终点。“致良知”认为个体的“知”只有通过与社会事物的复杂关系的展开，体验情绪的冲击、思维的跳跃，通过实践检验其“致良知”的进展与效果，也即“事上磨炼”，才是真“良知”。由此，方能从道德范畴的“修身”出发，逐步实现“齐家、治国、平天下”的社会理想。

“知行合一”是浙江文化在哲学层面上的思考，因此也是最高、最抽象、最具有概括力的思考。浙江文化的其他内涵，都与“知行合一”这个核心命题存在着密切的逻辑联系。

二、浙江人民具有鲜明的历史意识和高度的文化自觉

中国疆域辽阔，在长久的历史岁月和特定的地域范围里，形成了众多具有地域特色的文化小传统，以别具一格的文化样态、特征和成就，为包罗万象、气度恢弘的中华文明奉献着日新月异的源头活水。因此，从区域历史文化入手，梳理文化现象、提炼文化精神、反思文化弊端、传承文化基因，可以清晰地把握到中华民族精神历史运动的脉搏。浙江文化具有丰富的表达形

式、鲜明的思维层次、完整的逻辑结构，是具体而微的中国文化。我们梳理浙江的历史传统和文化精神，正是深入了解中国文化、研究中国文化、发展中国文化、创新中国文化的有效途径。

从 1999 年至今，在全省范围组织开展的关于浙江历史文化和精神的梳理提炼，一直贯穿于浙江人民的文化生活中。

1999 年，经过 20 余年的改革开放，浙江社会经济迅猛发展，总量和人均产值均列全国第四位。浙江并未满足于取得的发展成就，而是积极探索取得这种成就的深层原因，总结出“走遍千山万水，吃尽千辛万苦，说尽千言万语，想尽千方百计”的创业精神。2000 年，时任中共浙江省委书记张德江提出“研究浙江现象，总结浙江经验，提炼浙江精神”的要求。省委认真总结经验，认为浙江快速发展的原因，就在于其悠久的历史和灿烂的文化及其与当今时代发展的有机结合，提炼出了“自强不息、坚韧不拔、勇于创新、讲求实效”的浙江精神。这是 20 世纪八九十年代浙江人民精神面貌的生动体现、浙江经济发展的真实写照和浙江经验的高度概括。

2005 年，省委高度重视总结提炼新时期的浙江精神。根据时任省委书记习近平关于“深入研究浙江现象、充实完善浙江经验、丰富发展浙江精神”的指示精神，经过“与时俱进的浙江精神”的调查研究，正式公布了新时期浙江精神内涵的具体表述——“求真务实、诚信和谐、开放图强”。习近平同志发表了署名文章《与时俱进的浙江精神》，高度评价了改革开放以来浙江创造的宝贵精神财富，肯定了“自强不息、坚韧不拔、勇于创新、讲求实效”

的浙江精神，同时着眼未来，立足发展，对“与时俱进的浙江精神”做了深刻阐述。“求真务实、诚信和谐、开放图强”的浙江精神，既是对历史的总结与传承，更是对现实发展的鞭策、对未来发展的引领，也是对浙江人民的智慧、活力和创造精神的鼓励和激发。

2011 年 10 月，时任省委书记赵洪祝指出，浙江经济社会持续健康发展背后的“文化密码”“文化基因”，就是“与时俱进的浙江精神”，因此要大力弘扬和提升以“创业创新”为核心的“浙江精神”，为全面建设小康社会提供重要支撑。2012 年 2 月，浙江省开展“我们的价值观”大讨论，提炼出“务实”“守信”“崇学”“向善”四个核心词，确定为当代浙江人共同价值观的表述语，写进了浙江省第十三次党代会报告。这既是对“与时俱进的浙江精神”的继承和坚守，也在新形势和新挑战下赋予其全新含义，更是为构建面向未来的共同价值观所作的前瞻性布局。

习近平同志指出：“具有历史文化素养，最重要的是要具有历史意识和文化自觉，即想问题、作决策要有历史眼光，能够从以往的历史中汲取经验和智慧，自觉按照历史规律和历史发展的辩证法办事。”（习近平同志在中央党校 2011 年秋季学期开学典礼上的讲话：《领导干部要读点历史》，2011 年 9 月 1 日新华网）自 1999 年以来，浙江对历史传统的分析反思、对浙江精神的探寻深化，既是浙江人民历史实践和理论智慧的结晶，更体现了浙江人民高度的历史意识和文化自觉。

三、浙江学者勇于承担传播优秀历史文化传统的崇高职责

习近平同志《领导干部要读点历史》的讲话，既是对领导干部的要求，也向我们人文社会科学工作者，特别是历史学研究者提出了期望，指明了历史学服务社会、与现实生活相结合的方向。这就是：承担起传播优秀历史文化传统的崇高职责，构建一个公众视野中的历史世界。《浙江历史人文读本》（以下简称《读本》）就是我们按照《领导干部要读点历史》的要求，经过一年精心筹划、反复研讨、认真撰写而得的研究成果。通过编写《读本》，我们对优秀历史文化传统的当代大众传播，有了一些实践体会和理性思考。

1．构建公众视野中的历史世界，需要认识面向大众传播历史文化的重要意义

清代浙江籍著名学者龚自珍曾经说过："欲知大道，必先为史。灭人之国，必先去其史；隳人之枋，败人之纲纪，必先去其史；绝人之材，湮塞人之教，必先去其史；夷人之祖宗，必先去其史。"（《古史钩沉论》）简明深刻地点明了历史具有终极意义的价值。

专家学者为普通读者撰写通俗读本，在西方学术界是一个传统。比如英国哲学家、社会学理论家杰瑞米·史坦葛仑博士主持的"小书大思想"丛书，包括《话说哲学》《哲学家的想法》和《伟大的思想家 A–Z》等系统普及读物；英国 DK 图书公司出版的"目击者文化指南"丛书，由牛津大学、伦敦大学等学校的专家执笔，对哲学、艺术、音乐等进行了大众化传播；英国皇家哲

学研究所开办有面向大众的期刊《思考》，等等。

近年来，逐渐兴起于美国的公共历史学，更是对史学大众化的学理探究和提升。在中国，历史知识的公共传播，一直得到提倡和实践。著名学者钱穆有“不知一国之史则不配作一国之国民”之论，当代学者黄仁宇则欲以历史书写树国民之历史性格。就浙江而言，“社科普及周”“人文大讲堂”，都是影响面大、成效显著的行动。但总体来说，史学大众化尚未成为学者内在的自觉行为，尚未形成蓬勃的气象和畅达的工作格局。求专、求精、求高深的学术观念和学术评价体制，一定程度上制约了人文社会科学的大众化。

人文社会科学研究的根本目的在于推动社会进步。因此，参与社会实践，是发展人文社会科学研究的源头活水；关注现实问题，是深化人文社会科学研究的重要途径。作为从事历史研究的学者，我们都有一种虔敬的“古典情怀”，大多究心于历史文化方面的研究，较少关注当代发展。在《读本》编写过程中，我们通过对领导干部、社会大众、网络媒体和社会生活的访问座谈、沟通交流、查阅学习、观察思考，深切地感受到了浙江大地上生气勃勃、创意无限的现实创造，她是社会不断向前发展的根本动力、文化传统生生不息的源头活水、人类美好生活愿望的实现途径；深切地感受到了社会、大众十分迫切的对精神文化生活的需求、对丰富精神世界的渴望，由此深感面向时代、关注社会、推动进步，同样是我们的职责所在。我们不但要做传统的学问，同样也要心怀敬意地为浙江的当代文化发展做一些实事，以此向生我养我的浙江大地和浙江人民，致以我们深深的敬意，落实我们无比的热爱，奉献我们绵薄的心力。

浙江优秀的历史文化传统丰厚精深、魅力无穷，她是我们深以为傲的文化资本，是我们取之不竭的文化宝库，是我们当代建设的文化资源，是我们屹立于世的文化底蕴。面向大众，从底蕴深厚、资源丰富、优势明显的浙江优秀历史文化传统里搜珍集宝、拾贝掇英，汇聚奉献，正是我们作为人文社会科学工作者必须担当的社会责任。

2. 构建公众视野中的历史世界，需要做好古今文字的通达转换

随着历史的物移景迁，文化的变动发展，特别是五四新文化运动倡导白话文以来，作为中国历史文化传统重要载体的语言表达体系，发生了全新的变化，这成为我们今天继承、弘扬优秀文化传统最为直接的一大障碍。因此，在严谨、规范、准确的学术研究基础上，以清丽简明、深入浅出、短小精悍、雅俗共赏的文字，梳理浙江历史传统、把握浙江历史发展脉络、揭示浙江历史发展规律、汇聚浙江历史知识和智慧，是让历史走向大众的首要工作。

本书中，我们对浙江历史上有鲜明特色、重大意义、突出影响、重要成就的人、事、物进行选择和研究，用清新通达的现代汉语进行重新写作的方式，对或佶屈聱牙，或深奥艰涩，或典丽文雅的历史文献做了现代文字的转换和传达。由此，我国第一部关于海港和海上交通的著作《临海水土异物志》中的久远记述，天台山高僧大德们深奥的佛教思想，充满哲学思辨的南宋朱熹与陈亮的“王霸义利”之辩，影响深远而文字玄奥的王阳明“心学”，等等，得到了浅显明达的表述，让文字不再成为阅读理解的障碍。书中更不乏练达、清丽、蕴藉、深情、知性、洒脱、典雅等等多样化的优美文风，让人读来而起兴会之思、有共鸣之感。

3. 构建公众视野中的历史世界，需要做好陶炼融会的释读阐发

南朝齐梁时的绘画理论家谢赫曾说：“师心独见，鄙于综采。”（《古画品录》）意思是说，独具匠心、不拘成法的才是好作品，综合杂凑他人之作的，应受到鄙视。此言甚是！作为反映浙江人文历史的书，切不可成为历史资料的简单汇编、他人研究成果的综合罗列。在写作中，我们根据自己的认识、理解、分析和研究，对重大事件、重要人物及其主要成就做了系统梳理，在择优选取、汇聚、表现历史精华材质的基础上，对古代知识、传统理念、经验教训、智慧感悟、哲学思想等等，做了陶炼思考、融会贯通的释读阐发。比如浙江历史从远古走到今天的文化源流与精神演变，浙江农民是全国最辛苦的农民之一的自然原因，人口要素对科技进步产生深刻影响的历史背景，作为中国传统艺术主流的文人画和水墨山水与浙江的深切关联，“越为诗巢”与中国文学的发生渊源，浙江佳山秀水中“人，诗意地栖居在大地上”的终极理想，四明山抗日根据地的越剧演出对后来越剧改革带来的重大影响，等等，都是我们在浩如烟海的文献资料中披沙拣金、把握精神实质的历史释读。

4. 构建公众视野中的历史世界，需要做好独具新见的研究升华

在社会大众尤其是领导干部的学历教育水平、文化知识修养、阅读鉴赏能力、精神文化需求都日趋提高的今天，陈旧的史料汇编、学术观点、故事叙述、心得体会、情感表达，都不足以引起社会大众的阅读兴趣，不足以达到弘扬优秀传统文化的目的，更不是我们作为历史文化专业研究者的工作职责和目标。充分依托我们已有的研究基础、心得和成果，用新的视野打量历史、深化探究，做出新的独立研究，是我们所有作者遵行的原则和方法，也是《读本》截然不同于其他普及读本之处。比如，我们从人类学的角度解读了千古孝女曹娥身后的越地巫术文化氛围，指出了浙江“丝绸之府”历史美誉的技术成因，揭示了王羲之作为中国“书圣”而超越孟子所谓“君子之泽，五世而斩”这一历史现象足以泽被千秋的文化力量。其间，有对现象的观照，有对原因的分析，有对规律的揭示，有对理论的提炼，有以小见大的深刻领悟，有纵历千年的本质把握，可谓自出机杼，异彩纷呈，尽心竭虑地奉献给各位读者。

5. 构建公众视野中的历史世界，需要做好融会时需的现实关联

如果没有与当下社会和生活恰切而紧密的关联，那么历史只是历史，永远走不出“传统”的范围，只能在时间长河的彼岸，寂寞起舞，乘风而去，与我们渐行渐远。即使形可见，无奈神相离。为此，历史需要走进今天的社会和生活，与今人同声共气，心神交会。只有这样，历史才是有生命的、有意义的、有价值的。

在书中，我们着力发掘笔下历史与眼前现实的关联点，并力图加以自然、准确的表达。比如，“天下第一清廉”陆陇其“清操饮冰，爱民如子”的政治情操，革命者张秋人明知“我的头要砍在杭州了”而临危受命、慷慨赴难的大义凛然，众多施茶会、水龙会、育婴堂、舍材会、路会、义学等民间乡风美德中生发出的无处不在的善行义举，等等，都是我们民族崇高精神、高尚品格、优秀品质、道德情操的生动体现，是我们今天建设社会主义核心价值体系、实现精神富有的思想养料。另如，从东吴政权“亲贤贵士，纳奇录异”中，可以吸取以人才立国的经验；从湖州商帮衰亡中，可以获得今天正确引导民间资本投资领域的启示；从宁波本帮裁缝到红帮裁缝的转变中，可以发掘产业转型升级的经验；龙游商帮“无远弗届，遍地龙游”的精神，为今天浙西南尤其是封闭山区对外开放、转型发展提供了参照；吴昌硕成为艺术领袖的历练之路，为今天文化人才培养提供了借鉴；等等。所有这些都是足可为今天的社会建设、经济建设、文化建设参考借鉴的历史经验。

6. 构建公众视野中的历史世界，我们殷切希望实现的美好愿望和价值旨归

我们殷切地希望，通过一年多来紧张忙碌、全力投入所做的这些与文化强省建设现实需求相结合的系统梳理、存精择优、现实转化、深入浅出等学术研究和大众传播工作，能构建起一座浙江历史文化资源的宝库，从以下这些方面，发挥《读本》的作用，实现让历史走向大众的美好愿望和价值旨归。

一是向社会大众和广大领导干部展示优秀的浙江地域文化传统、光辉的浙江地域文化精神和灿烂的文化创造成就，激发作为浙江人的自豪感，增加责任感。

二是为我省的文化强省建设激活历史信息，提供人文样本，构筑文化底色，丰富文化内涵，为各地开展当代文化建设提供历史资源、内容素材、创意源泉、创作灵感、思想启迪、多彩智慧，实现历史传统从文化资源向当代文化建设资本的成功转换。

三是用浓缩的历史人文精华丰富社会大众的文化知识、充实社会大众的精神世界，提升领导干部和文化从业人员的人文修养，培育开展现实文化建设所需之职业素质。

四是以权威、准确的内容和精致、典雅的形式，供相关部门作对外文化交流。

五是作为供查阅相关史料、事件、人物、数据的案头书，起到浙江历史文化词典的作用。

六是在分册书名、专题名、篇章名以及文内相关篇幅中，精选或化用浙江历代名人格言箴语、诗文名句，以供读者题辞、创作书画作品时参考借鉴。

张伟斌　陈　野

2013 年 3 月

目 录

城市影像（郑绩）

商贸繁盛（陈刚）

躬耕乐活

浙江地处亚热带季风气候区，
水、热条件优越，
境内地形地貌复杂多样，
故物类繁盛。
伴随着海侵的消退、
平原的成陆以及土壤的熟化，
浙江先民火耕水耨以启山泽，
从上山文化开始，
一步步从山地河谷走向平原和沿海，
并在这个过程中，
建立起了稻作、渔捞和
蚕桑并重的生业模式。

引 言

水稻曾是旧大陆最高产的谷物，密布的水网沼泽和发达的舟楫技术则带来了丰富的水产。生业模式决定膳食结构，如此生业自然形成了“饭稻羹鱼”的膳食结构。稻、鱼富含蛋白质、氨基酸和卵磷脂，因此这种膳食结构不仅保证了人类体格生长的营养需求，而且特别有利于大脑和神经系统的发育。稻、鱼的高产和高质使食物生产和营养供给变得相对容易，人类族群由此得以腾出大量的劳动力从事食物生产之外的行业，加之人群的总体智商水平较高，到距今四五千年的时候，浙江迎来了文明的曙光——良渚文化，这个以玉礼制、高祭台、高台墓葬、土筑城墙为特点的良渚古国，成了当时中华大地上发展程度最高的考古学文化之一。

但在距今三四千年的时候，全球性的天象异常以及由此导致的大洪水，使身处太湖碟形洼地和沿海低地的浙江地区遭受了毁灭性的打击，富庶的平原和沿海地区重新成为沼泽、斥卤（盐碱地）和汪洋，百姓被迫退居山地从事游耕渔猎，浙江的农业生产和社会发展因此退回了相对原始的状态。一直到春秋时期，自然条件才稍有好转，越王抓住时机带领民众

从山区逐渐向沿海平原迁徙，赢得了进一步发展的空间。越人非常务实，当中原各国用青铜大兴礼制的时候，越人却用这种代表了当时最高生产力发展水平的青铜制造农具和武器，在有限的条件下积极发展耕、战，终于跻身“春秋五霸”之列。汉晋以后，随着铁器的普及，曾经困扰浙江农业发展的诸因素，例如茂密的林莽、盘根错节的草泽、黏湿滞重的土壤等，在坚硬、锋利的铁器面前，都不再是阻碍。同时，由于北方战乱频仍，陆续有大量北人南迁至偏安一隅的浙江。他们不仅带来了大量劳动力，而且带来了先进的耕织技术。尤其是永嘉之乱、安史之乱和靖康之难时，南迁人口不可估量，浙江的水田稻作农业由此开始逐渐赶超中原黄土旱作农业。此前，黄土旱作农业占尽天时地利，在气候、土壤、水利、资金、劳动力和耕织技术上都明显优于浙江水田稻作农业。唐宋之际，中国的经济重心终于出现了实质性的南移，尤其是江南地区，成了全国最主要的粮食生产基地，世称“苏湖熟，天下足”。但因国防重点仍在北疆，故都城仍置北地，中国因此出现了世界上特有的漕粮制度，通过人工开凿的大运河，把南方之粮运到皇城以为国家财政。由于南方的主粮为水稻，故漕运之粮亦以水稻为主，水稻因此逐渐赶超北方的小麦，成为全国最主要的粮食种类。

唐宋元时期，是浙江农业最繁盛的时期，人称鱼米之乡、人间天堂。尤其是五代吴越国兴建的捍海塘、圩田以及众多的陂塘水利工程，使这一带的农田不再遭受海潮和水旱的威胁，成为旱涝保收的高产良田。经济和文化的繁荣则使这一带的农业形态趋于多样化，除传统的水稻、蚕桑、苎麻、养猪、渔捞等生产作业外，小麦、湖羊、茶叶、柑橘、竹笋、食用菌、观赏花卉、人工养鱼、海洋渔业、酿造等各个生产领域，也得到了迅猛发展。陆羽在这里写出了世界上第一本有关茶的专著《茶经》，韩彦直、赞宁、陈仁玉、楼璹、陈咏则分别写出了中国最早的柑橘专著《橘录》和最早有关笋的专著《笋谱》、最早有关食用菌的专著《菌谱》、最早有关农业的科普图册《耕织图》以及最早的植物学辞典《全芳备祖》。陈旉撰写的《农书》，第一次对江南水田稻作农业进行了全面系统的总结，并提出了“地力常新壮”的农学理论，为精耕细作农业和复种制在江南的推广奠定了强有力的理论基础，宋朝开始推行的稻麦两熟制就是一个极好的开端。

明清时期，浙江已成为全国最富庶的地区之一。但此时的浙江尤其是杭嘉湖地区，由于人稠地狭，加之商贸经济发达，农人开始关注生产成本和效益，讲求“经济”之学，因此相对省力、利润高而且可以吸纳更多劳动力的蚕桑丝织业、棉花纺织业和养鱼业，逐渐超过稻作，成为区域经济的支柱产业，其中的蚕桑和缫丝产业已成全国重心，故号“丝绸之府”。同时，杭嘉湖人民还创造性地发明了“桑基鱼塘”这种独特的生产模式，使经济效益和生态保护都达到了最佳、最有效的体现。但这却导致稻米生产日渐萎缩，最后连居民口粮都无法自保，“国家粮仓”的地位从此让位于新兴的湖广稻区，“苏湖熟，天下足”也因此演变成为“湖广熟，天下足”。杭嘉湖之外，浙江各地也都根据自身的条件，发展出各种生业模式，例如金衢地区采用的就是粮（稻和杂粮）—猪（火腿）—糖蔗的模式。在一些山区和沿海地区，则大力发展了玉米和番薯的种植。玉米和番薯是明清时期从美洲传入的新作物，在中国传统农作无法利用的贫瘠山地和沿海斥卤之地也能生长，从而有效地缓解了当时巨大的人口压力。

但是，不论是哪一种生业模式，精耕细作、复种轮作、多

种经营带来的人力、时间、农资、资金等的紧迫，都使浙江的农民成了全国最辛苦的农民之一。收麦插秧，种桑养蚕，缫丝织绸，种棉麻织布，种水果蔬菜，挖塘养鱼，饲养牛猪羊鸡鸭鹅……几乎日夜无休、全年无闲。尤其是“双抢”时节，酷暑烈日之下抢收抢种，苦累不堪。但浙江的农人不怨不恨，他们乐天知命，知足常乐，用辛勤的劳动和柔韧、清雅的审美情趣，把自己的家园打造成山清水秀、柳暗花明的人间桃源。妹唱采莲曲，哥打龙舟鼓，寡淡的日子因此被过得有滋有味、红火热闹，充满了世俗的欢愉和智慧。

在积贫积弱的近代中国，浙江又率先创办了近代农业学校——浙江蚕学馆，参东西洋之新理，兼采众长，把传统农业的经验和现代农业的科学实验结合起来，培养人才，推广技术，引领中国农业步入科学化的发展进程。但明清以来，人地矛盾激化造成的严重的生态破坏，直接导致了近代中国农业灾害的高发，民国十一年（1922）的壬戌大水灾就是一个典型例证。在国弱民贫的民国时期，政府根本无力扭转这种局势。一直到新中国成立后，通过大规模的水利建设和封山育林等措施，才遏制了这种人地矛盾造成的恶性循环。新中国成立之初实施的土地改革，更是从根本上消灭了封建土地制度，在一定程度上实现了“耕者有其田”的人类理想，从而为现代化农业的发展提供了最基本的制度保障，浙江农业由此进入崭新的历史发展时期。

稻之源

世界上最早进入文明的地区，都有一种出色的主粮作物相伴相随，巴比伦和埃及是小麦，中国北方是粟和黍（秦汉以后被小麦替代），中国南方和印度则是水稻。

中国地形走势西高东低，浙江处于最低梯级的东部沿海地区，受西来洪水和东来海潮的侵袭，自然环境极不稳定，时而为海时而为陆，沧海桑田以为常态。在气候和地理条件相对适宜的时候，这里恣意繁茂的野生稻成了人类原始族群最重要的

河姆渡遗址出土的稻谷遗存

这张照片是地层刚打开时抓拍的，六七千年前的稻谷依然鲜黄，犹如农家大伯刚刚收回。但一接触空气，瞬间就炭化了。挖了却无法保护，等于暴殄天物。周恩来坚决不让郭沫若挖乾陵，就是这个道理。当然，河姆渡是水利工程建设中的抢救性发掘，并非有意挖之。

食物来源。在人类从旧石器时代向新石器时代转变的过程中，惯于采食野生稻的浙江先民率先开始了水稻的栽培和驯化，成了世界上最早的稻作民之一。在距今一万年前的浦江上山遗址中，考古学家发现陶器残片的坯体中夹杂有许多野生稻和栽培稻的谷壳、秕谷和茎叶。制陶时在陶坯中掺入谷壳等植物体，本是为了缓解陶器遇火时因热胀冷缩引起爆裂的问题，却无意间为我们留下了稻作起源的宝贵证据。

此后，随着太湖流域和东部沿海地区土壤地理条件的逐渐改善，浙江的稻作族群也随之沿着江河，从中西部的丘陵山区向东部的平原地区迁徙。距今七八千年的时候，在萧山湘湖地区形成了跨湖桥文化；距今六七千年的时候，在杭州湾两岸又分别形成了马家浜文化和河姆渡文化。杭嘉湖平原上的马家浜文化，在距今五六千年的时候发展成了崧泽文化，并与宁绍平原上的河姆渡文化共同孕育出了浙江文明的雏形——良渚文化。这些浙江史前文化的经济基础都是稻作农耕，因此浙江的史前文明或可直接称为稻作文明。

发现于 20 世纪 70 年代的余姚河姆渡遗址，是浙江史前稻作最典型的例证。这是一个村落遗址，文化内涵非常丰富，由于文化堆积层都浸泡在地下三四米深处的淤泥中，与外界形成了良好的空气隔绝，基本处于恒温恒湿无氧无菌的状态，因此遗物保存非常完整，稻遗存更是随处可见，至今河姆渡遗址仍是世界史前考古中出土稻遗存最丰富的一个遗址。在其干栏式建筑遗迹中，甚至发现了厚达 20—100 厘米混杂有大量稻遗存的大片堆积，推测是河姆渡先民在干栏式房屋里加工稻米时日积月累遗下的废弃物。河姆渡遗址的发现，一度震惊中外学界。在国内，中华文明源于黄河的传统论断由此得到修正，长江和黄河一起成了中华民族的母亲河；在国外，河姆渡遗址的发掘引发了稻作文化的研究热潮，尤其在日本学界因稻米引发了文化寻根热，从河姆渡遗址沿长江而上，一直追溯到了西南一隅的云南，渡部忠世的《稻米之路》就是其中的经典之作。

在近代科学改良小麦品种之前，水稻一直是世界上最高效的粮食作物，一公顷常规品种的水稻平均能养活 5.63 人，而小麦只能养活 3.67 人（美国阿莫斯图《食物的历史》)，这或许正是浙江史前文化比较早慧的根本原因。充足的粮食供应，使一部分人得以脱离农业从事文化、艺术等其他创造。在距今四五千年的时候，良渚文化积累起了巨大的物质和文化财富，发展出了繁复精细的礼仪制度，出现了严重的等级分化，社会由此开始了文明的进程。当时，以玉制礼和高台大墓为特征的良渚文化，堪称中华大地上最耀眼的文明之星。只可惜，一场世纪洪水让地处长江下游的浙江成了汪洋鱼鳖之地，尧帝称当时的情景是“汤汤洪水方割，荡荡怀山襄陵，浩浩滔天，下民其咨”(《尚书 · 尧典》)。稻作无以为继，良渚人的国家之路由此止步。对此，考古学家俞伟超先生曾不无惋惜地说 :“如果 4000 多年前不发生这次大洪水，我国最初的王朝也许而且应该是由东夷建立的。”(《龙山文化和良渚文化衰变的奥秘》)

稻作不仅成就了浙江史前文化的辉煌，而且在此后的岁月里一直养育着这里的人民和文化。浙江多水域的地理环境，奠定了稻作与渔捞并重的经济模式，“饭稻羹鱼”因此成了浙江人民最基本的膳食结构。这种稻和鱼的组合，因为富含赖氨酸和卵磷脂而非常有利于人类大脑和神经系统的发育，为此地的文化繁荣提供了生理上的优势。尤其是便于开垦沼泽草莽和修建水利设施的铁器出现后，稻作再次显示了其在产量和质量上的优势。唐宋时，浙江已成为稻米生产的中心，出现了“苏湖熟，

天下足”的民谚。明朝时，水稻已成为整个国家最主要的粮食作物，这一点在明末著名科学家宋应星的《天工开物》中有明确的论述：“今天下育民人者，稻居什七，而来（即小麦）、牟（即大麦）、黍、稷（即粟）居什三。”来、牟、黍、稷都曾是中国早期历史上的主要粮食作物。因此，我们可以自豪地说，稻作不仅是浙江文化的基石，而且是五千年中华文明得以延续的血脉滋养。

智言慧思

范蠡：“且夫广天下，尊万乘之主，使百姓安其居、乐其业者，唯兵。兵之要在于人，人之要在于谷。故民众则主安，谷多则兵强。”

——（东汉）袁康、吴平《越绝书·越绝外传枕中第十六》

阅读链接：

游修龄：《中国稻作史》，中国农业出版社，1995年版。

游修龄主编：《中国农业通史·原始社会卷》，中国农业出版社，2008年版。

游修龄、曾雄生：《中国稻作文化史》，上海人民出版社，2010年版。

苎之精者，本出苎萝山

棉花传入中国之前，中国人衣、被的原料就是蚕丝和麻纤维，富贵者或高寿者衣丝，平民百姓着麻，故俗以“布衣”或“白衣”指称百姓，士人常以“一介布衣”自谦。

“布衣”最初指的就是麻衣，“一春一夏为蚕忙，织妇布衣仍布裳。有布得着犹自可，今年无麻愁杀我”（南宋戴复古《织妇叹》）。棉花在宋元之际传入我国后，“布衣”可同时兼指麻

1958 年钱山漾遗址出土的苎麻布残片

这团不起眼的破布，却是迄今世界上最早的苎布遗存，同出的还有绸片和丝线。可惜，1958 年还没人相信江南“蛮夷”曾与炎黄并驾齐驱，质疑之声因此此起彼伏，一时间弄得浙江考古人好不尴尬。所幸如今的考古成果，已足以让这些质疑烟消云散。

衣和棉衣。但因棉业发展迅速,很快超过麻业,成为中国百姓的主要衣料来源,故“布衣”渐渐成了棉布衣服的代称,麻布衣服反而要加一个“麻”字来区分了。

麻的种类很多,中国北方地区利用的主要是大麻,南方地区则是苎麻,故有“南人不解刈麻(指大麻),北人不知治苎”(元司农司《农桑辑要》)的说法。苎麻是品质优良的麻纤维,它的单纤维是麻类纤维中最长的,故苎麻可采用单纤维纺纱,其他麻纤维只能用束纤维纺纱。苎麻纤维的强韧度也是麻纤维中最高的,甚至比棉纤维还要高。苎麻纤维上有许多筛孔状结构,吸湿散热性能特别好,穿着舒适,透气不粘身。因此,苎麻是世界公认的“天然纤维之王”,更是南方暑湿闷热气候下最理想的衣料。

浙江先民很早就开始利用苎麻了,距今4700年左右的湖州钱山漾遗址就出土有苎麻布和苎麻绳、线等遗存。先秦时期,浙江地属扬州,苎布已成贡品,《尚书》和《禹贡》记天下贡赋,皆称扬州之贡“厥篚织贝”。其中的“织”,据西汉孔安国、唐代孔颖达的注释,即细苎或苎布。这种苎布所用纤维是来自野生苎麻还是栽培苎麻,我们并不清楚。但可以确定的是,至迟在春秋晚期,越地已开始人工种植苎麻。史载越王勾践曾在麻林山大规模“种麻以为弓弦”(东汉袁康、吴平《越绝书》)。

越国的政治、经济中心在山会平原,这里是优质苎麻的出产地,麻林山据说就在今绍兴县兰亭镇一带,诸暨苎萝山的苎麻更因越国美女西施而闻名于世。越国大夫文种曾为勾践出计,献美女给吴王夫差,“以惑其心而乱其谋”(东汉赵晔《吴越春秋》)。西施被选送之前,就在苎萝山卖柴、浣纱,相传其所浣之纱就是苎麻纱,“苎之精者,本出苎萝山。下有西施浣纱石。盖俗所谓苎萝者,于此浣之,以故越苎为得名”(南宋嘉泰《会稽志》)。

此后,浙江的苎麻生产一直发展良好。三国时期,乌程(今湖州)县令陆玑在《毛诗草木鸟兽虫鱼疏》一书中,第一次详细记载了有关苎麻的人工栽培和生产加工方

阅读链接：

纪俊三等：《中国苎麻的栽培历史与利用》，《农业考古》，1990 年第 2 期。

［日］周藤吉之：《南宋苎麻布的生产及其流通过程》，《农业考古》，1993 年第 1 期。

戴文进：《苎麻古今》，《农业考古》，1993 年第 1 期。

法。另据《元和郡县志》和《新唐书》记载，唐时浙江所属的10 个州中，有 7 个州贡苎布，是唐代重要的苎麻生产区。唐代隐居苎山（一说在湖州妙西乡，一说在余杭双溪）撰写《茶经》的陆羽，自号“桑苎翁”。吴兴的苎布“直胜罗纨轻”，曾被唐人张文规写入《吴兴三绝》。明朝时，苎布仍是浙江的大宗出产。“总揽市利，大抵东南之利，莫大于罗、绮、绢、苎，而三吴为最。”（明张瀚《松窗梦语》）“三吴”指浙江的杭州、湖州和江苏的苏州。湖州出产的苎布，因轻柔精美甚至被用来制作舞衣，“蹁跹制舞衣，独数江南美”（明崇祯《乌程县志·湖妇吟》）。此外，剡县（今嵊州）生产的“强口布”和象山生产的“女儿布”，也是有名的苎布。强口布虽然质量一般，但贸易量很大，“强口布以麻为之，出于剡，机织殊粗，而商人贩妇往往竞取，以与吴人为市”（南宋嘉泰《会稽志》）。浙江建德寿昌县生产的苎麻，则享有“寿麻”之誉，色白、纤维长且柔韧。

当然，最有名的苎布产品仍是西施故里诸暨出产的苎布，明朝弘治《绍兴府志》即称：“越郡八邑，苎布唯诸暨最精，相传以为西施遗习。”明朝万历《绍兴府志》仍称：“今八邑皆有苎，然尤以暨阳（即诸暨）为盛。”除苎布外，诸暨还出产一种蚕丝与苎麻的混织品“皱布”，俗称“山后布”，所用麻纱经过强捻处理，织成的皱布，不仅纤密精细，经久耐用，而且可与丝织的“罗”争艳（南宋嘉泰《会稽志》）。

火耕水耨，不烦人力

江南气候温暖湿润，但土壤却相对黏重贫瘠，林木草莽更是盘根错节，因此在铁成为农具主要材质之前，江南的农田开垦是非常困难的。也因此，秦汉以前的江南农业虽有气候湿暖、稻作高产之优势，但整体发展水平一直不如中原农业，因为中原的黄土非常疏松肥沃，稍加锄垦就可获得很好的收成，对开垦工具的要求并不高。

面对如此生境，江南人民并未气馁，他们巧妙地借助火和水的力量，开垦农田从事农业，俗称“火耕水耨”。“火耕”亦称“刀耕”，即先挑选一块草木茂盛的林地，砍倒树木后任其风吹日晒，无法砍伐的大树则采用环割树皮的办法让其自然死亡。在播种前放火烧掉这些草木，并以烧成的草木灰为肥，然后直接在灰层上撒播或点

砍伐后待烧的火耕地

火成就了农耕，农耕则引领着人类迈向文明。天威因此不再神圣，于是宙斯暴怒，盗天火的普罗米修斯被锁在了高加索山崖，永受兀鹰撕啄之痛。只是被火开启的人类智慧，宙斯是无论如何也收不回去了。

播作物种子。“水耨”就是在大热天把水灌进农田，让水下的草及草子被温热的水烫死、淹死并腐烂掉，既得草肥又减轻了农田的草害。农作中，耕、耘是最繁重的劳动之一。“牛领疮见骨，叱叱犹夜耕”，南宋陆游的《农家叹》让我们见识了耕之苦。元人王祯则为我们记下了耘之累：农家“皆以两手耘田，匍匐禾间，膝行而前，日曝于上，泥浸于下”，“爬沙而指为之戾，伛偻而腰为之折”（《农书》）。相较之下，“火耕水耨”确实让人很省力，故晋人陆云在记述鄮县（今鄞州）“遏长川以为陂，燔茂草以为田”的火耕水耨农业时，特别强调了其“不烦人力”（《答车茂安书》）的优点。

火是人类掌握的第一种自然力，在早期农业尤其是南方农业中，火更成为必不可少的重要生产条件。如果没有火，我们无法想象凭着当时简陋的木石工具，人们如何在山林泽薮中开垦出农田！筚路蓝缕，以启山林，火之功不可没。因此，“火耕”一直到近现代，仍在中南美洲、东南亚以及中国西南部等林木茂盛的地区尤其是热带雨林地区盛行。

但“火耕水耨”毕竟是一种粗放农业，实行这种农业的前提是“地广人稀”，而且气候要温暖湿润以便植被能快速恢复。因为这种农业除“火耕”产生的草木灰或“水耨”产生的烂草肥，整个种植过程再无人工施肥，因此地力消耗较快，隔几年就得另寻林地开垦，种过的地则让其自然恢复植被。此外，“火耕水耨”农业在种植过程中无治虫、除草等田间管理措施，病虫害和杂草会严重影响作物的产量，因此产量普遍不高，需要

有丰富的采集渔猎资源提供辅食。“楚越之地，地广人稀，饭稻羹鱼，或火耕而水耨，果隋蠃蛤，不待贾而足。地势饶食，无饥馑之患”，司马迁写在《史记·货殖列传》里的这段话，其实就是对“火耕水耨”这种农业形态的总结性论述。

随着人口压力的增大，全国各地先后进入了锄耕和犁耕农业时代。唐宋以来，随着全国经济重心的逐渐南移以及商品经济的发展，江南成了人地矛盾最为尖锐的地区之一，这里也因此成了典型的精耕细作农业区。不仅“火耕水耨”难觅踪影，而且耕作制度日益复杂化、多样化。一年一熟制逐渐向一年两熟制发展，简单的轮作制逐渐向轮作、间种、套种相结合的复种制发展。浙江境内因自然条件不同，形成了许多组合方式。例如，浙东南的温州、台州等地盛行双季间作稻，即清明时先种“早”稻，10 天后再在这种“早”稻行间种上“晚”稻，立秋时收割“早”稻后，“晚”稻仍可留田生长直待成熟；浙北的杭嘉湖平原在宋元之时形成稻麦两熟制，其中的麦也常被油菜、蚕豆、豌豆、大麦等替代，统称“春花”；浙中金衢盆地则多以早中稻和玉米、大麦、大豆等秋杂粮做组合。这种精耕细作的农业，在成就高产神话的同时，也把浙江农民逼迫成了全国最辛苦的农民之一，“不烦人力”与之渐行渐远，终成农民心底不可企及的一个美梦。

阅读链接：

彭世奖：《火耕水耨辨析》，《中国农史》，1987 年第 2 期。

刘磐修：《两汉六朝“火耕水耨”的再认识》，《农业考古》，1993 年第 3 期。

陈国灿：《“火耕水耨”新探：兼论六朝以前江南地区的水稻耕作技术》，《中国农史》，1999 年第 1 期。

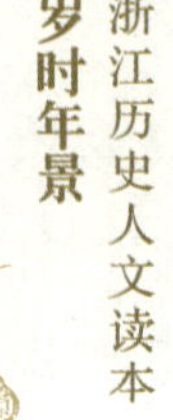

世方喋血以事干戈，我且闭关而修蚕织

“世方喋血以事干戈，我且闭关而修蚕织”，这本是五代吴越国国王钱镠保境富民的国策之一，但用于魏晋南北朝的浙江蚕业，也颇恰当。

中国蚕业，起初是南北共盛。相传蚕业的发明者嫘祖为湖北的西陵氏之女，中原的轩辕氏黄帝娶之为妻。但魏晋以来，北方战事不断，江南却“百数年中无风尘之惊”（南朝梁沈约《宋书》）。晋室南迁等大规模的移民活动，更为南方带来了大量的

蚕宝宝

劳动力和先进的耕织技术，故江南蚕业发展很快，大有赶超北方之势。西晋会稽郡处士杨泉就写过详细描述蚕之形态变化和饲养技术的《蚕赋》。南朝的江南，据沈约说已是“荫巷缘藩，必树桑柘”，“丝绵布帛之饶，覆衣天下”(《宋书》)。

南朝宋时，一个叫郑缉之的人写了一本《永嘉郡记》，书中记录了永嘉郡(今温州)一年养八次蚕的稀奇事。虽然此书已散佚，但“永嘉八辈蚕”之事，因被北魏贾思勰引录于《齐民要术》而得以流传至今，温州也因此被称为“八蚕之乡”。

“八辈蚕”意即一年中养八批蚕，按先后次序分别是蚖珍蚕、柘蚕、蚖蚕、爱珍蚕、爱蚕、寒珍蚕、四出蚕和寒蚕。这八批蚕中，除第二批“柘蚕”以柘树叶为食外，其余七批皆是以桑叶为食的桑蚕。

也许有人会说，养“八辈蚕”有什么稀奇的，只要桑叶够用，把受精的蚕卵一批批不停地孵出来、养起来不就行了吗？事情没这么简单，因为蚕是一种用卵来决定滞育性的昆虫，也就是说正常受精的蚕卵会在什么时候孵化，是雌蛾产卵时就决定了的，并不是想让它什么时候孵化它就能孵化的。蚕卵的这种习性专业上称之为“化性”。一化蚕一年只能养一批，其雌、雄蛾交配后产下的卵，当年不会孵化，要到第二年才能孵化出幼蚕；二化蚕一年中能养两批，第一批蚕产下的卵很快能孵化，成为第二批蚕，但第二批蚕产下的卵当年不能孵化，要到第二年才能孵化；多化蚕一年能养三批以上，各批产下的卵当年多能孵化再育（也有一些最后一批卵要到第二年才能孵化），但多化蚕的抗病性差，茧小丝少，且丝质差，故养者极少。生产性能最好的是二化蚕品种，蚕的幼虫期比一化蚕短，故耗叶量相对较少，而且蚕体强健，发育整齐，只是蚕茧略小于一化蚕而已。永嘉七辈桑蚕（柘蚕除外）所用的原种就是二化性春用蚕种蚖珍蚕，其他六辈都是它的直接或间接后代。那么如何把一年只能养两批的二化蚕发展成七批蚕呢？郑缉之把“八辈蚕”当做稀奇事记下来，奇就奇在这里。

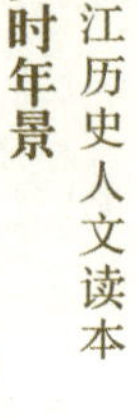

蚖珍蚕（三月茧）
- 自然孵化 7~8 天：蚖蚕（四月底茧）
- 低温抑制 21 天孵化：爱珍蚕（五月茧）
  - 自然孵化 7~8 天：爱蚕（六月底茧）
  - 低温抑制 21 天孵化：寒珍蚕（七月底茧）
    - 自然孵化 7~8 天：四出蚕（九月初茧）
    - 低温抑制 21 天孵化：寒蚕（十月茧）

七辈桑蚕繁育图

凡事并不总是“多多益善”，郑缉之就说过“珍者少养之”，七辈桑蚕的持续制种靠珍蚕，但珍蚕本身发育快、幼虫期短，结的茧薄而小，故用于生产性饲养并不合算。多与少的辩证，考验的其实是人的智慧和心态。

这张图告诉我们，蚖珍蚕三月结茧后，出蛾、产卵，这批卵被分成两部分：一部分任其在自然条件下经七八日孵化成蚕蚁，这就是蚖蚕；另一部分则在低温条件下抑制 21 天后再让其孵化成蚕蚁，这便是爱珍蚕。同理，爱珍蚕产下的卵亦被分成两部分，在自然条件和低温抑制条件下分别孵化出爱蚕和寒珍蚕。同样，寒珍蚕卵又在上述两种条件下分别孵化出四出蚕和寒蚕。由此可见，永嘉人发明七辈桑蚕的关键技术就是低温催青，用人造的低温环境使蚕卵误以为已越过冬天到了第二年，于是自动开始孵化，这是我国蚕业史上人为控制蚕卵滞育的最早记录。

当时既没有温度计也没有空调，如何控制好催青的温度呢？永嘉蚕农的做法是将蚕种纸（蚕卵产在纸片上）放进小口颈的坛内，并将坛口盖好，放在溪流、泉水或冷水中降温。根据经验，控制温度的关键是要做到坛外水面恰好与坛内最上层

的那张蚕种纸持平。若外面水位高，表明坛内温度过冷，蚕卵就会被冻死；若坛外水位低于坛内纸面，坛内冷气不足，这些蚕卵不到 21 天就会孵化成蚕蚁，而且其产下的卵，又回复成了越年卵，当年就不能再制种孵化了。

“八辈蚕”的技术精华，就是借用低温技术把越年卵“改造”成当年可以孵化的卵，从而不间断地分批孵化出蚕蚁，供饲养之需。这种不间断的饲养，充分利用了桑叶资源，使蚕茧生产价值得到了最大化的实现。这一切，都为江南蚕业的发展打下了坚实的基础。宋元以来江南渐成全国蚕丝业重心，明清时已号称“丝绸之府”，产量居全国之冠，而且这种蚕业“冠首”的地位一直保持到了近现代。

智言慧思

计然：“知斗而修备，时用则知物。”

——（西汉）司马迁《史记·货殖列传》

阅读链接：

杨宗万：《从“乡贡八蚕之绵”探索我国南方蚕业的起源》，《农史研究》（第二辑），1982 年。

黄世瑞：《我国历史上蚕业中心南移问题的探讨》，《农业考古》，1986 年第 2 期。

蒋猷龙主编：《中国蚕业史》，上海人民出版社，2010 年版。

顾渚贡焙，役工三万

饮茶起于汉朝之蜀地，此后一直不温不火地流行于长江流域，北人视饮茶为“苍头水厄”，仿效南人饮茶的人则被嘲笑为逐臭之夫、效颦之东施（北魏杨炫之《洛阳伽蓝记》）。直到唐朝的陆羽，才借助儒、释两道的力量，把饮茶发展成全民性的行为。陆羽为复州竟陵（今湖北钟祥）人，幼时当过小和尚，每日为师傅煮水烹茶，自己也因此喝茶上瘾，成年后还俗，即以茶事为生。陆羽曾顺着长江遍历名山大川，考察茶叶和水源的质量，其中有20多年时间是在太湖流域度过的。他在这里闭关对书，广结名僧高士，并撰写了《茶经》等几十种著作。《茶经》是中国也是世界上第一本茶事专著，从此确立了茶在中国的“国饮”地位。陆羽在浙江居住过不少地方，苎山是重要的一个点。一说苎山即杼山，在今湖州妙西乡，一说在余杭双溪，反正都在杭嘉湖平原的苕溪流域，故《陆文学自传》称陆羽“结庐于苕溪之湄”。

陆羽非常推崇长兴顾渚的紫笋茶。陆羽对茶叶的评价是“紫者上，绿者次；笋者上，牙（即芽）者次”，以他认为最上之“紫”和“笋”来命名长兴顾渚茶，可见其对顾渚紫笋茶的欣赏。在

新建的长兴大唐贡茶院（湖州方志办提供）

照片中的大唐贡茶院虽属新建，却颇具大唐皇家风范，错落于青山翠谷间，得天地之和谐。最让人动心的是那一抹山岚，清冽而滋润，如此好雾，安能没有好茶？雾与茶有着天生的缘，云雾的浸润让茶叶得以心平气和地生长，不急不躁间精粹潜成，故高山云雾之处，茶叶的产量虽然不高，味道却特别鲜美。于是明白：一切精品都需要时间的酿造，这世间并无速成的"好"。

茶叶产地的评价上，他认为"浙西以湖州上"，并注明"湖州，生长城县顾渚山谷"（《茶经》）。长兴古称长城县。此外，陆羽还写过一本《顾渚山记》，虽以"山"名，其实所写仍多茶事。其与皎然、朱放辈论茶，亦以"顾渚为第一"（南宋晁公武《群斋读书志》）。

长兴顾渚紫笋茶是浙江历史上的第一个名茶。紫笋茶与下箬酒、霅溪鱼号称"吴兴三绝"（吴兴是湖州的古郡名）。唐人张文规曾写过《吴兴三绝》一诗，并劝朋友说"吴兴三绝不可舍，劝子强为吴会行"。即使后来有人推四川蒙顶茶为第一（唐李肇《唐国史补》），杨晔仍认为"湖州顾渚湖南紫笋茶，自蒙顶之外，无出其右者"（《膳夫经》）。

延伸阅读：

朱自振：《太湖西部“三兴”地区茶史考略》，《农业考古》，1990年第1期。

张灵：《顾渚紫笋茶名称考略》，《浙江学刊》，1990年第1期。

林盛有：《试论陆羽〈茶经〉“一之源”中的“上”与顾渚紫笋》，《农业考古》，2004年第2期。

顾渚紫笋茶也是浙江最早的贡茶。据说陆羽最初向常州刺史李栖筠推荐的是江苏义兴（今江苏宜兴）茶，称其“芬香甘辣，冠于他境，可荐于上”（《义兴县重修茶舍记》），宜兴由此开始贡茶，史称阳羡茶，“天子未尝阳羡茶，百草不敢先开花”（唐卢仝《走笔谢孟谏议寄新茶》）。后因阳羡茶不敷使用，唐代宗下令与宜兴接壤的浙江长兴顾渚亦制茶进贡。没想到，顾渚茶的品质和数量很快超过了宜兴茶，顾渚贡茶于是名甲天下。为此，官府在顾渚设立了我国历史上第一个贡茶院，专为皇家焙茶，“以刺史主之，观察史总之”。贡茶院规模浩大，“两行置茶碓，又焙百余所，工匠千余人，引顾渚泉亘其间，烹蒸涤濯皆用之，非此水不能制也”（南宋嘉泰《吴兴志》）。唐贞元以后，“每岁以进奉顾渚山紫笋茶，役工三万人，累月方毕”（《元和郡县

顾渚茶园（任丽萍摄）

图志》)。唐代湖州刺史颜真卿、张文规、杜牧等都曾亲临监茶，诗人皎然、白居易等也都曾来品茗赏景，赋诗题咏，盛况空前。

顾渚贡茶院的设立，标志着唐代中叶以后，茶叶生产重心已从长江中游转移到了长江下游地区。唐王室对顾渚茶非常喜爱，“凤辇寻春半醉回，仙娥进水御帘开。牡丹花笑金钿动，传奏吴兴紫笋来”（唐张文规《湖州贡焙新茶》)。上行下效，风流被野，甚至常鲁公出使吐蕃（今西藏）时，赞普（即吐蕃王）亦向其炫耀收藏的顾渚茶（唐李肇《唐国史补》)。

但焙贡茶制度其实是把私有茶园变成了官茶园，茶农不仅失去了卖茶谋生的自由，而且贡赋、劳役极重。曾任湖州刺史督造紫笋贡茶的袁高对此深有体会。茶农们“扪葛上欹壁，蓬头入荒榛。终朝不盈掬，手足皆皴鳞”，但官差可不管这些，“阴岭芽未吐，使君牒已频”，茶农被迫“选纳无昼夜，捣声昏继晨”。因此，他指责焙贡茶是“动生千金费，日使万姓贫”的弊政，并发出了“茫茫沧海间，丹愤何由申”的呐喊。袁高把这些都写进了《焙贡顾渚茶》(亦称《茶山诗》)一诗，并将此诗与贡茶一起进呈给唐德宗，还把诗文刻石置贡焙处。袁高是唐代唯一公开反对焙贡茶制度的官员，这里有他的良心，有他的正直，更有他对茶农苦难的同情。

虽然宋以后因气候变冷的原因，贡茶的主产地转移到了福建，但顾渚紫笋茶仍是受人喜爱的名茶之一。宋人苏轼即称“千金买断顾渚春，似与越人降日注”(《送刘寺丞赴余姚》)，明人谢肇淛亦称:“湖人于茗而数顾渚，而数罗岕。”(《西吴枝乘》)“日注”即“日铸”，是宋朝时绍兴出产的一种名茶。岕茶兴于明朝，因加工独特，明中期已成“茶之王种”。

天上取样人间织

唐朝诗人白居易（772—846）写过一首《缭绫》诗，盛赞越地所产的缭绫，“缭绫缭绫何所似？不似罗绡与纨绮。应似天台山上明月前，四十五尺瀑布泉”。罗、绡、纨、绮已是丝织中的精品，缭绫“不似”它们，表明缭绫之精美，已非其他丝织品所能比拟。诗人以月光下的天台山瀑布来比喻，形象地表达了缭绫轻柔的质感、半透明的光感和闪烁不定的色感。如此之缭绫已是巧夺天工，但缭绫之美远不止于此。瀑布是没有“文章”（指图案花纹）的，而缭绫“中有文章又奇绝，地铺白烟花簇雪”，这种白地白花纹的“文章”，被诗人巧妙地比喻为“白烟”和“簇雪”。当然，染色后的缭绫贡品就更美了，“去年中使宣口敕，天上取样人间织。织为云外秋雁行，染作江南春水色”，美到诗人无法形容，只能说这是人间偷取了天上的纹样织成的。

越地的丝织技术本不如北方，之所以能迅速崛起，据说和唐初出任江东节制的薛兼训有关。薛到任时，发现越地极宜蚕桑，但织工不精，于是把军中的未婚青年召集起来，“厚给货币”，密令他们去北地娶善织之妇，结果一年就带回了数百人，

“由是越俗大化，竞添花样，绫纱妙称江左矣”（唐李肇《唐国史补》）。到白居易生活的中晚唐时期，越地已到了“产业论蚕蚁”（唐白居易《和微之春日投简阳明洞天五十韵》）的地步。贞元年间，越州的丝绸贡品已有吴绫、异样吴绫、花鼓歇纱、吴朱纱、宝花花纹罗、白编绫、交梭绫、十样花纹绫、轻容兰縠、花纱、吴绢等10多个品种（北宋宋祁《新唐书》）。可见中晚唐时期，越地的丝织业已相当发达。

绫是越地最著名的传统丝织产品。早在隋朝，越地已贡“耀花绫”。这种绫绫纹突起，甚有光彩，隋炀帝就曾以耀花绫独赐司花女袁宝儿和崆峒夫人吴绛仙，以示恩宠，他妃莫得（唐颜师古《大业拾遗记》）。除缭绫外，白居易还赞叹过杭州的柿蒂绫，“红袖织绫夸柿蒂”（《杭州春望》）。越地善织绫的优势一直在延续，据南宋《咸淳临安志》记载，当时的临安府（即杭州）每年都要为皇宫生产一百匹绫用于御服制作，有一种绫叫“狗头绫”，尤其“光丽可爱”，杭州的文思院则要负责生产宫廷所需的官诰和度牒用绫。明清时期，湖州最有名的丝织品是裱绫，主要用于书画及奏本封面的装裱，奏本绫均织有二龙，“龙睛突起而光亮”，以倪家所织为最精，

唐　佚名《宫乐图》

开元盛世，世风骄奢淫逸，仅一个杨贵妃，就已弄得“从此君王不早朝”（《长恨歌》），遑论其他。然天地盈亏，自有其道，人不惜福，祸必旋至。最出风头的，也就成了最倒霉的，马嵬兵变，贵妃之死自是在劫难逃。

阅读链接：

朱新予主编：《中国丝绸史》，纺织工业出版社，1992 年版。

黄能馥、陈娟娟：《中国服饰史》，上海人民出版社，2004 年版。

赵丰：《中国丝绸艺术史》，文物出版社，2005 年版。

故亦称“倪绫”（清汪日桢《湖蚕述》）。

缭绫是唐绫中的精品，白居易形容用缭绫裁制的舞衣“异彩奇文相隐映，转侧看花花不定”，这不是诗人的夸张，而是一种写实。唐中宗的安乐公主就有一条“织成裙”，“值钱一亿。花卉鸟兽，皆如粟粒。正视、旁视，日中、影中，各为一色”（北宋司马光《资治通鉴》），说明这种使织物在不同角度和光线下呈现不同图文色彩的技术，在白居易之前就已存在。

“织者何人衣者谁？越溪寒女汉宫姬。”织的人没得穿，穿的人不用织，阶级社会历代如此。宫廷征缭绫是为了给宫姬做舞衣，而宫姬之所以需要如此精美昂贵的舞衣，说到底是为了满足统治阶级奢侈糜烂生活的需要，“中使宣口敕”，就说明这一切最终是为了皇帝的享受。织造缭绫非常费工费时，“缭绫织成费功绩，莫比寻常缯与帛。丝细缲多女手疼，扎扎千声不盈尺”。但这种“春衣一对直千金”的缭绫舞衣却并不被“恩正深”的昭阳舞人珍惜，“汗沾粉污不再着，曳土踏泥无惜心”，因为她们是穿给皇上和官员们看的，只要他们高兴，一切都值得。因此，白居易虽然在字面上是规劝“昭阳殿里歌舞人”，“若见织时应也惜”，事实上这话是说给皇帝和官员们听的。

中晚唐时期，社会动荡不安，上层社会因此形成了及时行乐和穷奢极欲的风气。奢侈需要物质的支撑，于是横征暴敛如魅相随，百姓如堕汤釜火海。而唐王朝自身，也正是在这样的“水深火热”中，耗尽了江山的气数。

旱涝不及，为农美利

江南地势低洼，上有江河泄溢，下有海潮顶托，常成洪涝之灾，“天下之赋，半在江南，而天下之水，半归吴会。盖江南之田，资水灌沃，特号涂泥，又易霑足”（明蒋棻《明史纪事》）。因此，江南农业想要有所突破，水利是关键。

浙江水利汉晋以来已粗具规模，东汉时在绍兴兴建的镜湖（即鉴湖）、在余杭兴建的两湖以及南朝梁时在松阳兴建的通济堰，都是其中比较大型的水利工程。隋唐以后，随着经济重心的南移，政府对江南水利的重视程度和投资力度都有所提高，水利建设的步伐由此明显加快。唐朝时，先后兴建了湖州安吉县的石鼓堰和长城县的西湖，明州鄮县的小江湖、广德湖、西湖（即东钱湖）、仲夏堰和它山堰，杭州新城县的官塘堰和余杭县的北湖，越州上虞县的任屿湖，衢州西安县的神塘等较大规模的水利工程，其中的它山堰因规模大、功效全，与郑国渠、灵渠、都江堰一起，名列中国古代四大水利工程。

杭州湾两岸沃野千里，是浙江最好的农作区，却因海潮时至，丰歉无定。为此，从唐宋开始，海塘成了浙地水利的一大特色。早在唐朝开元年间，会稽县县令李浚之就在上虞和山阴之间修筑了百余里的海塘。但真正大规模的海塘修筑始于五代吴越国，“军食有十年之积，海塘有永久之功”（宋范垧等《吴越备史》）。明清时期，浙江海塘陆续改为石塘，以期永固，并增设备塘、坦水等配套设施，使海塘既可防御海潮，又可积聚淡水用于灌溉。正是海塘的这种“永久之功”，最终成就了浙江

阅读链接：
缪启愉：《太湖地区的塘浦圩田的形成和发展》，《中国农史》，1982 年第 1 期。
张芳：《宋代两浙的围湖垦田》，《农业考古》，1986 年第 1 期。
马湘泳：《江浙海塘与太湖地区经济发展》，《中国农史》，1987 年第 3 期。

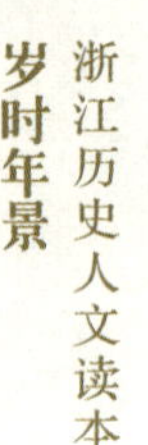

的平安和富庶。

在海塘的保护下，浙江人民又创造出了“圩田”这种独特的农田水利体系，以保障农作的旱涝保收。圩田的初级形态称为“围田”——筑堤挡水，围湖造田。唐及五代吴越国时期，浙江的人地矛盾开始显现，于是围田行为日趋频繁，围田的形制也日趋复杂，并逐渐转变成兼有堤岸、涵闸和沟渠的圩田。圩田与围田的最大区别就是：围田只是围水造田以增加农田数量，圩田不仅围水造田，而且利用圩岸、沟渠和涵闸在农田间组构成完善的水利系统，从而确保圩内的农田旱涝无忧。吴越国时期是圩田最兴盛也是维护得最好的时期，北宋的范仲淹就赞叹过吴越大圩：“江南旧有圩田，每一圩方数十里，如大城，中有河渠，外有门闸。旱则开闸引江水之利，潦则闭闸拒江水之害，旱涝不及，为农美利。”（《范文正公集》）据统计，吴越国立国 86 年，只发生过四次水灾和一次旱灾，为太湖地区历史上水旱灾害最少的时期。史载“钱氏百年间，岁多丰稔”（宋郏侨《水利书》），“民间钱五十文”即可“籴白米一石”（《范文正公集》）。可见圩田对农业丰产起到了决定性的作用，太湖亦因此成为全国的粮仓，时称“苏湖常秀，膏腴千里，国之仓庾也”（《范文正公集》）。

虽然海塘、圩田及其他水利工程在很大程度上保障了浙江农业的旱涝保收，但政府的繁重赋税和圩田在后期的失控发展，还是造成了很大的社会和生态问题。例如吴越国时期“保境安民”的政策虽然使百姓免遭兵燹，但为“保境”而向中原王朝

围（圩）田图

这是元人王祯《农书》中的“围田”插图，环护叠套，有如诸葛孔明的军阵，“万雉长城倩谁守，两堤杨柳当防夫”（宋杨万里《圩丁词十解》）。万物皆有“敌”，顺势攻防则皆可解，世事如此，人事亦如此。

的贡纳，都被转嫁到了百姓头上，赋敛苛暴，鸡、鱼、蛋、菜无不收税，“民免于兵革之殃，而不免于赋敛之毒，叫嚣呻吟者八十年”（南宋《咸淳临安志》）。同时，无限度的圩田开发，也使生态环境遭受了严重的破坏。入宋以来，圩田之厚利吸引着官僚豪绅大肆占江围湖，例如绍兴鉴湖本为当地的一大水利设施，但在北宋政和末年已被围垦为田。这种猖獗的、盲目的围垦，使江湖水系错乱淤塞，水旱灾害由此频发。仍以鉴湖为例，自被围垦后，“春水泛涨之时，民田无所用水……至夏秋之间，雨或愆期，又无潴蓄之水为灌溉之利，于是两县（山阴、会稽）无处无水旱”（南宋徐次铎《复镜湖议》）。更可恶的是，发生水灾时，圩田田主为自保常常以邻为壑，嫁祸于民田，人为地扩大了灾情，“旱则据之以溉，而民田不沾其利，涝则远近泛滥，不得入湖，而民田尽没”（《宋史·食货志》），“为农美利”的圩田从此成为浙农一害。

苏湖熟，天下足

黄河流域特别是中原地区，虽然文明早慧，但由于农耕民族与游牧民族一直处于土地和资源的拉锯式争夺状态，战乱频仍，时局不稳，故千百年来，尤其是东晋南北朝以来，北人南迁及附带的文化南传一直都没有停止过。这种建立在北方“痛苦不安”基础上的人口和文化的南移，无意间却促成了南方的开发和发展，以至于到隋唐的时候，中国政治和文化重心虽然仍在中原地带，但经济重心显然已转向江南地区。唐人李翰就声称：“嘉禾在吴之壤最腴，故嘉禾一穰，江淮为之康；嘉禾一歉，江淮为之俭。”（《嘉兴屯田纪绩颂并序》）国家财政也愈来愈倚赖于江南，“赋出天下，而江南居十九，以今观之，浙东、西又居江南十九”（唐韩愈《送陆歙州诗序》）。此后，经过五代吴越国的“保境安民”和两宋在江南的经营，中国经济重心移居江南遂成定局，江南也由此成为国家的经济命脉，北宋范祖禹就称“国家根本，仰给东南”（《宋史·范祖禹传》）。同时，为维持北方政治和南方经济的协调配合，中国出现了世界上特有的大运河漕运制度，人工开凿大运河，把经济重心之粮食和货物运输到政治重心以维持国家财政运转。北宋苏轼就说过，

“两浙之富，国用所恃，岁漕都下米百五十万石，其他财赋供馈不可悉数”（《进单锷吴中水利书状》）。李光也说：“二浙每岁秋租大数不下百五十斛，苏湖明越，其数太半，朝廷经费之源，实本于此。”（《宋会要辑稿·食货》）这种“东南生之，西北漕之”的漕运制度，一直到近代铁路运输发展起来之后才趋于衰落。

江南在唐宋之时，之所以能成为中国的经济重心，除北来人口和技术的支持外，还得益于相对平稳的社会环境、温暖多雨的气候条件以及吃苦耐劳的民风民俗。同时，国家对江南经济的倚赖，也反过来促进了国家对江南农业的重视和投入。这个阶段是浙江水利大发展的时期，也是农业技术大发展的时期，麦稻二熟制、双季稻以及耐旱高产的占城稻，都得以在江南推广普及。这一切，促使江南农业飞跃发展，原先“火耕水耨”的粗犷农业很快进入了高水平的精耕细作状态，土地的开垦和熟化都取得了很好的效果。江南一地不仅“四郊无旷土”（南宋祝穆《方舆胜览》），而且对肥料的重视，使这里的农田成了全国最肥沃的土地之一，从而造就了粮食单产和总产的高产奇迹，因此范仲淹称这里是“膏腴千里，国之仓庾”（《浙西水利书》）。南宋时，甚至出现了“苏（苏州）湖（湖州）熟，天下足”的民谚，对江南的全国主粮区地位做了最精简、最直白的概括。

“苏湖熟，天下足”这句民谚，最初被范成大引录于他在南宋绍熙三年（1192）修撰的《吴郡志》中：“天上天堂，地下苏杭。又曰苏湖熟，天下足。”稍后，朱熹的女婿黄勉斋在庆元年间任石门（今桐乡）库官时，也在《监石门酒务》一文中引录了相似的民谚，“吴越天下富，京畿游侠乡……世言苏湖熟，治溉及四方”，说明当时这一民谚确实已广为流传。吴泳和高斯得在引用这一民谚时，尤其强调这是江南人民辛勤劳作的结果，“苏湖熟，天下足，勤所致也”（南宋吴泳《鹤林集》），“苏湖熟，天下足。虽其田之膏腴，亦由人力之尽也”（南宋高斯得《耻堂存稿》）。

明清以来，伴随着商品经济的发展和资本主义的萌芽，经济效益较高的蚕桑

喜看稻菽千重浪

江南成为中国的粮食生产重心后，水稻也就逐渐超越小麦，成为全国最大宗的粮食产品。此“最”字，至迟在明代已得确立，明人宋应星就曾白纸黑字地写下过这样的句子：“今天下育民人者，稻居什七，而来牟黍稷居什三。”(《天工开物》)

和棉织在江南得到了长足的发展，形成了以蚕桑、棉织为特色的区域经济。桑、棉对粮田的挤占以及工商贸易带来的激增的非农业人口，使江南这个“全国粮仓”的粮食储备日益不足，甚至逐渐沦为缺粮区，民食不能自给。好在此时，湖广地区发展成了全国最大的稻米种植区，湖广之粮顺长江而下即达江南,从而有效地解决了江南口粮不足的后顾之忧。至此，原本的“苏湖熟，天下足”演变成了“湖广熟，天下足”。吃着湖广之粮的江南农夫，则成就了“衣被天下”的美梦。

阅读链接：

朱瑞熙：《宋代“苏湖熟，天下足”谚语的形成》,《农业考古》,1987年第2期。

张家炎：《明清长江三角洲地区与两湖平原农村经济结构演变探异：从“苏湖熟，天下足”到“湖广熟，天下足”》,《中国农史》,1996年第3期。

陆咸：《从“苏湖熟，天下足”到“衣被天下”：明清时期江南地区资本主义萌芽的发生》,《苏州科技学院学报》,2004年第4期。

地力常新壮

宋代，特别是宋室南迁后，人多地少，江南的人地矛盾迅速激化。为了扩大农田面积，山林湖泽都被陆续开垦成了畬田、梯田、围田、圩田、架田、沙田等农田。但人类生存对资源需求的多样性以及生态承载能力的极限性，都要求土地的开垦被维持在一定的限度内，因此土地的开垦不可能是无限制的。

那么，如何在有限的土地上提高粮食总产量呢？中国人尤其是江南的稻作民，选择了一条通过精耕细作提高单产以及通过复种制提高年度总产的道路。精耕细作和复种制都能有效提高产量，但前提是土地必须肥沃，管理必须精细。尤其是复种制，意味着一块地一年要连续种好几茬庄稼，甚至同一块地在同一时间里还要通过间作或套种的方法同时种好几种庄稼，这对地力的消耗是巨大的，如果地力跟不上，庄稼就长不好，提高单产和年度总产都将成为一句空话。

正是在这种形势下，生活在两宋之交的陈旉，总结江南精耕细作和复种制的实践经验，并把它们提升到理论的高度，写出了第一本有关“泽农”（即水田稻作农业）的农书——《农书》，第一次系统地论述了江南的水稻栽培和蚕桑生产，第一次辟出专篇系统地讨论了土地利用，并提出了“地力常新壮”“用粪犹用药”等重要的农学思想。因此，此书在中国农学史上占有重要的地位，学者们认为它可以与《氾胜之书》《齐民要术》《王祯农书》《农政全书》等并列为中国第一流的古农书。

陈旉身处动荡的两宋之际，无意于仕途而隐居民间，故自称“西山隐居全真子”

或“如是庵全真子”。陈旉一生基本处于颠沛流离的状况，“所至即种药治圃以自给”，最后才在杭州西山［一说真州（今江苏仪征）西山］定居下来，并在绍兴十九年（1149）他74岁的时候写成了这本书。

陈旉《农书》反映的是典型的江南水田稻作农业,全书分上、中、下三卷。上卷概括讨论了水稻的耕作方法，并兼及麻、粟、芝麻、萝卜和小麦等作物；中卷专门谈论了水田稻作的唯一役畜——水牛；下卷则专论蚕桑，从种桑一直讲到收茧。虽然此书篇幅很小，全书也就12000多字，还不及现在众多论文的洋洋洒洒，但它却是一本既有理论高度又有实践指导意义的经典农书。

陈旉对中国农业的最大贡献，是在农学上确立了“地力常新壮”的观念。虽然，江南的精耕细作农业在北宋时已非常重视施肥，秦观即称：“今天下之田称沃衍者，莫如吴、越、闽、蜀，地狭人众，培粪灌溉之功至也。”(《淮海集》）但很多人对地力的长久维持仍缺乏信心，“或谓土敝则草木不长，气衰则生物不遂，凡田种三五年，其力已乏”。陈旉驳斥了这种观念，提出“若能时加新沃之土壤，以粪治之，则益精熟肥美，其力常新壮矣，抑何敝何衰之有”。“地力常新壮”观念的确立，增强了人们对提高粮食单产和总产量的信心，支撑了精耕细作体系的持续发展，并使农田环境甚至整个生态环境进入了良性循环。因为废弃物被作为肥料纳入了物质循环，这样一来既保持了农田土壤的肥沃，又清洁了环境，同时肥沃的农田使精耕细

作得以实施，精耕细作可以提高单产，提高单产则可降低对农田总数量的需求，从而在一定程度上遏制了对山林湖泽的滥垦滥伐，有利于生态环境的正常维系，也有利于山林湖泽资源更好地满足人类的其他生业需求，如柴薪、建材、器材、药材、野味等。在提出“地力常新壮”的观念后，陈旉又提出了具体的施肥原则，这就是“用粪犹用药”。他强调施肥就像医生治病用药一样要对症下药，要根据土壤性质及作物的生长情况，选用合适的肥料种类，合适的数量和合适的施肥时机、施肥方法，这对土壤的改善和作物的生长都是至关重要的。肥料并不是越多越好，这道理就像人吃补品一样，乱吃不仅得不到健康，甚至可能把自己吃病、吃死。正是基于这种“地

陈旉问稼图

孔子的学生樊迟想学稼穑，孔子说：“吾不如老农”，“吾不如老圃”，可见农业是一门实践性和经验性非常强的学问，连博学的孔子也老实地承认自己不懂农事。陈旉不仅自己“种药治圃”，而且虚心向农民请教。这本书越千年而流传至今，得成经典，原因或许就在这里吧！

阅读链接：
万国鼎：《陈旉农书校注》，农业出版社，1965 年版。
姜义安：《陈旉〈农书〉后记质疑》，《中国农史》，1991 年第 1 期。
范楚玉：《陈旉的农学思想》，《自然科学史研究》，1991 年第 2 期。

力常新壮”和“用粪犹用药”的实践，江南农田的肥沃和粮食产量之高，都让人叹为观止，南宋高斯得即称“浙人治田，比蜀中尤精，土膏既美，地力有余，深耕熟犁，壤细如面”，“上田亩可收五六石”（《耻堂存稿》），而南宋其他地区的水稻亩产一般只有两石左右。

虽然南宋时期中国的雕版印刷已较普遍，但对老百姓来说，印本书还是很不容易的事，陈旉靠“种药治圃”维生，根本无力出版自己的著述。为此我们还得感谢当时的知真州（宋代曾以朝臣充任各州长官，以加强对地方的统治，称“权知某州事”或“知某州”）洪兴祖，正因为有他的慧眼识才，这本书才得以流传至今。当时真州为宋、金交战的要冲之地，满目疮痍，百业皆废，洪兴祖多次上疏请求减免民租，招抚难民。陈旉知洪兴祖爱民，不顾高龄专程拜访并呈送此书，希望对其有所裨益。洪兴祖将此书附于《劝农文》之后刊刻传世，并依此书之法，组织百姓垦荒 7 万余亩，把这片荒芜之地，重新建设成了“长、淮所赖以储蓄者，犹籴于此以取足焉”的重要农业生产基地。这件事在陈旉《农书》所附洪兴祖和汪纲的题记中均有详细记载。官能爱民，真乃百姓之福、文化之幸，中国戏曲中包公戏百演不衰，不正反映了百姓对好官、清官的渴望吗？

农桑之务，曲尽情状

两宋时期，是浙江农桑全面快速发展的时期，尤其是南宋定都临安（今杭州）后，浙江成了京畿之地，经济命脉的作用由此被进一步强化。当时宋、金呈对峙状态，每年都需要巨额的军费开支以及求和苟安的巨额贡纳，在农业社会，这一切都需要农业来支撑。因此，宋高宗即位之初，就下诏奖劝农桑，并以此作为官吏考绩的重要内容。楼璹是浙江鄞县人，高宗时任於潜县令，自幼熟悉江南耕织并擅长绘画，为了更好地完成县令之责，特作《耕织图》以劝农桑。

《耕织图》是中外历史上最早的一部农业科普图册，也有人称它是我国最早完整记录男耕女织的画卷。书中以彩绘图画配诗歌解说的形式，系统形象地叙述了当时农耕和蚕桑生产中的各个环节，共有 21 幅“耕图”和 24 幅“织图”，每幅图都附有一首诗，真正做到了“农桑之务，曲尽情状”（南宋楼钥《耕织图后序》）。当然，楼璹能想到用这种图文并茂的方法来表现耕织过程，并不是一拍脑袋的突发奇想。其实耕织一直是中国艺术的表现对象，战国青铜器上的采桑图，汉代画像砖（石）上的牛耕图、中耕锄草图、阉牛图、调丝图，魏晋南北朝墓壁上的屯垦图、耕耙耱图等，都是其中的杰出代表。甚至纯粹的艺术作品，也有直接以耕织为描绘对象的，例如唐代画家张萱的《捣练图》，描绘的就是捣练、络线、熨烫等丝绸生产过程的情景。诗、画组合的表现形式据说出现于南北朝晚期，唐时已较普遍，韩滉的《田家风俗图》《尧民击壤图》和《丰稔图》等，采用的就是这种诗配画的形式。只是这些“耕织图”

及其配诗都还是零星的，不成系列的，而且表现重点或落在稼穑艰难，或落在乡村风情，及少顾及耕织技术。楼璹的创新之处，就是利用了这种诗配图的形式，完整地表现了耕织的整个过程，堪称中国连环画的鼻祖，而且重点落在了农业技术的分解图示上，科学性极强。

但楼璹的《耕织图》又不是纯科普的东西。楼璹身为基层官员，对“田夫蚕妇之作苦，究访始末”（清光绪《於潜县志》），对农人怀有深切的同情，因此在劝农耕织的同时，书中也体现了浓浓的人文关怀，希望百姓能了解耕织之不易，从而珍惜衣食；希望官府能体恤民生之艰辛，从而宽民赋役。由于此书劝农和劝官的态度都非常平和、诚挚，因此农民爱看，皇帝也能接受。当楼璹把此书献给皇帝时，皇帝广颁之以劝农。据楼璹之孙楼洪说，因为此书“图绘以尽其状，诗歌以尽其情”，加之政府的宣传，故“一时朝野传诵几遍”（《进耕织二图诗·跋》），甚至连“郡县所治大门东西壁皆画《耕织图》，使民得而观之”（元虞集《道园学古录》）。从此，由官府组织绘制耕织图，广颁民间以劝农桑，成了中国农政的特色内容之一，并且影响到了日本、朝鲜等周边国家。国内外至今已发现 50 多种楼璹《耕织图》的摹本，而楼璹《耕织图》本身，却在流传过程中丢失了图，如今只留下 25 首诗。

为什么楼璹《耕织图》中，“织图”的数量超过了“耕图”？这是因为江南古重稻、麻（苎麻），蚕桑业起初并不突出，但至唐宋时中国的蚕业重心从北方向江南转移，加之两宋之际丝

织品和银一样，兼有货币的支付作用，更是“议和”的主要支付物资，故需求量极大。例如绍兴和议规定，南宋每年要向金进贡“银、绢二十五万两、匹”。为此，宋人刘克庄曾作诗嘲讽：“诗人安得有春衫？今岁和戎百万缣。从此西湖休扦柳，剩栽桑树养吴蚕。”（《戊辰书事》）楼琦《耕织图》中织图超耕图，反映的正是这种桑蚕业被“逼迫”发展的历史现实。

楼琦《耕织图》对中国农书的撰述体系产生了深远的影响，虽然其本身在农业理论和技术上的阐述并没有什么突破或新颖之处，与陈旉《农书》不可相提并论，

《耕织图》（宋高宗吴皇后题注本）之忙采桑

蚕很会吃，楼琦形容蚕吃起桑叶来“声似雨”，因此蚕农晚上要不停地起来添叶，白天又要忙着采桑，常累得“困卧呼不觉”（《织图》配诗）。但农家又能得到什么呢？“相逢却道空辛苦，抽得丝来还别人。”（宋翁卷《东阳路傍蚕妇》）

最多只能算是对农业现状的一种如实描述，但它对农书撰述体系的贡献却并不亚于陈旉《农书》，因为正是它开创了连环画配诗这种新的表述方法，用直观的图画将文字难以传达的形象简明直接地展示给了读者，并配以诗文的解说，因此在推广农业技术、宣传重农思想的效果上，是单纯文字性农书无法比拟的。为此，后世的许多科技类书籍，也或多或少地开始配图，元代王祯的《农书》和明代宋应星的《天工开物》就是其中的典型，为我们了解当时的农业和手工业尤其是器具和操作方面的情况，留下了非常重要的图像资料，省却了后人许多繁琐和无聊的考证。

由于《耕织图》的图画非常精美，所绘内容又为衣食之源，颇接地气，因此曾被许多艺术形式广泛借用，石刻、窗户木雕、瓷器彩绘、织花纹样、年画、纸币等都曾采用过《耕织图》图案。例如，故宫博物院就收藏有清康熙五彩《耕织图》瓶和彩瓷《农耕图》扁壶，天津杨柳青和苏州则印制过大量的《耕织图》年画。于是，科技、政治之外，《耕织图》在艺术领域也大放光彩。

阅读链接：

蒋文光：《从〈耕织图〉刻石看宋代的农业和蚕桑》，《农业考古》，1983 年第 1 期。

［日］渡部武：《中国农书〈耕织图〉的起源与流传》，《中华文史论丛》（第 48 辑），1991 年。

臧军：《楼璹〈耕织图〉与耕织技术发展》，《中国农史》，1992 年第 4 期。

竞种春稼，极目不减淮北

水稻一直是浙江的主粮作物，小麦虽然在《越绝书》里已有记载，而且魏晋以来政府一直在南方提倡旱地种麦，以减轻单纯种稻的灾荒风险，但因江南农民不善旱作，而且江南麦食的消费人群有限，因此推广效果并不理想，小麦在江南仍处于零星种植的状态。

两宋之时，中国北方的农耕汉人和草原游牧民族进入了历史上最持久的对抗阶段，你进我退，胶着难解，迫使大量北地农人南逃，尤其是宋室南迁牵带的移民潮，规模空前绝后。巨量人口的瞬间涌入，不仅造成了江南口粮供应的极度紧张，而且大量涌入的北人还造成了面粉市场的急迫需求，江南发展麦作已势在必行。

最初，人们沿袭旧俗，将小麦种植于旱地上，与水田稻作并行而为。唐宋以来，江南的山地丘陵已被大量地开垦为畲田和梯田，史载唐开元、天宝间，“耕者益力，四海之内，高山绝壑，耒耜亦满”（唐元结《唐元次山文集》），南宋楼钥咏处州（今丽水地区）冯公岭诗即称：“百级山田带雨耕，驱牛扶耒半空行。”（《攻媿集》）这种旱地大多被用来种麦，“梯田畦麦秀”（南宋戴复古《山中即目二首》），“有山皆种麦，有水皆种秔”（南宋陆游《农家叹》），“高田二麦接山青，傍水低田绿未耕”（南宋范成大《四时杂兴》）等诗句，讲的都是山田种麦。

但纯粹的旱地麦作显然已无法满足市场对麦食的需求，因此人们在坚持旱地种麦的同时，又把目光转向了江南最大量最肥沃的水稻田，开始了水稻田“稻麦两熟制”

的试验。这种试验更多的是利益驱动而非政府强制，故成效显著。史载南宋初立时，江南市场上一斛麦子卖到了12000钱，“农获其利，倍于种稻”，而且当时的佃户交租，只交春种秋收的稻租，如果收稻后，佃农再在稻田里种上冬小麦，第二年春天收获的小麦就全归佃户所有，因此佃户种麦非常积极，“竞种春稼，极目不减淮北”（北宋庄绰《鸡肋编》）。但田主普遍不乐意佃户种麦，因为田主不仅收不到麦租，而且稻后连着种麦、麦后连着种稻，农田整年得不到休闲，地力损耗大，这样一来，稻作的产量连带着田主的稻租收入就会受影响。但麦作在江南的兴起已是大势所趋，田主已阻挡不了，杨万里“却破麦田秧晚稻，未教水牯卧斜晖”（《江山道中蚕麦大熟》）、曹勋“隔岁种成麦，起麦秧稻田”（《山居杂诗》）等诗句，反映的就是浙江江山和台州等地实行稻麦两熟制的情景。陈旉《农书》则记有稻麦两熟制的具体耕作方法：“早田刈获才毕，随即耕治晒暴，加粪壅培，而种豆麦蔬茹，以熟土壤而肥沃之，以省来岁功役；且其收，又足以助岁计也。”

但从技术上看，水田种麦并不是件容易的事，因为江南稻田长期泡水，土壤十分黏重，而且地下水位高，这些都不利于旱地作物小麦的根系生长。为此，人们发明了一种开沟起畻的技术。开沟是为了排除田中积水，开沟取出的泥正好堆筑成畻，因畻高于正常田面，故可有效降低地下水位，并可风化和疏松土壤，从而有利于小麦的生长。这种水旱交替的轮作，如果肥料跟得上的话，对土壤和作物都有好处。因为轮作中的旱作阶

元程棨《耕织图》之耖田图

耖是宋代发明的一种水田农具，从此耕、耙、耖相结合的水田耕整技术，成了江南农业的标志之一。而精耕细作和复种制农业对耕地役力的高度依赖，则使牛成了农家宝，陈旉在《农书》中安排专卷论述水牛就是这个原因。

段，土壤通透性良好，可促进微生物活动，增加有效养分，改善土壤结构，而且旱作可杀灭或抑制原有水田的病虫害和杂草，从而为后茬的水稻创造了良好的生长条件。同理，稻后种麦，由水作转为旱作，则可大大减少旱地病虫害和杂草的危害，有利于小麦的生长。

稻麦两熟制不仅有效地保障了年粮食总量的增加，而且满足了南人、北人对米食和面食的各自需求，同时还起到了一定的备荒救荒作用。因为种单季稻时，每年春夏之际是个青黄不接的时候，俗称“春荒”。种了冬小麦后，此时小麦恰好成熟，正可“捋青捣麨软饥肠”（北宋苏轼《浣溪沙》），“捋青捣麨”即取新麦炒熟，捣成粉屑吃。但稻麦两熟制的兴起，使农民的劳动强度大大增加。一方面种麦时要把水田翻耕成有畴有沟的旱田，收麦后又要把沟、畴平复成原来的水田种稻；同时连作复种带来的地力衰退，使农民积肥施肥的劳动量随之增加；而且稻麦连作使农时变得非常紧凑，为不误农时，稻麦两熟制下的稻作要预先育秧，麦一收毕就要马上整田插秧，陆游“处处稻分秧，家家麦上场”（《五月一日作》）的诗句，说的就是这种情景，俗称“抢收抢种”或“双抢”。田里的事已忙得要死，却因江南唐宋以来农桑并行，这时的农家“双抢”之外还要忙于养蚕，“麦秋天气朝朝变，蚕月人家处处忙”（陆游《小园四首》）。从此，浙江农民成了全国最辛苦的农民。

智言慧思

人之情不能无衣食，衣食之道必始于耕织，万民之所公见也。物之若耕织者，始初甚劳，终必利也，

——（西汉）刘安等《淮南子·主术训》

阅读链接：

李根蟠：《长江下游稻麦复种制的形成和发展：以唐宋时代为中心的讨论》，《历史研究》，2002年第5期。

曾雄生：《析宋代“稻麦二熟”说》，《历史研究》，2005年第1期。

李文涛：《制度抑或现象：南宋时期的稻麦复种制，兼与李根蟠先生商榷》，《南都学坛》，2008年第3期。

柳暗花明又一村

江南气候湿暖，四季分明，山清水秀，沃野千里，历史上稻麦桑麻并重，民风淳朴，处世睿智通达，这些自然和人文的因素，共同构建了独特的江南乡村景观。江南乡村细说起来千差万别，有地貌、植被的不同，民居、风俗的不同，也有生业模式造成的农田景观的不同。既然无法一一论述，我们就选一个典型人物的典型故乡来说说吧！那就是陆游的故乡绍兴（古称会稽、山阴）。

绍兴历史悠久，勾践霸业即兴于此，可以说是越文化的源头，地理上也极具特色，整个地势从山地丘陵过渡到冲积平原再过渡到沿海滩涂。因此，浙江乡村的主要景观，在绍兴基本都有反映。从大景观上看，绍兴所在的越中山水，晋唐时享誉天下，堪称旅游热线，即现今所说的“浙东唐诗之路”，众多的文人墨客都在这里留下了诗画逸事。晋代大画家顾恺之遍游会稽山水，人问其山川之美，顾答：“千岩竞秀，万壑争流，草木葱茏其上，若云兴霞蔚。”（南朝宋刘义庆《世说新语·言语》）杜甫晚年回忆起年轻时的越中游，仍心驰神往：“越女天下白，鉴湖五月凉。剡溪蕴秀异，欲罢不能忘。”（《壮游》）李白则为越中留下了《送友人寻越中山水》《越中览古》《梦游天姥吟留别》等著名诗篇。但宋代以后，原先烟波浩淼的鉴湖（即镜湖）湖面逐渐被围垦成阡陌纵横、港汊密布的良田沃野，“镜湖下至海，凡种稻九千顷”（南宋陆游《稻饭》），闻名于世的越中山水风光，由此逐渐演变为江南水乡的田园风光，而浙江的风景名胜地也就此从绍兴转到了杭州西湖，明人袁宏道就曾指出：“钱塘

陆游像

中国以农立国，人民安土重迁，即使是为了职责和维生远离家乡，终是魂牵梦萦，叶落归根，家乡才是中国人真正可以安放身心的地方。于是“陆游们”的笔，写完了春耕写冬藏，写完了风土写人情，永远写不完的是亲情，是热爱。

艳若花，山阴芋如草。六朝以上人，不闻西湖好。”（《山阴道》）

陆游是中国存世诗作最多的诗人，共留下了 9300 多首诗，除壮年远游外，陆游“五十年来住镜湖”（《秋兴》），也就是说在他 86 岁的生命中，大约有 50 年生活在绍兴。因此，这里的山山水水、一草一木都关联着他的生计和情感，其诗作就像一轴风俗画卷，完美地展现了南宋绍兴的乡村风光。

陆游描绘绍兴乡村风光的诗作，以《游山西村》和《稽山行》最有名。《游山西村》侧重的是山乡的风土人情，诗人徐行在山峦重叠、流水萦绕的乡野，几乎迷路，但寻寻觅觅间却突然看到了一个花红柳绿的美丽山村。村里很热闹，因为要祭社了，村民淳朴好客，相邀共餐，“莫笑农家腊酒浑，丰年留客足鸡豚”，诗人为此流连忘返。尤其是“山重水复疑无路，柳暗花明又一村”这句，不仅写景状物堪称绝妙，而且寓含遇到困境不要气馁、坚持就有希望的哲理，千百年来被人传诵不止。《稽

山行》则是对绍兴乡村风光的全景式描述，涉及绍兴的山水、田园风光、物产甚至民俗风情，侧重点则在平原水乡。诗一开篇就讲绍兴有巍巍稽山（即会稽山），有汤汤浙江，有千里沃原。田野上“春雨桑柘绿，秋风粳稻香”，湖溪里设置了捉蟹捕鱼的蟹椵、鱼梁，鲈鱼又大又鲜，味道赛过羊酪，陂塘里有“万头鸭”，菜园里有“千畦姜”。粮食丰收，“春碓声如雷”。特产则有项里杨梅和湘湖莼菜，热销远方。镜湖作为绍兴最大的水利工程，不仅保障了农业生产而且风景秀丽，“重楼与曲槛，潋滟浮湖光”，密布的湖汊港湾里，居民以舟当车。物阜民丰之时，人们祭禹、流觞、竞渡、观戏，舟行的女子“小伞遮新妆”，巷陌间深夜了仍有人在“理丝簧”，生活愉悦、宁静又不乏热闹。

稻、麦、桑、麻是南宋绍兴最有特色的农田景观，几乎构成了绍兴乡村风光的基调。稻、麦自不必说，“水陂漫漫新秧绿，山垄离离大麦黄”（《三月十一日郊行》）。桑、麻也不示弱，“夹路桑麻行不尽”（《初夏》），“桑麻遮路不知村”（《秋思绝句六首》）。唐宋时期是中国荞麦种植的兴盛期，故荞麦也曾是江南乡村的独特一景，荞麦花白，陆游形容其是“雪花漫漫荞将熟”（《初冬》），“城南城北如铺雪”（《荞麦初熟刈者满野喜而有作》）。农事不仅为我们带来了“景”和“色”，而且为我们带来了生活的“声”和“味”，“家家场中打稻声”（《秋词》），“麦熟村村捣麦香”（《初夏闲居》），“风清门巷晒丝香”（《村居书触目》），“东村灯上纬车鸣”（《野兴》）。陆游的诗就像生活本身，活色生香。

当然，竹、茶、橘、柿、杨梅等经济林木，人工陂塘，养鱼塘，江河溪塘旁边或水中设置的龙骨车、水碓、蟹椵、鱼梁，种植的菱、芡、莲藕和放养的鹅、鸭以及村民牧养的牛、羊，也是绍兴乡村景观的重要组成部分。例如山上是“绿阴翳翳连山市，丹实累累照路隅”（《六峰项里看采杨梅连日留山中》），村巷里是“牛羊分路各归村”（《秋思十首》）；湖上更热闹，“村村作蟹椵，处处起鱼梁，陂放万头鸭”（《稽山行》),且有“柳姑庙前鱼作市,道士庄畔菱为租”(《思故山》)。

村中茅舍错落星散,“桑麻蒙翳不通邻”(《醉题埭西酒家》),但有“竹笕分泉自遍村”(《出县》)。村和村之间桑麻相连,鸡犬相闻,“千里桑麻无旷土,数家鸡犬自成村”(《晚春》)。农舍旁多植桑、竹,“桑竹成阴不见门”(《秋思十首》),“清泉绕屋竹连墙”(《幽居戏咏》),“绕舍栽桑麻”(《闲行至西山民家》),且有“舍前舍后养鱼塘”(《暮秋六首》)。这一切都足以让“柳暗花明又一村”的美景,在我们的脑海里渐次丰满和细腻起来。

智言慧思

用人之道,自国与家,事无大小,俱当急于讲求。种田无良农,犹授职无良士。

——(清)张履祥《补农书·总论》

阅读链接:

刘蔚:《陆游的村居心态及其田园诗风的嬗变》,《浙江社会科学》,2009 年第 11 期。

姜春霞:《陆游农技、农谚诗研究》,《济宁学院学报》,2010 年第 2 期。

杨昇:《陆游在绍兴镜湖地区的生活与创作》,《湖州职业技术学院学报》,2010 年第 4 期。

橘出温郡最多种

柑橘原产中国，浙江是重要种植区，《列子》即称“吴楚之国有大木焉，其名为櫾（柚）”，《禹贡》亦称“扬州厥包橘柚锡贡”，柑橘其时已成贡品。南朝时，这里甚至出现了种橘专业户，“越多橘柚园，越人多出橘税，谓之橙橘户，亦曰橘籍”（南朝梁任昉《述异记》）。唐朝时，柑橘已成为浙江的主要经济林木，“有园多种橘，无水不生莲”（唐杜荀鹤《送友游吴越》）。

宋元是浙江柑橘大盛的时期，北宋及以前，浙江柑橘栽培南北皆有，但主要产地在浙北平原，北宋苏轼就曾用“命黄头之千奴，卷震泽而与还”（《洞庭春色赋》）的诗句来描绘太湖（震泽）地区的柑橘。“千奴”是“千头木奴”之意。称柑橘为木奴，典出晋习凿齿《襄阳记》之李衡故事（《三国志·吴志·孙休传》裴松之注引）。但柑橘对气候的冷暖变化非常敏感，“只须霜一颗，压尽橘千奴”（南宋韩彦直《橘录》），而宋元恰恰是中国历史上的一个气候寒冷期，因此南宋时浙江的柑橘主产地转移到了南部较温暖的温州、台州和衢州等地。这些新橘区很快声名鹊起，温州（古称永嘉）尤其出色，“温最晚出，晚出而群橘尽废”（《橘录》）。温州柑橘之盛，从南宋永嘉诗人叶适的《橘枝词》中，即可管窥一斑：“蜜满房中金作皮，人家短日挂疏篱。判霜翦露装船去，不唱杨枝唱橘枝。”杨枝词是从民歌演化过来的一种诗体，宋时颇流行，永嘉人却不唱杨枝，只唱家乡的橘枝。在永嘉做官的韩彦直正是在这样的橘乡氛围中，写下了我国最早也是世界最早的柑橘专著《永嘉橘录》，简称《橘录》。

韩彦直是南宋抗金名将韩世忠和梁红玉的长子，淳熙四年至五年（1177—1178）知温州事，即以朝臣身份主管温州的军政大事。韩彦直文武双全且为官清正，任内疏浚城河、平定海寇、撰写《橘录》，政绩卓著。柑橘是与温郡百姓生计密切相关的一个产业，却“独未有谱”，于是他决定写一本介绍温郡柑橘的《橘录》，以宣传扩大温橘的影响，促进温郡柑橘产业的发展。而且他本人对柑橘也非常有兴趣，据他自己说，他这个北方人之前只吃过柑橘，却从没看到过橘树开花，到了这个“橘出温郡最多种”的橘乡，看到了真实的橘树橘花，尝到了世间最美味的柑橘，很是兴奋。于是职责和兴趣完美结合，催生出了这

橘子红了（徐建国摄）

“一年好景君须记，最是橙黄橘绿时”（宋苏轼《赠刘景文》）。橘为南国嘉树，屈原著《橘颂》赞之，韩彦直撰《橘录》广之，更有那唱不尽的橘枝，咿呀婉转到如今。

本杰出的专著。

谱录是关于某一种物品的专志，宋代是修撰谱录的高峰时期，《四库全书》收录有56种谱录，其中宋人所撰者38种，占2/3强，蔡襄的《荔枝谱》、刘蒙的《菊谱》、陈翥的《桐谱》、欧阳修的《洛阳牡丹记》、陈仁玉的《菌谱》、赞宁的《笋谱》等，都是当时的名谱名录。这些谱录有些文学色彩较浓，偏重于歌咏和人文逸事，有些则偏重于技术介绍，韩彦直的《橘录》属于后者，因此具有极高的科学价值。

韩彦直知识渊博，《橘录》之外，还曾收集宋以来的史事撰成167卷的《水心镜》。此书史料价值很高，深受宋光宗及当时负责撰修国史的大臣尤袤的赞赏。正是基于如此的才智，《橘录》虽只有3卷，连序在内也只有4000余字，却写得条理明晰，文采飞扬，在了解史实、学习技术的同时，也可作为一篇美文欣赏。

《橘录》记有27个柑橘品种，是当时记录柑橘品种最多的著作，并推泥山乳柑为第一。《橘录》的上、中卷以果实为主要分类标准，首次比较完整、系统地叙述了柑橘类果树的品种，并分别介绍了它们各自的由来、性状及典故。《橘录》的下卷则详细记述了柑橘的栽培、贮藏和加工技术，从种治、始栽、培植、去病、浇灌、采摘、收藏、制治、入药九个方面，总结了当时的柑橘栽培技术、病虫害防治、采摘贮藏和果品加工等方面的知识，对当时以及后世的柑橘生产起到了重要的指导作用。因此，《橘录》不仅被收入《四库全书》，而且被《群芳谱》《全芳备祖》《云麓漫钞》等众多古籍广泛引录，成了中国古代论述柑橘的经典著作。

阅读链接：

陈桥驿：《浙江古代柑橘栽培业的发展》，《农业考古》，1985年第2期。

王兴文：《韩彦直〈橘录〉及其科学价值初探》，《温州大学学报》，2008年第5期。

殷小霞、曾京京：《历史时期温州柑种植兴衰考述》，《古今农业》，2011年第4期。

我本无根株，只将笋为命

浙江是竹类植物的主要分布区之一，山间村落竹林很多，既为薪柴器用，又取笋食。笋是浙江的传统食料，“煮芹烧笋饷春耕”（《新城道中二首》）是苏轼在新城（今富阳新登镇）看到的情景。黄庭坚说得更直接：“北馔厌羊酪，南庖丰笋菜。”（《萧巽、葛敏修二学子和予食笋诗次韵答之》）士人则把竹、笋与修身养性联系在了一起，视之为清雅之事，苏轼的《於潜僧绿筠轩》一诗对此有极致的表达：“可使食无肉，不可使居无竹。无肉令人瘦，无竹令人俗。人瘦尚可肥，士俗不可医。旁人笑此言，似高还是痴。若对此君仍大嚼，世间那有扬州鹤。”杨万里把食笋视为“玉板谈禅”，乃“佛不如”的境界（《都下食笋自十一月至四月戏题》）。正是在这种文化背景下，北宋高僧赞宁写出了世界现存最早有关笋的专著《笋谱》，可以视之为中国最早的竹专著晋代戴凯之《竹谱》的姐妹篇，但所记竹（笋）种已比《竹谱》多了三十几种，说明从晋到宋这500来年的时光里，人们对笋的食用性有了进一步的开发和利用。

赞宁，浙江德清人，俗姓高，后唐天成年间在杭州龙兴寺（宋真宗时改名祥符寺）出家，后又往灵隐寺专习南山律，辞辩纵横，

有“律虎”之称。佛学之外，兼擅儒、老、百家之言，博闻强记，尤以博物多识著称，一生论著达数百卷，是五代宋初学识最渊博的一位僧人，文坛亦享高名。吴越王钱镠封其为两浙僧统，吴越国降宋时随吴越王钱弘俶至北宋都城汴梁(今河南开封)。宋太宗赵匡义很赏识他，诏修《高僧传》，后又奉诏回杭州编纂《大宋高僧传》，至道二年（996）卒。从其生平事迹看，他出生于浙江，大部分时间生活于浙江。在浙江这个竹乡，他对竹对笋自然是熟悉的。僧人须守戒素食，而笋在南方为寻常之物，物美价廉，故南方僧人多嗜笋，赞宁曾写信问候天目山的僧友，问山中都有些什么出产，天目僧人回答说：“山中人事违，天眼（目）中修定。我本无根株，只将笋为命。”意即山中远离红尘人事，我们在天目山中修行禅定。生命无常，如无根漂浮的浮萍，我们只将笋作为相依为命的伴侣。素食大多寡淡无味，笋算是其中的鲜品，尤其是煮笋之汤，极鲜美。赞宁的经验是煮笋时先连壳一起煮，煮熟后捞出笋，剥去壳，然后加入澄清的煮笋汤，就可做成“茹味全加美”的笋羹（《笋谱》），这或许就是僧人“只将笋为命”最真实的原因吧！

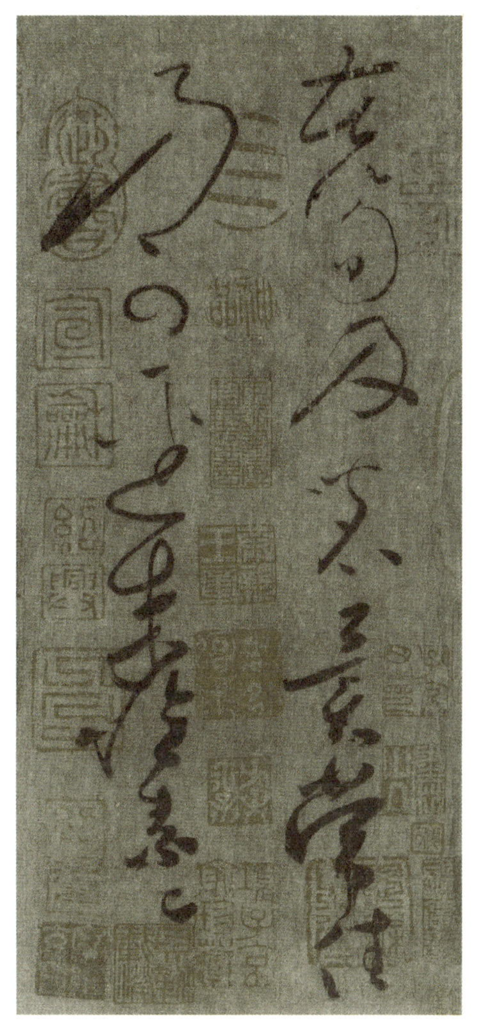

唐　怀素《苦笋帖》

怀素书法以狂草闻名，酒后尤佳，人称“醉素”。“茶笋尽禅味，松杉真法音。”（宋苏轼《参寥上人初得智果院》）此帖清逸淡泊，正合茶笋之禅味，故清人爱新觉罗·永瑆题帖曰：“食肉全无相，参禅有后人。”

《笋谱》全书分为一之名、二之出、三之食、四之事、五之说共5个部分，这种目录分类法，明显沿袭自陆羽的《茶经》。这种体例的写作需要引经据典，故《笋谱》的引书非常多，可惜这些引书多已散佚不存，仅靠《笋谱》留下了它们的书名和片言只语，因此学界非常看重《笋谱》的史料价值。说到《笋谱》的引书，还有一个有趣的段子：因《笋谱》未引录唐人韩愈《和侯协律咏诗二十六韵》等咏及竹笋的诗，宋人王得臣猜疑赞宁不收韩诗，是因为“忿其排释氏而私怀去取耶”（《麈史》）。韩愈一生排佛，曾因上书反对唐宪宗迎佛骨而被贬。但《四库全书提要》的作者认为赞宁不是如此小气之人，只是以一人之力撰成《笋谱》，“一二未周，势所必有”，没什么大不了的。

《笋谱》载有冬笋、毛笋、雷笋、哺鸡笋、青笋、石笋、红壳笋、广笋、鞭笋、水笋等93种竹笋，并对这些笋一一做出品评，其中的天目笋和会稽箭笋都是浙江的名笋。古代食物贮藏不易，而笋又是季节性特别强的食材，稍微延过几日就会长成青竹，故赞宁特别介绍了菹、醋、干、脯等笋品的加工和贮藏方法。例如，其介绍会稽箭笋干的制作方法是“多将小笋蒸后，以盐醋焙干”，并赞之曰“今越箭干为美啖”，因为“凡笋宜蒸，味全”，蒸法比煮法更能保全食物的天然之味。天目笋干亦是浙江特产，明人袁宏道就视天目笋干为“天目七绝之一”，认为其笋味“类绍兴破塘而清远过之”（《天目》），绍兴破塘亦以产笋著称。天目笋干一般装在用箬叶垫衬的竹篓中，与“煮豆燃豆萁，相煎何太急”正相反，竹篓、竹箬配笋干，

既可防潮，又存竹香，两两相宜。

中国人讲求“医食合一”，喜欢把食物归为不同的“性”以相配不同的体质。笋在传统观念中被认为是“发”物，且会“冷血及气”，只有苦笋不发病（唐陈藏器《本草拾遗》），故唐宋时苦笋身价颇高，苏颂就说过：“诸家惟以苦竹笋为贵。”江浙一带出产的苦笋质量很好，“肉厚而叶长阔”，俗称“甜苦笋”（北宋苏颂《图经本草》）。但赞宁并不因循旧说，他“亲验为证”，认为苦笋反而“冷毒尤甚”。医、食两家对笋到底损人还是益人，一直争论不休，赞宁认为此事要辩证地看，“凡食笋之要譬若治病，修炼得门则益人，反是则损”，关键是食用得法。对于民间称笋为“刮肠篦”尤损肠胃的观念，赞宁说了一句非常有哲理的话：“凡物过度而食，益少而损多，岂止笋耶？”对于江南民间掘食鞭笋的习俗，赞宁认为“然终伤损春笋，而且害竹母”，体现了强烈的生态保护意识。凡此种种，都可以看出，赞宁不仅学识渊博，勤于思考实证，而且能以辩证的全局的眼光看待世事，不过激不强求，其智慧和品性已真正达到了圆融宁静的境界。

阅读链接：

金建锋：《释赞宁籍贯和生卒年考》，《湖州师范学院学报》，2008年第5期。

徐春琴：《赞宁〈笋谱〉研究》，华东师范大学2010年硕士论文。

金建锋：《释赞宁与士大夫交游考论》，《江西教育学院学报》，2010年第1期。

仙灵所宫，爰产异菌

各种菇、木耳和灵芝都属于真菌植物，可食用的菇和木耳，古称菌或蕈，如今统称食用菌，灵芝则以药用为主。我国对食用菌的利用起于先秦，但最早的食用菌专著却要晚至南宋才出现，它就是陈仁玉撰写的《菌谱》。

陈仁玉，字德公，号碧栖。南宋嘉定五年（1212）出生于浙江仙居县城南黄村。其父陈清卿和叔父陈正大皆为武进士，正大还是当年的武状元，其母郭氏为南宋理宗皇后谢道清的姑妈，名副其实的一个仕宦之家、皇亲国戚，其“碧栖山房”的匾额即为理宗御书亲赐。但陈仁玉却没有一点世家子弟的骄奢慵逸，他自己也说“余少无适俗韵”，只喜读书和旅游，切实实践着读万卷书、行万里路的儒家学训，成绩斐然。如果一定要以“家”称之，则植物学家、方志学家、文献学家和书法家于他都是实至名归。陈仁玉写过《游志编》（是我国最早的游记集）、《刍言永鉴稿》及《菌谱》等著作，并受临安知府之托，负责编纂《淳祐临安志》。该志是我国古代方志中的上乘之作，一度误认施谔为作者，直到洪焕椿先生在《永乐大典》中发现了陈仁玉的《淳祐临安志序》，才知作者是陈仁玉。南宋末年，

鹅膏菌

真菌通过孢子繁殖，孢子细微如尘埃，在隐秘的世界里步步“蝶变”，直到某个瞬间突然“长”出来，才被人看见。古人不知其中奥妙，遂奉之为仙品。“仙人骑白鹿，发短耳何长。导我上太华，揽芝获赤幢”，汉乐府的《长歌行》唱得如此恣意洒脱，只因手握赤幢芝，延年寿命长。

家国多事，陈仁玉于是进入官场，为国效力，从淳祐十一年（1251）以经筵列荐入史馆开始，历任秘书郎、礼部郎官、崇政殿说书、直秘阁、浙东提刑、知衢州、直华文阁、直敷文阁、浙东安抚使、兵部侍郎等职，景定元年（1260）告归故里。德祐二年（1276），太皇太后谢道清诏天下州郡降元，虽然谢道清是其亲表姐，他却拒诏抗元，与权知台州事王钰一起招募义民筑城，死守台州。城破，王钰战死，陈仁玉退隐黄岩海中石塘山，诫子孙永不仕元，堪称仁人志士。

仙居是食用菌的著名产地，从小就喜游历的陈仁玉对家乡的食用菌是非常熟悉和喜爱的，其《菌谱》自序就称：“仙居介台，括丛山入天。仙灵所宫，爰产异菌。林居岩栖者，左右芼之。固黎、苋之至腴，莼、葵之上瑞，比或以羞王公，登玉食。”意即仙居在台州境，境内有括苍山山脉，高耸入天。这是一个神仙居住的地方，因而出产奇异的菌类。当地山民会搜寻采集它们。菌类原本就是最肥腴的黎、苋，最祥瑞的莼、葵，完全适合进献王公，堪称顶级食材。南宋是一个崇尚道教的时代，仙居这个“神仙居住的地方”被视为道家灵地，修建有规模宏大的隐真宫，陈仁玉就写有《宋台州仙居县隐真宫记》和《隐真宫庄田记》。陈本人也深受道教的影响，其留世的五首诗皆含仙道之旨趣，如《游洞霄》曰：“倏然不类人间世，今日自惊平地仙”，《仙都山独峰大雪歌》曰：“甚欲点铁成黄金，却恐黄金误后人”，《步虚歌》曰：“卿云甘露常岁丰，神仙岂必私此躬，八荒寿域仙之功。”而食用菌从来就是道教徒眼中的养生之物，尤其是灵芝，甚至被神化为令人长生不老的仙药。正是在这种文化背景与地理环境中，陈仁玉根据家乡所产的食用菌，写成了《菌谱》。

《菌谱》成书于南宋淳祐五年（1245），至今已有700多年历史，为目前所知世界上最早的食用菌专著。全书详尽介绍了合蕈、稠膏蕈、栗壳蕈、松蕈、竹蕈、麦蕈、玉蕈、黄蕈、紫蕈、四季蕈和鹅膏蕈这11种食用菌的生长环境、形状、颜色、味道和食法。篇幅虽不甚长，但言简意赅，内涵丰富，具有很高的科学价值。这11种菌，陈仁玉是按照品质排列的，排在首位的合蕈是仙居最有代表性的蕈。一般来说，口味好的蕈都不香，只有合蕈又香又好吃，“盖菌多种，例柔美，皆无香，独合蕈香与味称”，而且还可以晒干远销，“数十年来既充苞贡，山獠得善价，率曝干以售”。传说“合蕈”原名“台蕈”，意即台州出产的蕈，有次进贡到宫里，皇帝远远瞟了一眼，没看清

贴在上面的品名标签，误“台”为“合”，大家也就只好跟着皇帝称之为“合蕈”了。排在第二位的稠膏蕈更是仙居独有的一种美味菌菇，他地所无，生“山绝顶高树杪，初如蕊珠圆莹，类轻酥滴乳，浅黄白色，味尤甘胜”，如果烹调得法，“温厚滑甘，雉尾莼不足道也”。然菌蕈中有毒品种很多，有些甚至是剧毒，且样貌常相似难辨，故极易误食中毒。陈仁玉为使“山居者享其美而远其害”，在书中特别介绍了美味鹅膏蕈和有毒杜蕈之间的区别：“鹅膏蕈，生高山，状类鹅子，久乃伞开，味殊甘滑，不谢稠膏。然与杜蕈相乱。杜蕈者，生土中，俗言毒蓋气所成，食之杀人。”也就是说，两者虽然长得很像，但一者“生高山”，一者“生土中”，还是可以区别的。同时指出如中杜蕈之毒，症状是大笑不已，“宜以苦茗杂白矾，勺新水并咽之，无不立愈”。苦茗即茶叶。

《菌谱》是中国第一本食用菌专著，明代潘之恒的《广菌谱》和清代吴林的《吴蕈谱》，都是在其基础上的进一步发展。此三书以及《山居要术》（唐王旻）等史籍中有关菌蕈的零星记载，共同构建了中国食用菌利用历史的科学体系，而《菌谱》正是其中最明亮的那颗珍珠。

阅读链接：

芦笛：《南宋学者陈仁玉生平及著作考》，《古今农业》，2010年第2期。

芦笛：《〈菌谱〉的校正》，《浙江食用菌》，2010年第3期。

芦笛：《〈菌谱〉的研究》，《浙江食用菌》，2010年第4期。

独于花果草木尤全且备

宋朝"重文轻武"，据说宋太祖赵匡胤曾在太庙立"誓碑"，要求子孙"不得杀士大夫及上书言事人"，宋朝的文人因此被视为中国历史上活得最潇洒最滋润的文人。加之城镇化的快速发展和市民阶层的崛起，雅、俗文化呈现互融共盛的趋势。花卉作为一种文化的载体，在雅、俗二道均大放异彩。餐英啜华、蒸馏花露、四季赏花等等花事流行一时，男士簪花更是一道独特的风景。其时，文人撰写花谱，花农种花售卖，各获其名，各得其利。范成大的《菊谱》《梅谱》、欧阳修的《洛阳牡丹记》、周师厚的《洛阳牡丹记》、张邦基的《陈州牡丹记》、陆游的《天彭牡丹谱》，都是当时的名谱。相传杭州的马塍路一带，曾是南宋京城最有名的花卉生产基地，号称"马塍花窠"，其用温室催花的"唐（堂）花"技术更是冠绝一时。

《全芳备祖》就是在这种历史背景下出现的。作者陈咏（1035—1112），字景沂，号江淮肥遯愚一子。他本姓吴，为浙江天台县平镇三宅人。据他自己说，他开蒙很早，"束发习雕虫，弱冠游方外"，后又辗转多地教书、求学，"初馆西浙，继寓京庠、姑苏、金陵、两淮诸乡校"。吴咏为学勤奋，"晨窗夜灯，不倦

元　王冕　《墨梅图》

梅在中国文化中地位独特，“雪虐风号愈凛然，花中气节最高坚”（陆游《梅花绝句》）。梅花既有傲雪怒放的坚贞洒脱，又有“零落成泥碾作尘，只有香如故”（陆游《咏梅》）的洁身自爱，更有“疏影横斜水清浅，暗香浮动月黄昏”（林逋《山园小梅》）的绝世风情，故陈咏以梅为花之首。

披阅，记事而提其要，纂言而钩其玄”，于花卉植物用力尤多，“独于花果草木尤全且备，所集凡四百余门”（《全芳备祖旧序》）。吴咏将这些积累下来的植物史料分门别类，编撰出了《全芳备祖》的初稿。他有一个和他一样喜欢植物的儿子叫吴多助（字天佑），多助在住宅近旁建了一座名叫“古园”的花圃，灌园种花，把文献收集工作和实践验证结合起来，写成《古园新稿》，对父亲的书稿做了整理补充。此时正值两宋交替之际，局势不稳，吴家人为避祸迁居黄岩迂逋，后又转徙泾岙（今温岭晋岙）隐居下来，但不知何故，竟改吴姓为陈姓。在那里，陈（吴）家人把带去的《全芳备祖》书稿，又作了进一步的充实整理，终于在南宋宝祐元年至四年间（1253—1256）付梓。因此，这本书其实是以陈（吴）咏所写为底稿，由其子孙续辑而成。

《全芳备祖》之书名，按作者自己的说法，是因为“独于花果草木尤全且备”，因专论植物，故称“芳”；“所辑凡四百余门”，故称“全”；而且每一种植物“必稽其始”，故称“备祖”。从体例上看，这是一本集大成的植物类典籍，全书58卷，分前后两集，所记植物达270余种。前集27卷，全为观花植物。后集31卷，包括果、卉、草、木、农桑、蔬、药7个部分。每一类植物的论述秩序则依文化影响或时尚而定，如花部以梅为首，果部、卉部、木部则分别以荔枝、芝和松为首。每一种植物下又分“事实祖”“赋咏祖”“乐府祖”三块，事实祖辑录各种书籍中记载的有关此植物的品种、产地、形态、性味、生态、分布、用途、相应风俗以及历代典故等资料，赋咏祖辑录相关的诗，乐府祖则辑录相关的词。这种分类法层次分明，便于资料的检索，故清人周中孚赞其“类别门分、条理赅括，而广收博采，实无忝‘全备’之称”（《郑堂读书记》）。也因此，此书被著名的博物学家吴德铎誉为“世界最早的植物学辞典”。在中国古代的书籍分类中，此书则可归为类书。

从上述的编排体例上我们可以看出，此书不仅规模浩大，而且是第一次以花卉类观赏植物为主体的植物学著作，这在以前还没有过。在《全芳备祖》之前，中国的植物学知识比较注重经济实用性，多以农书和本草（药书）的面目出现，地理志、异物志、食经及文人笔记中偶尔也涉及植物，但均为零散资料，植物谱录虽较详尽，但每谱只论一种植物，因此在种类全备且突出观赏植物这一点上，还没有可以与此书相提并论者。《全

芳备祖》可以说是中国历史上对境内植物尤其是观赏植物进行的第一次大规模汇编，此前还无人就植物文化做过如此工程浩大的集大成工作。这种对观赏植物的重视，对后世产生了很大的影响。在其基础上，明人王象晋以园艺植物（包括果树、蔬菜和花卉三个部分）为对象写出了《群芳谱》，清人陈淏子以庭院花卉植物为对象写出了《花镜》，清人汪灏等人则奉康熙帝之命，在《群芳谱》的基础上编撰了100卷的《广群芳谱》。

《全芳备祖》虽然只是一部史料汇编性质的书籍，但也不乏新意。例如，对韩彦直在《橘录》中推泥山乳柑为第一，陈咏就很不服气，特意以"陈肥遯识"发表了自己的观点："韩但知乳橘出于泥山，独不知出于天台之黄岩也。出于泥山者固奇也，出于黄岩者，天下之奇也。"陈为天台黄岩人，为家乡的柑橘抱屈也是自然，但韩彦直《橘录》亦称《永嘉橘录》，论述的只是温州柑橘，其"第一"自然是指温州第一，并未说是天下第一，因此陈的这通议论就发得有点不着边际了。但这种以自己的名号标注自己观点的方式，却是对中国文化的一大贡献。中国古书多有原文和增文、补文甚至批注混为一体的问题，历史上也曾以不同颜色或字体来区分者，但效果不佳，且刊印成本较高。陈咏创造的这个标示方法于刊印、于读者都更加简单明了，明代徐光启编撰《农政全书》的时候，就采用了陈的方法，自己的观点全都用"玄扈先生曰"标出，书中哪些是他辑录的史料、哪些是他的观点，一目了然。

阅读链接：

吴德铎：《〈全芳备祖〉述概》，《辞书研究》，1983年第3期。

陈信玉：《〈全芳备祖〉辑者陈景沂籍贯考证》，《中国农史》，1991年第1期。

冯洪钱：《我国最早的一部植物学辞典出自温岭——宋陈景沂编撰〈全芳备祖〉巨著考证》，《农业考古》，2003年第3期。

门人当务经济之学

明清时期，随着商品经济的日益繁荣以及人地矛盾的日益激化，社会上逐渐出现了治生为要的思潮，不以言利为耻。“凡民间一切治生产业等事，皆其所共好而共习”（明李贽《焚书》），“男妇要以治生为急，于农工商贾之间，务执一业”（清张又渠《课子随笔》），“财为养命之源，人岂可无有，而不会营运，则蚕食易尽，必须生放经商，庶可获利，为资身策也”（明李晋德《商贾一览醒迷》）。也就是说，“逐利”维生已成了人们的共识，能靠劳动和智慧维持生计就是本事，而不再在乎是农是工还是商。这种思潮反映在农业上，就是农家尤其是地主开始关心农业利润。农业能否获利，会受到生产成本、用工成本、产品销路、产品价格等诸多因素的影响，因此此时的农业不再是纯粹的种养技术问题，而成了经营管理问题，农业也由此从“技巧”之学成了“经济”之学。清初张履祥的《补农书》就是这种讲求“经济”的农书典范。

明崇祯末年，湖州府归安县涟川的沈氏曾撰《沈氏农书》。清初，桐乡人张履祥以《沈氏农书》为上卷，以自撰农书为下卷，合成《补农书》。虽然两者均以嘉湖农业为论述对象，但细读

之下，还是有区别的。沈氏所述以水稻为主，兼及蚕桑，反映了传统耕织农业的收尾；张氏着眼蚕桑，兼顾水稻，反映了商业经营性农业的开端。事实也确实如此，嘉湖地区最早是个稻作区，苏湖熟而天下足；唐宋以来蚕桑的比重逐渐加大，到明清尤其是清朝时，这里已成为全国的蚕桑中心、茧丝生产的集散地，粮食反而无法自足而需进口了。导致这种转变的根本原因就是蚕桑生产的商业性更强，利润更高，投入同样的人力物力可以获得更高的利润，养活更多的人。因此，从经济的角度，张氏极力主张以蚕桑为重。

张履祥（1611—1674），字考夫，号念芝，世居桐乡县清风乡炉镇杨园村，人称“杨园先生”。早年曾属意科举，“学成文武艺，售与帝王家”，既为报效国家，当然也为生计。明亡后绝意科举，训蒙自给，以示抗清之志。但“抗志”是需要物质基础的，“能稼穑则可以无求于人，无求于人则能立廉耻。知稼穑之艰难则不妄求于人，不妄求于人则能兴礼让。廉耻立，礼让兴，而人心可正，世道可隆矣”（《补农书》）。一个

蚕丝仙姑图

蚕桑厚利，但经营风险极大，故中国蚕神众多。北方多拜嫘祖，江南多祈马头娘，卜蚕则问蚕丝仙姑，俗谓：“一姑把蚕则叶贱，二姑把蚕则叶贵，三姑把蚕则倏贱倏贵。”（光绪《嘉兴府志》）

经济无法独立的人，事实上是很难做到人格独立的。嘉湖地区本已地狭人稠，谋生不易，逢明清易代之际，生灵涂炭，百业凋零，生计更加艰难。因此，张履祥不仅以身作则，亲事经营，而且谆谆教导其门人"当务经济之学",不要成了夸夸其谈而"百无一用"、关键时刻只能向权势低头的书生。

要"经营"就必须学会算账，这在此前的农书中几乎没人提到过，在张履祥的《补农书》中却比比皆是。例如，他认为在桐乡"多种田不如多治地"，因为种桑远比种水稻省劳力、省工时、省肥料，且少灾害，他用"千日田头，一日地头"来形容种稻田之苦累和种桑地之闲适，而且桑下可套种豆等经济作物。豆的种植非常粗放，几乎不费劳力，而收益却相当可观，"近来豆贵，亦抵田息。而工费之省，不啻倍之"。明万历年间桐乡知县胡舜允说"地收蚕豆，每四倍于田"（清高士奇《北墅抱瓮录》），正可印证张氏之言。最重要的是，依傍当地发达的丝织业和蚕丝贸易，蚕桑生产的收益明显高于种稻。张履祥曾为大家算过这样一笔账：极肥沃之田，一般每亩能获米三石，间或还有一石半的春花（指大小麦或油菜）收成，亩产大致也就三石左右。而好的桑地，一亩桑叶可养十几筐蚕，少的可养四五筐，最差的也能养两三筐。结果，米贱丝贵时，"蚕一筐即可当亩之息矣"；甚至米甚贵而丝甚贱时，"尚足与田相准"。当然,这些都是看得见的"明账",还有一般人看不到的"暗账",张履祥也为大家算得清清楚楚。当时养猪处于亏本状态，因此很多人不愿养猪。张说一头猪能在 6 个月内积聚 15 担猪粪用

作一亩半田的肥料，没有肥料你就得花钱去买，如果既不养猪积肥又不买肥料，庄稼就长不好没收成，因此虽然养猪卖肉好像是亏了，但实际上是赚了，“养了三年无利猪，富了人家不得知”。

为自家营生的同时，他还积极为朋友出谋划策，最有名的案例就是附录于《补农书》的《策邬氏生业》和《策溇上生业》。前者是为亡友邬行素留下的孤儿寡母做的维生之策，后者是为好友何商隐规划的置产之策。两者一穷一富，情况不同，但目的是一样的，即以最佳经营模式获得最大的经济效益。对极度缺乏劳动力的邬行素家属，他认为应该改水田为旱地，用旱地种桑、豆、麻、果、菜、芋、瓜等物，池中养鱼，再养五六只羊，池中淤泥和羊粪可培壅桑、竹、果树，因为做这些事要比种稻省时省力，而且经营风险较小，所得产品价格较高，除用于维持自家日常生活外，还可换钱买米度日。对何商隐买下的溇上田，他策划一半挖成鱼塘，塘堤上种桑、竹，另一半做稻田，以塘之水灌溉稻田，“池中淤泥，每岁起之以培桑竹，则桑竹茂而池水益深矣”，如此则稻、鱼、桑、竹皆可丰收。这种立体经营模式，将农林牧副渔组合成一个有机整体，在此后的江南地区曾盛行一时，俗称“桑基鱼塘”。

阅读链接：

严清华：《〈沈氏农书〉经营管理思想初探》，《武汉大学学报》，1987 年第 6 期。

赖作莲、樊志民：《〈补农书〉所见经营地主管理的现代化因素》，《农业考古》，2000 年第 3 期。

颜玉怀、邹德秀：《〈补农书〉的农业经营管理思想研究》，《中国农史》，2002 年第 4 期。

两利俱全，十倍禾稼

明清时期人口急速增加，又新得高产易种的美洲玉米和番薯，人们因此疯狂地开山填湖以增加田地提高粮食产量。但这种行为虽得一时糊口，最终却导致湖泊淤塞、山岭童秃，生态环境严重恶化。为此，精耕细作的集约式经营再次引起了人们的关注，桑基鱼塘就是其中的典型代表。

桑基鱼塘是明清时期新创的一种农业经营方式，主要流行于太湖流域和珠江流域。为配合日益发达的蚕桑业，太湖地区的农家在种稻、养猪的传统生业基础上，利用地势低洼的特点，挖塘养鱼，挖出的泥堆成塘基种桑，用桑叶养蚕，冬季枯桑则用于养羊，蚕沙、蚕蛹、蚕蛾、桑葚用于喂鱼，塘泥、羊粪用于壅桑肥田。塘泥极肥，谚云："人要补，金银蹄；田要补，草藁泥。""金银蹄"即猪蹄髈，草藁泥即塘泥。这种生产方式不仅充分利用了自然资源，而且使动物和植物之间、生物和非生物之间处于不停的物质交换之中，从而在不增加耕地的情况下，通过物质的循环利用和互惠互利，既大幅度提高了农渔桑畜的经营产值，又保持了农业环境的生态平衡。

桑基鱼塘的经济效益是非常可观的，史称"两利俱全，十

倍禾稼”[光绪《(广东)高明县志》]。“十倍禾稼”是大实话，因为其综合效益远远高于单纯种稻，但其“利”至少在太湖流域绝不止鱼、桑两利，绵羊就是另一重利。绵羊性喜寒燥，生活于北方草原，是北人的主要肉食来源。江南湿暖，古来只饲山羊而无绵羊。南宋时，北地沦落金人之手，南迁的北人嗜食绵羊，导致南地绵羊肉价暴涨，“吴中羊价绝高，肉一斤为钱九百”(宋洪迈《夷坚志》)。市场的需求催生技术的革新，一种适宜江南气候的绵羊终于在湖州被驯化成功，史称“湖羊”。但宋以来，江南一直是国家的“米仓”和“衣库”重地，并无余地牧放湖羊，故湖羊自诞生之日起，即为舍饲，更因草料不足，冬季只能以枯桑叶喂之。但世间事真是各有机缘，绵羊极忌湿热，谚云：“羊脚湿一天，白养三天。”没想到权且充数的桑叶却正好拥有清除体内湿热的功效，极有益于羊之健康。一只湖羊，一年吃草和桑叶约 1400 斤，除所得肉和毛皮外，还能净得羊圈肥 27 担，故张履祥提醒农家“养猪

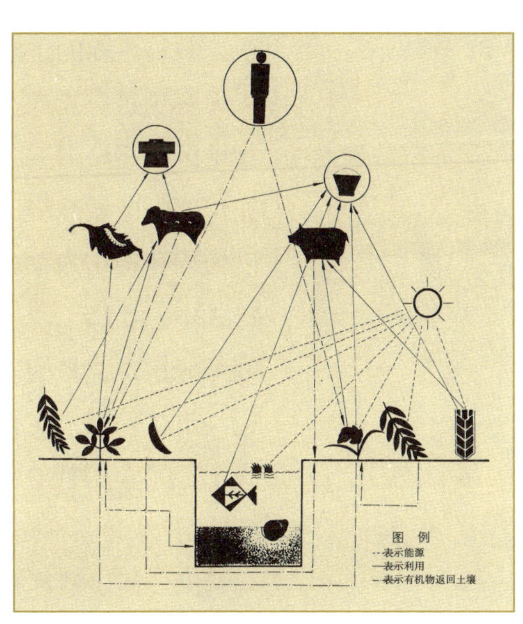

浙江嘉湖地区农牧结合示意图

在桑基鱼塘的能量和物质循环中，微生物的作用极其关键，有了它们，一切“废物”才能被重新分解成元素，从而回到循环系统以维持系统的正常运作。生命都以自己的价值存在，没有谁比谁微小，也没有谁比谁巨大。

羊乃作家（指农作之家）第一著”（《补农书》）。

桑基鱼塘对人口和生态的贡献也是巨大的。太湖流域人多地少，据说清乾隆三十八年（1773）时，嘉兴男丁的平均耕地就只有 3.15 亩。采用桑基鱼塘这种劳动密集型生态农业后，需要较多的劳动力从事养鱼、种桑、养蚕、养羊等工作，如果再算上从事缫丝以及传统生业养猪、种稻的人，所需的劳动力就更多，这就大大缓解了人多地少的矛盾，解决了大量人口的就业问题。生态上，太湖地区地势低洼、河道密布，稻作易受水涝之灾，广筑鱼塘后，不仅可获鱼产，而且鱼塘兼具陂塘的蓄水功能，提高了周边农田的抗旱、防涝能力。因此，桑基鱼塘可以说是一种顺应自然、改造自然、发展经济的成功模式，而且是一种具有良好生态效益的可持续发展模式。

桑基鱼塘的生态效益和高利润回报，反过来又诱使资金和人力资源进一步向蚕、桑、鱼、羊等高利行业集中。于是在太湖地区，逐渐形成了以苏、杭两大城市为中心，以桑、棉为产业优势的区域经济，其中苏杭嘉湖以蚕桑丝织为主，苏松常则以植棉和棉纺为主。这种规模化、专业化的生产模式降低了生产成本，提高了产品质量，真正做到了物美价廉。为此，商贾辐至蜂止，贸易的兴隆又带来资本和政策的倾斜，于是交通畅达，市镇繁华，文教兴盛……如此环环相益相助，明清的江南终于成了全国社会经济文化最发达的地区，“上有天堂、下有苏杭”，从此名不虚传。

但任何事情都有一个度，过度了都不好。当蚕桑之利远高

于稻作，而粮食又因交通和商业的发达可方便向外购买的时候，嘉湖蚕桑业的发展变得肆无忌惮起来。除桑基鱼塘外，五代以来已建设得相当完善的圩田也被拿来种桑。圩田原是服务于稻作农业的，但现在完全颠倒了，过去广植于圩岸的榆、杨被砍掉改种桑树，而且为种下更多的桑树，每年挖稻田泥加高加宽圩岸，以至于稻田田面被越挖越低而成了被桑树圩岸包围的“箱子田”。据杭嘉湖三府的府志统计，从明中叶到清初的200年中，（稻）田减少了1643顷，（桑）地却增加了1772顷。而且整个杭嘉湖平原被这种桑树圩岸、箱子田和桑基鱼塘整得支离破碎，严重影响了这一带的自然风貌、生态循环系统和稻作生产，因此到了清末民初，这里已成农业灾害的高发区。

阅读链接：

陈学文：《从时空嬗演看历史上长江三角洲的互动关系》，《史林》，2005年第1期。

赵荣：《明清时期太湖地区农业生态模式研究》，南京农业大学2008年硕士论文。

汲晓辉：《湖州“桑基鱼塘”农业景观现状及更新策略分析》，《小城镇建设》，2009年第3期。

可令天下无饿人

大乱之后的所谓大治，使清朝的人口呈几何级数增长。顺治帝当政时，中国人口不过1亿，传到其曾孙乾隆帝手里，已剧增至3亿。但在这100来年的时间里，耕地面积的增长却是有限的，因此人均耕地面积就从原来的5亩多下降到了2亩，物资供应严重紧缺。时人洪亮吉就曾感叹："一人之居以供十人已不足，何况供百人乎？一人之食以供十人已不足，何况供百人乎？此吾所以为治平之民虑也。"（《治平篇》）然恰在此时，世界大航海引领的地理大发现，为中国带来了具有耐瘠耐旱耐病虫等优点且极其高产的番薯、玉米等美洲作物。于是，无地无产之人带着这些作物迅速占领不宜稻麦的荒岭瘠土，形成了明清特有的"棚民潮"现象，浙西山区就是棚民主要的流入地之一，嘉庆、道光年间乌程（今湖州）人沈尧就看到"流人之来益众，则棚益广，西至宁国，北至江宁，南且由徽州，绵延至江西福建……皆棚民占居"（《落帆楼杂著》）。这些美洲作物的推广，一时之间确实非常有效地缓解了人口压力，避免了社会动荡，以至于明末宰相徐光启都乐观地预测："此种（指番薯）传流，决可令天下无饿人也。"（《农政全书》）

清　吴其浚《植物名实图考》之甘薯图

此书刊印于1848年，这张“甘薯图”很可能是中国现存最早的番薯图像。番薯初入普陀时，曾被视为“唯山僧野老得尝之，尘埃中何得与耶”的珍物。普陀高僧无边送了几只给书画名家李日华尝鲜，李如获至宝（《紫桃轩杂缀》）。薯以稀贵，非薯真贵也；官以位尊，非官真尊也。人以才德立名，不以位也。

浙江是较早传入番薯和玉米的地区，这是因为浙江历来人多地少，一直存在寻找高产粮食作物的迫切需求，而且明清时期国际海运发达，沿海的浙江于是占尽地利的先机，较早地接触到了新物种的信息。据说番薯就是停泊普陀港的日本海船带过来的，此事在万历《普陀县志》和明人李日华的《紫桃轩杂缀》中都有记载。玉米则首记于明末杭州人田艺蘅所著的《留青日札》。从全国范围看，许多人都曾利用各种计策甚至冒着生命危险引进过番薯，最让人敬佩的是福建长乐的陈氏家族。在吕宋（菲律宾）经商的陈振龙因感念隘山阨海、土地贫瘠的家乡一直缺粮，把番薯藤条编入汲水绳中冒险带回了国内。当时的吕宋以番薯为国利，严禁薯种出关。此时恰遇福建大旱，其子陈经纶精心育种，并向福建巡抚金学曾请求推广，以益众生。此后陈家子孙更是把传播番薯种植作为“家训”，奔波各地推广番薯。例如陈振龙四世孙陈以柱康熙年间在浙江宁波经商时，就“教其土人，如法布种。浙江鄞县种焉，大有成效”。这些事在陈振龙五世孙陈世元所著的《金薯传习录》中都有详细的记载，其爱乡爱国之情溢于言表。陈家的番薯事业中，还有一个人不得不提，他就是当时的福建巡抚金学曾。金学曾是杭州人，为政清廉务实，正是他的大力支持和倡导，使福建的百姓不仅顺利度过当年的旱荒，而且从此免受饥馑，为此百姓感恩戴德，为之建祠以示纪念。明人叶向高曾作歌赞之曰："闽僻处南服，土瘠民稠，火耨水耕，仅资糊口，若逢旱潦，凶歉相仍，乃今三十年来滨海相沿而不闻灾眚，金公大造之功。"（《金薯歌并引》）据说番薯又称"金薯"，其"金"字就取自金学曾。

番薯、玉米等美洲作物的传入，对浙江经济产生了深远的影响。其一是导致主粮结构发生了根本性的改变。这个影响是全国性的，不单是浙江，中国稻、麦对峙的传统主粮局面就此被打破，形成了稻、麦、杂粮（以玉米、番薯为主）的三足鼎立之势，下层百姓和山民更是常年以杂粮为主食。在浙江，稻米的减少和番薯的增加表现得尤其明显，因为浙江滨海，风大，相较于高秆易倒伏的玉米，更适合种植匍匐地面生长的番薯，何况海滨盐碱地也可种番薯，只是所产番薯味道较差。其二是有力地促进了江南蚕桑丝织业的发展。因为番薯、玉米在很大程度上减轻了稻、麦的种植压力，大批良田和劳动力得以从粮食生产中解放出来，从事经济效益较好的蚕桑丝织业，江南由此成为富甲一方的丝绸之府。

然物极必反，棚民这种为糊口不计后果的盲目开垦，不仅激化了棚民与当地居民的矛盾，而且造成了严重的水土流失，以致一到雨季，泥随水下，山上"石骨尽露，山头无复有土"，

山下“沟渠皆满”，“汛滥成灾”（光绪《乌程县志》)。如此，则山下土著之生业全毁于山上之棚民，于是争端纷起。为此，清嘉庆六年（1801），浙江巡抚发布《抚宪院禁棚民示》，但因“各绅士居民惟贪目前租山之近利”等原因，最终未能阻止这场生态浩劫。于是中国的人口与生态，陷入了极度的恶性循环，想要有饭吃就得去开地，开地要有劳动力，劳动力要生要养要吃饭，还得去开地……

智言慧思

陈旉："在耕稼，盗天地之时利，可不知耶？"

——（南宋）陈旉《农书·天时之宜篇》

阅读链接：

王思明：《美洲原产作物的引种栽培及其对中国农业生产结构的影响》，《中国农史》，2004年第2期。

陈学文：《近世中国的经济、社会和文化》，方志出版社，2005年版。

曹玲：《美洲粮食作物的传入对我国农业生产和社会经济的影响》，《古今农业》，2005年第3期。

龙井问茶

“浙西以湖州上，常州次，宣州、杭州、睦州、歙州下，润州、苏州又下”，可见在茶圣陆羽的眼里，唐时杭州所产的茶叶，也就一般般而已，但在这“一般般”中他却特别指出了“钱塘生天竺、灵隐二寺”(《茶经》)，说明当时两寺的禅茶已有一定的知名度。

北宋时，上天竺寺的“白云茶”和下天竺寺、灵隐寺一带的“香林茶”已成岁贡佳品（南宋《咸淳临安志》引北宋《祥符州县图经》)。元丰二年（ 1079),上天竺寺住持辩才大师（俗姓徐，法号元净）因年老求静修，退居清净幽僻的龙井寿圣院。弟子们在寺旁的狮峰山麓开山种茶，播种辩才带来的白云茶种子，开启了龙井种茶、制茶的历史。但这种茶在当时只是山野草茶，甚至连个名字都没有。因为北宋时期，社会上流行的是饼茶，龙井所产的散茶（亦称草茶）当然不入时尚，何况此时饼茶的采造技术已臻极致，并孕育出了煎茶、点茶、分茶等丰富的茶饮文化，这些都是初起于民间的散茶所不能比拟的。当年的名公雅士，唯咏龙井泉涧峰峦之秀而不及茶，就很能说明这一点。连辩才自己接待贵客时，也用小龙团而不用自种的茶，

"旗枪"初成

龙井茶之鲜香源于其"嫩"，采摘不过谷雨，清明前者尤佳。然万事过犹不及，过早采摘的茶，因营养物质未及积淀，冲泡起来淡而无味，毫无鲜香可言。做人亦如此，没必要事事赶早，顺应"天时"才是成功的王道。

"龙泓（即龙井）亭上点龙茶"（北宋赵抃《致辩才》），"几度龙泓咏贡茶"（北宋辩才《和赵抃》），说的就是他和赵抃的故事。赵抃与苏轼均为辩才至交，南宋时三人曾被供奉于一祠，号"三贤祠"。有人望文生义，认为"龙茶"即龙井茶，其实赵抃在诗序中已经写明：辩才是"以小龙团迓予"。"迓"为"迎接"之意。"龙茶"应指"小龙团"。"小龙团"是宋朝福建建安（今福建建瓯）北苑贡茶院生产的皇家贡茶。宋以来全球气候趋于寒凉，浙江顾渚贡茶院的茶树被大批冻死，故宋时贡茶院南移至福建。北苑贡茶的采造极其精细繁杂，先要选择出上等嫩叶，细碾成末（故亦称末茶），用罗纱筛除粗梗杂质，掺入龙脑等香料膏油调匀，然后捺入各种形状的模子里制成茶饼，"其制有大小龙团、带胯之异"（故亦称团茶）。等茶饼干燥后，再用香膏油把茶饼的表面涂刷一遍，使其呈现蜡样光泽（故亦称蜡茶）。这种贡茶"惟充贡献，民间罕见之"（元王祯《农书》），但皇帝会分赐大臣贵戚以示皇恩浩荡，辩才的小龙团很可能就是这些达官贵人转送的。葛岭宝严院的怡然禅师曾送给苏轼禅院自产自制的“垂云茶”，苏轼回赠的就是大龙团（《怡然以垂云新茶见饷报以大龙团乃戏作小诗》）。

饼茶不仅昂贵，而且掺杂的香料油膏尤为清雅之士所厌恶，因此两宋之时虽然上层社会仍崇尚饼茶，社会时尚仍以饼茶为贵，但老百姓可不管这些，廉价且具纯正茶香茶味的散茶得到了他们的青睐，很快就在民间普及开来。浙江正是最早流行散茶的地方，北宋欧阳修的《归田录》中就有“草茶胜于两浙”的记载。元朝时，至少在南方地区，饮用散茶已成主流，元人王祯就曾指出：“南方虽产茶，而识此法（指用饼茶点茶）者甚少。”（《农书》）正是在这种历史背景下，龙井所产之茶脱颖而出，元人虞集对它已有极高的评价：“但见瓢中清，翠影落群岫。烹煎黄金芽，不取谷雨后。同来二三子，三咽不忍漱。”（《次邓文原游龙井》）初萌的龙井茶芽头，一芽未展似枪，一叶初展似旗，故俗以“旗枪”称之。

明朝初年，太祖朱元璋因采造龙团“重劳民力”，罢龙团之贡，“惟采茶芽以进”（明沈德符《万历野获编》），冲饮散茶之风由此流行全国，龙井之茶得到了进一步发展的机会，“龙井茶”也因此在明朝中后期正式成为一种茶品名称。散茶有炒、蒸、晒、焙等不同制法，明人最爱炒青，因为炒青最香，龙井茶正是炒青茶中的精品，杭人高濂就曾特别指出其“炒法甚精”（《遵生八笺》）。杭人田艺蘅则认定杭产之茶，“惟龙泓山为最，其上为老龙泓，寒碧倍之，其地产茶，为南北山绝品”（《煮泉

小品》)。屠隆称龙井茶为“仙芽”，赞其“香胜旃檀华严界，味同沆瀣上清家”，“摘来片片通灵窍，啜处泠泠馨齿牙”。而雀舌、龙团、顾渚、阳羡等曾经的名茶，此时在他眼里都成了“浪说”和“讵须夸（不需夸）”之物（《龙井茶歌·与李念江开府公同游作》)。龙井从此以茶名而不再以泉涧名，“龙井问茶”如今已成“西湖新十景”之一。

清初，“色香青郁”的龙井茶已被视为“无上品矣”(清陈撰《玉几山房听雨录》)，乾隆帝六下江南而四至龙井，观茶、品茗、作歌，其亲手采摘过的 18 棵茶树亦被封为“御茶”，养护至今。龙井茶之名由此日益显赫，终以“色绿、香郁、味甘、形美”之“四绝”，名列全国十大名茶之首，雅号“绿茶皇后”。

明人饮茶已崇尚“清茶一杯”，不再添加香料、果仁、花卉、姜、盐之类的东西。虽然此法“简便异常，天趣悉备，可谓尽茶之真味”(明文震亨《长物志》)，但也因此对冲茶之水提出了更高的要求，以确保茶香、茶味的充分显现。龙井水配龙井茶当然是极好的，屠隆就说过“采取龙井茶，还念龙井水”(《龙井茶歌》)，童汉臣亦有“水汲龙脑液，茶烹雀舌春”(《龙井试茶》)的诗句，甚至连乾隆帝仍赞叹“龙井新茶龙井泉，一家风味称烹煎”(《坐龙井上烹茶偶成》)。然虎跑泉水更如点睛之笔，点出了龙井茶的精气神。高濂的《虎跑泉试新茶》就已明确讲到了虎跑泉水与龙井茶的这种绝配：“西湖之泉，以虎跑为最。两山之茶，以龙井为佳。谷雨前，采茶旋焙，时激虎跑泉烹享，香清味洌，凉沁诗脾。每春当高卧山中，沉酣新茗一月。”但真正的茶人其实并不会刻意苛求某茶某水，因为真味只在清新，袁枚对此就深有体会，他说他每次回杭州上坟，“见管坟人家送一杯茶，水清茶绿，富贵人所不能吃者也”(《随园食单》)。

龙井茶独特的“淡而远”“香而清”的品质，甚至被赋予了哲学的意味。清人陆次云就称龙井茶喝起来似乎淡而无味，但回味间却有一种“太和之气”弥漫于齿颊之间，故赞之曰："此无味之味，乃至味也。"(《湖壖杂记》)"无味之味"和"大音希声、大象无形"(《老子》)一样，体现的正是道家至高的"无为"境界。

这种"太和之气"，颇合江南文人、禅师的清雅之尚，却难得重口味的北人认可，乾隆皇帝曾创"三清茶"加以调和推广，即在明前茶中加入梅花、佛手、松子仁一起冲饮（清徐珂《清稗类钞》），但成效似乎不大。一直到清朝晚期乃至清末民国，京城茶市中最畅销的仍是味道香浓的"香片"（即茉莉花茶）。震钧即称"都中茶，皆以末丽杂之，茶复极恶。南中龙井，绝不至京，亦无嗜之者"(《天咫偶闻》)，崇彝亦称"北京饮茶最重香片，皆南茶之重加茉莉花熏制者"(《道咸以来朝野杂记》)。一方水土养一方人，文化之异趣由此可见一斑。

阅读链接：

李大椿主编：《西湖龙井茶》，浙江科技出版社，1992 年版。

朱家骥、阮浩耕：《西湖龙井茶》，杭州出版社，2004 年版。

鲍志成：《龙井问史》，西泠印社出版社，2006 年版。

黑臀仿佛逢公子，白蹄分明出婺州

养猪是与江南稻作农业及自然环境互惠互利的一种家畜饲养业：农副产品及丰茂的水草是猪的好饲料，猪粪则是农田的好肥料，“种田不养猪”就像“秀才不读书”，是不可能有成就的，故浙江农区普遍养猪。古代交通不便，畜种交流有限，久而久之，各地就逐渐形成了自己的特色猪种，如金华猪、乐清虹桥猪、江山乌猪、嘉兴黑猪、嵊县花猪等。金华猪育成于金华地区，俗称“两头乌”，因为这种猪主体白色，但头和臀“两头”为黑色。明人吴宽的《王成宪席上赋火腿》一诗中，已有“黑臀仿佛逢公子，白蹄分明出婺州”的诗句，说明“两头乌”猪种至迟在明代已经育成。“婺州”即今金华地区。“黑臀仿佛逢公子”是说作者看到“两头乌”的黑屁股，联想到了春秋时期晋国的文公子姬黑臀。姬黑臀是晋襄公的弟弟，晋灵公的叔叔。灵公荒淫无道，赵穿杀之，大臣赵盾（赵宣子）迎立黑臀为晋成公。成公贤明，故孔子赞曰：“赵宣子，古之良大夫也。”（春秋左丘明《左传》）

起初，中国农畜并重，但随着人口压力的增长，畜牧业逐渐被种植业压缩，形成了极度偏重种植业的所谓“跛足农业”，使中国百姓的膳食结构严重偏“素”，非常缺乏动物性蛋白质和脂肪。因此，中国人饲养家畜禽均以肥美为目标，尤其是猪，越肥越受欢迎，因为相较于瘦肉，肥肉和脂肪能更快更有效地满足人体对蛋白质和脂肪的“渴望”，因此中国地方猪种多是脂肪型或脂肉两用型的大肥猪。“两头乌”却是个例外，因为“两头乌”的主要用途是做火腿，而不是纯粹肉食。做火腿的猪

阅读链接：
谢成侠：《中国猪种的起源和进化史》，《中国农史》，1992 年第 2 期。
中国金华猪编委会编著：《中国金华猪》，上海科学技术出版社，1995 年版。
徐旺生编著：《中国养猪史》，中国农业出版社，2009 年版。

体形不能太大，肥瘦要适中，而且皮要薄，骨要细小，我们现在看到的“两头乌”就是这个样子的。

位于浙江中西部的金华地区，居江河之上游，物资顺水运出易、逆水运进难，谚云“十里不贩薪，百里不贩粮”，长途贩运低价之物，肯定是要亏本的。因此，金华地区历史上均采取粮食自保的政策，任何时候粮食生产都是放在第一位的，以确保区域内居民口粮的供应。同时，该地区利用粮食略有富余且杂粮比例较高的条件，发展养猪业，加工成利润较高且保存期较长的火腿，运销出来赚钱。如此一来，猪和粮通过火腿这个媒介，在金华地区取得了粮、猪、火腿、现金之间的良性运作。清人谢墉就揭示过其中的奥妙：“金华人家多种田、酿酒、育豕。每饭熟，必先漉汁和糟饲猪，猪食糟肥美。造火腿者需猪多，可得善价。故养猪人家更多。”（《食味杂咏》）

火腿是中国肉类加工产品中的极品，也是中国最负盛名的特产之一。中国火腿的主要产地有浙江金华、江苏如皋和云南宣威三处，以金华火腿最有名。相传北宋抗金名将宗泽曾将其家乡浙江义乌的“咸肉”送给皇帝吃，皇帝见切开的肉绯红似火，遂名之为“火腿”。火腿行因此尊宗泽为祖师，店里都要供奉其画像。

做火腿的“两头乌”六七十千克左右就可出栏，屠宰时要做到一猪一汤，血清毛净。鲜腿要求重五六千克，外形要求修整得形似竹叶且不露骨头，然后进行盐腌烟熏，但“所腌之盐必台盐，所熏之烟必松烟”，因为台州是浙江著名的盐产地，盐质精良。腌的时候，火腿要层层叠压堆放一段时间，既可促其

脱水防腐、肉质紧致，又能让其自身所含的酵素（酶）把一部分蛋白质和其他成分分解成氨基酸和芳香类物质，从而产生鲜味和香气，且“久而弥旨”。但也不是越久越好，古人认为三年陈的火腿是最好的，“凡金华冬腿三年陈者，煮食气香盈室，入口味甘酥，开胃异常，为诸病所宜”（清赵学敏《本草纲目拾遗》）。强调用松烟熏，则是因为松烟“气香烈而善入”（清雍正《浙江通志》）。金华地区多红黄壤丘陵，土地酸瘦瘠薄，其他树木都难以生长，唯松树往往成林，似天怜金华，助成火腿之业也。制作完成的金华火腿，肉质细嫩，皮色黄亮，肉红似火，香郁味美，营养丰富，且便于携带，因此堪称色、香、味、形四绝，为火腿中的上品，“雪舫蒋腿”更是金华火腿中的精品。

火腿不仅是佐餐佳肴，同时也是强身的补品，它含有丰富的蛋白质、脂肪和铁、钙等多种物质，并富含各种氨基酸。中医认为火腿有和中益肾、养胃气、补虚劳的作用。相传道光年间，义乌田心村的王恒魁兄弟四人，在苏州开设“慎可火腿行”，乙未年（1835）苏州瘟疫四起，王家兄弟把卖火腿时截下的大批火腿爪送人治病，活人甚众，巡抚林则徐因此亲书“培德堂”匾额，以示嘉奖。

萧山出土西晋青瓷猪圈冥器

豕（野猪）为山泽猛兽，与狼齐名，号称“狼奔豕突”。然被人圈养的猪，却完全成了另一副样子，现成吃喝，想睡就睡，故个个长得肥头大耳。要自由还是要安逸？这是一个生命难题。但安逸如果要以尊严甚至性命去交换，不要也罢。

江湖鱼蟹半生涯

浙江境内水系众多，尤其是平原地区，地势平缓，湖沼密布，故水产丰富，捕捞渔业历史悠久。这里发掘的史前遗址中都能发现大量的水产遗存，例如余姚的河姆渡遗址，不仅遗址中鱼骨、蚌壳遍地，而且陶釜中常积鱼骨，甚至连狗粪中也有鱼骨。司马迁称这里是“饭稻羹鱼……果隋蠃蛤，不待贾而足”（《史记·货殖列传》）“蠃蛤”即螺、蛤之类的水产。江河鱼鲜中，鲈鱼曾深得江南人的喜爱，“十年流落忆南烹，初见鲈鱼眼自明”（《南烹》），“芳鲜初上市，羊酪何足当”（《稽山行》），都是陆游写下的饕餮诗句。鲈鱼品种较多，淡水、海水中均有生长，故产量较大，当时并不稀贵，陆游就说过“江上鲈鱼不直钱”（《买鱼》）的话。上海松江所产的鲈鱼最鲜美，因此也最有名，世传晋朝在洛阳做官的吴人张翰，就因“思吴中菰菜、莼羹、鲈鱼脍”而辞官回家（南朝宋刘义庆《世说新语·识鉴》）。

野生捕捞之外，浙江可能还是全国最早出现淡水鱼养殖的地方。相传吴越争战时，一度困守会稽山的越王勾践很想吃鱼，就对大臣范蠡说：“孤在高山上，不享鱼肉之味久。”范蠡于是在山中凿上、下二池，养鱼给他吃，“三年致鱼三万”（南宋嘉

泰《会稽志》)。范蠡也因此被尊奉为中国养鱼业之鼻祖，以至于出现于汉代的中国第一本养鱼专著《养鱼经》亦托名于范蠡，俗称《范蠡养鱼法》。

起初，人们养的鱼都是鲤鱼，因为鲤鱼好养又好吃。但随着人民生活水平的提高，单一的鲤鱼已不能满足消费市场的需求，加之唐朝因国姓“李”与“鲤”同音，一度禁捕、禁食鲤鱼，故各地先后开始了青、草、鲢、鳙的养殖试验。宋元时，这四种鱼已成为最主要的养殖鱼种，号称“四大家鱼”，南宋嘉泰《会稽志》就称“会稽、诸暨以南，大家多凿池养鱼为业”。因为当时还不会人工繁育鱼苗，故所需鱼苗均从江西九江等江、湖水系的交汇处贩来，这种地方浮游生物饵料丰盛，是鱼类理想的产卵繁殖场所。买来的鱼苗入池中放养，“辄以万计”(南宋嘉泰《会稽志》),

南宋　马远《寒江独钓图》

钓鱼本是一种捕鱼方法，但在中国文化中，钓鱼不再只是钓鱼。姜太公钓鱼意不在鱼而在姬昌，目的是辅佐贤君建功立业。“隐士”钓鱼展示的只是一种姿态，想钓的却是飞黄腾达的机遇。只有真正的高逸之士，才会“青箬笠，绿蓑衣”，钓得“斜风细雨不须归”(唐张志和《渔歌子》)，“寒江独钓”也因此成了画师们百绘不厌的题材。

可见当时浙地人工养鱼的规模已相当大。

“四大家鱼”大多实行混养，既能充分利用水域空间，又可形成互生互利的局面。鲢鱼、鳙鱼生活于水之中上层，食浮游生物及草鱼矢；草鱼生活在中下层，食水草；青鱼生活于底层，食螺蛤。池中残饵和鱼矢被微生物分解后形成的营养物质，可促进浮游生物的生长，鲢鱼、鳙鱼滤食浮游生物及草鱼矢后，可起到清洁水质的作用，而且鲢鱼追食草鱼矢时，“近其尾，则草鱼畏痒而游，草游，鲢又随觅之。凡鱼游则尾动，定则否，故草、鲢两相逐而易肥”（明王士性《广志绎》）。所以，鲢鱼虽然肉质不佳，但民间养草鱼“必兼蓄鲢鱼于池”（明崇祯《嘉兴县志》）。

捕捞和养殖在比率上的变化，还和当地的经济发展及人口因素密切相关。在地广人稀、经济相对落后的时候，捕捞业明显强于养殖业，当时的大江大湖里都活跃着一些个体或集体协作的专业渔民。但随着经济的发展，人稠地狭的矛盾逐渐尖锐，大规模的围湖造田及圩田系统的开发，使天然河湖的面积日益缩小，野生水产捕捞业由此衰退，水产养殖业却借助陂塘等农田水利设施而快速兴起，只是陂塘养鱼已是农民的兼职，而非专业渔户的生产。青田等地甚至出现了一种稻田养鱼的方法，鱼食稻田之杂草、害虫，鱼粪则可肥田，既生态环保，又可保稻、鱼双收。不便之处是稻作需要排水烤田时，得在田边另挖沟、池暂贮田鱼，颇费工时。

当人工养鱼已成主流的时候，虾蟹螺蚌仍以野生捕捞为主。

太湖流域的蟹非常多。蟹喜食稻穗，为稻作之大害，故吴越人称之为蟹荒、蟹乱或蟹厄（宋高德基《平江记事》）。然宋元之时，食蟹不知为何突然跻身于饮酒、赏花、赋诗之列，被视为风雅之事而颇受推崇，在士人圈子里迅速流行起来并波及社会各阶层，中国最有名的两本有关蟹的谱录《蟹谱》（傅肱）和《蟹略》（高似孙），均撰于宋代。

一般情况下，捕鱼养鱼的利润还是比较高的，唐人皮日休就认为养鱼比当官好多了，“借问两绶人，谁知种鱼利”（《奉和鲁望渔具十五咏》）。南宋嘉泰《会稽志》也说春初放下鱼苗，第二年“卖以输田赋”，可“至数十百缗”。一首《太湖竹枝词》甚至说小伙子不要千金陪嫁，只想上罛船（太湖捕鱼大户的巨型捕鱼船）当个上门女婿：“但得罛船为赘婿，千金不羡陆家姑。”（清金友理《太湖备考》）加之鱼谐音“余”，民间视之为富裕、吉祥的象征。因此，浙江一直重视渔业生产，从最初的“饭稻羹鱼”到明清的“桑基鱼塘”，捕鱼、养鱼、卖鱼、吃鱼、供鱼、画鱼……鱼在浙人的经济和文化生活中，扮演了非常重要的角色。

阅读链接：

丛子明、李挺主编：《中国渔业史》，中国科学技术出版社，1993年版。

尹玲玲：《明代杭嘉湖地区的渔业经济》，《中国农史》，2002年第2期。

游修龄：《稻田养鱼：传统农业可持续发展的典型之一》，《农业考古》，2006年第4期。

滨东海之陂，富鱼盐之利

浙江濒临东海，沿海岛屿众多，因此鱼、盐资源丰富，沿海居民大多以捕鱼为生，“傍水人家无十室，九凭舟楫作生涯”（元李仕兴《抵楚门》）。

早在三国时期，武康（今德清）人沈莹就写过一本涉及东海海产的《临海水土异物志》。当时的临海郡，包括现今浙江南部与福建北部沿海一带。虽然这不是一本纯粹的海洋志，内容涉及临海郡陆地和海洋上的居民种族、文化习俗及各种动植物和矿物，但海洋资源所占比重极大，全书146个条目有50多个条目是介绍海产品的。因此，此书堪称中国最早涉及海洋资源的著作之一，也是较详细记录东海海产的第一本著作。

大黄鱼和小黄鱼（古称石首鱼或黄花鱼）、带鱼、墨鱼（乌贼）是浙江著名的四大海洋鱼类，此外还有鳓鱼、鲳鱼、鳗鱼、白姑鱼、鲷鱼、鲐鱼、鲨鱼、海蜇、梭子蟹等。捕捞石首鱼曾是东海渔事的一大盛景。石首鱼在繁殖季节会大规模群集，形成鱼汛，而且繁殖期的石首鱼会终日鸣叫，故鱼汛至时惊天动地，李时珍称其来时“绵亘数里，其声如雷”（《本草纲目》），王士性亦称“鱼如山排列而至，皆有声”（《广志绎》）。渔民捕鱼时，

先将竹筒探入水底，听鱼之声在水之上层即下网捕之，在水之下层就不下网了，因为此时鱼潜深渊，下了也捕不着，白忙活。鱼汛至时，宁、台、温之渔人“相率以巨舰捕之”，捕获之鱼则运回港口交易，交易市场内“港舟舳舻相接，其上盖平驰可十里也”，一船鱼“可得二三百金”。但海洋渔业的生产风险很大，不仅置办渔船、网具等的成本很高，而且随时有舟覆人亡的可能，尤其是遭遇台风的时候，至于空网无获更是家常便饭。因此，得鱼者自然是“钬金伐鼓，入关为乐”，而无获或遇难者就可能要背负巨债，甚至家破人亡，故“海上人以此致富，亦以此破家”（《广志绎》）。石首鱼鲜美，“楝子花开石首来，笥中被絮舞三台”，即使穷得叮当响，也要典当冬被买鱼吃。但古代保鲜技术有限，加上交通不便，鱼运到市场售卖时基本都已发臭，民间因此还有了“忍臭吃石首”的俗谚（南宋范成大《吴郡志》）。

除野生捕捞外，浙江还是最早开始人工养殖海产的地区。宋元时期就有沿海居

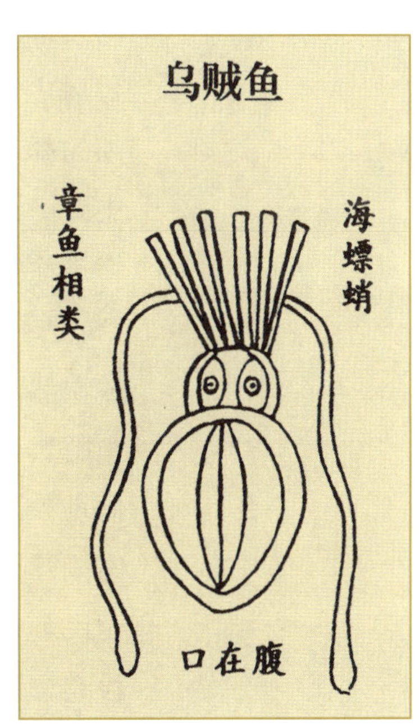

明　李时珍《本草纲目》之乌贼鱼图

乌贼遇敌时会口吐墨汁，然后在一团乌水中趁机逃走，狡猾如“贼”。但这点伎俩到渔人面前就玩完了。据说乌贼碰到渔船，以为遇大敌，会拼命吐墨以求逃遁，渔民见船边乌水翻滚，一网下去，必“网之大获”（宋陆佃《埤雅》），真是欲盖弥彰，聪明反被聪明误！反观世事，亦多如此。

民取黄蛤苗“栽泥中，候其长而取之”(《鄞县志》)，亦采芽蚶苗“种之海涂，谓之蚶田”(清雍正《浙江通志》)。

丰富优质的海产，本是天助民生，但在皇家天下贡的封建时代，百姓反而常被“珍宝”所累。例如，“明州岁贡海虫、淡菜、蛤蚶可食之属，自海抵京师，道路水陆，递夫积功，岁为四十三万六千人”，简直就是劳民伤财，孔戣因此“奏疏罢之”(唐韩愈《正议大夫尚书左丞孔公墓志铭》)。浙江鱼贡中，名气最大的是鲥贡。鲥鱼是一种海鱼，但在繁殖季节会洄游到江河产卵。鲥鱼鳞下富含脂肪，肉质鲜嫩，故自古珍贵，名列我国四大名鱼“鲥、甲(中华鲟)、鲳、黄”之首。但鲥鱼和荔枝一样娇贵，出水即腐，故鲥贡得加裹冰块日夜兼程，“六月鲥鱼带雪寒，三千江路到长安”(明于慎行《赐鲜鲥鱼》)，“白日风尘驰驿路，炎天冰雪护江船”(明何景明《鲥鱼诗》)，描绘的都是驰贡鲥鱼的情景。江苏的南京和浙江的富阳是鲥鱼的主要产卵地，因此也就成了主要的捞捕地和鲥贡地，百姓为此惨遭涂炭之苦，怨声载道。明代在浙江做官的韩帮奇，曾亲见“杭之富阳产茶并鲥鱼，二物皆入贡。采取时民不胜其劳扰”，故愤然作《富春谣》:“富阳山之茶，富阳江之鱼。茶香破我家，鱼肥卖我儿。采茶妇，捕鱼夫，官府拷掠无完肤。皇天本至仁，此地独何辜？鱼兮不出别县，茶兮不生别都。富阳山何时颓，富阳江何时枯？山颓茶也死，江枯鱼也无。山不颓，江不枯，吾民何以苏。”并上疏力求罢贡，却因此被下狱夺官。但百姓没有忘记他，“是诗杭人至今传诵之”(明佚名《沂阳日记》)。

明朝时为抗倭，清朝时为防郑成功及反清复明力量，都曾实行海禁，最严厉的时候，片板不许下海，甚至沿海迁界，强制沿海居民内迁，人为地造成沿海地带荒无人烟，以便隔绝沿海居民与倭寇、郑成功、反清复明力量及其他外夷的联络，达到专制统治的目的。据说强迫迁界时，不光房屋财产毁于一旦，而且迁界途中因饥寒疾病而死、因反抗而被屠杀者达几十万人。但没有鱼吃时，皇帝却又反过来怪渔民不捕鱼。《明英宗实录》就记录了这样一个故事：天顺二年（1458），岁贡黄鱼因为海禁抗倭而没有贡上，结果明英宗就下诏斥责倭都督佥事翁绍宗，说他怎么不让渔民捕鱼进贡。帝王的昏庸、帝制的腐败由此可见一斑。

阅读链接：

徐荣:《我国历史上沿海地区的传统渔业》,《古今农业》, 1992 年第 1 期。
徐荣:《我国历史上沿海地区的滩涂渔业》,《古今农业》, 1992 年第 3 期。
欧阳宗书:《明清海洋渔业及其重要地位》,《古今农业》, 1998 年第 4 期。

越酒行天下

“清醠之美，始于耒耜。”（西汉刘安《淮南子》）耒和耜是最早的翻土农具，此处指代的就是“农耕”，农耕收获的是谷物，缘于农耕的“清醠”自然就是谷物酒。谷物酒俗称米酒，以谷物为酿造原料，以曲蘖为糖化和酒化的发酵剂，与葡萄酒、啤酒并称世界三大发酵酒。北方的黍和南方的稌（即糯米）是早期中国最主要的两种酿酒原料，《诗经》即有“丰年多黍多稌，为酒为醴”（《周颂·丰年》）的记载。黍和稌皆为糯性谷物，用于酿酒，不仅出酒率高，而且酒味醇厚甘甜。但限于技术原因，早期米酒酒精度较低，只是“粗有酒气而已”（宋沈括《梦溪笔谈》），而且酒液浑浊、味道偏甜、易酸败。技术的不稳定还导致酒的颜色五花八门，《饮膳标题》即称酒有“清浊厚薄甜苦红绿白之别”（《渊鉴类函》卷三九二转引）。绿酒曾在唐代盛行一时，李白就有“千杯绿酒何辞醉”（《赠段七娘》）的诗句，“灯红酒绿”至今仍是常用成语。两宋时期，米酒酿造技术趋于成熟，酒色相对固定在黄色调，因此人们渐渐习惯于用“黄酒”指称“米酒”。虽然出现于元代的蒸溜烧酒（白酒）以后起之秀的态势，迅速占据了中国酒业老大的地位，但历史悠久的黄

酒生产仍有自己的稳固天地，并在全国逐渐形成了浙江绍兴、山东即墨、福建龙岩等几个各具特色的黄酒生产中心，其中又以绍兴黄酒最有名，“绍兴老酒”甚至“绍兴”二字，几乎成了“黄酒”的代称。

绍兴的酿酒历史非常悠久。相传大禹治水时，其助手水酉无意间把大辣蓼花撒入了米饭中，从而发明了酒。有趣的是，酿造绍兴酒的酒药至今仍以蓼草制作，尤其是红蓼，浙人直接称之为酒药草、酒曲草或酒酿曲。春秋战国时期，越地酒业已相当发达，越国君臣迎送、馈赠、宴饮等都要喝酒，越王勾践还规定老百姓生了子女，政府都要赏赐两壶酒（春秋左丘明《国语》)，以此奖励生育，充实国家的兵源和劳动力。“箪醪劳师”的故事，说的是越王勾践二十四年（前 473），勾践思刷会稽之耻，兴兵灭吴，出师之日，越国父老献醪（未过滤渣滓的酒）壮行，勾践跪受，然后倾醪于河，与军士舀河水共饮，军士为此士气百倍，终于打败了吴国，“投醪河”也因此成为绍兴名胜。

魏晋南北朝之时，频繁而残酷的政权更迭、朝不知夕的命运悲忧，孕育了极时行乐、纵酒狂欢的世风。一位名叫孔群的山阴人在写给亲友的信中就讲到“今年田得七百石秫米，不足了曲蘖事”（唐房玄龄等《晋书》)，收了 700 石的糯米，还说不够酿酒喝。最有名的魏晋酒事，当属王羲之的“曲水流觞”。话说永和九年（353）的三月初三，会稽内史王羲之邀集谢安、孙绰等 41 位名士，在会稽山阴之兰亭行“修禊”（三月三日在水边祓除不祥的一种古俗）之事，曲水流觞，饮酒做诗。羲之借着酒劲，写下“天下第一行书”《兰亭序》。据说此后他曾多次重写，却再也无法达此境界，《兰亭序》因此带着绍酒的醇香成为千古绝唱，兰亭亦因此成为世界的书法圣地。南朝梁元帝萧绎称自己小时候常于夏日傍晚，张一蚊帐，帐中置“银瓯一枚，贮山阴甜酒”，躺在那里喝酒读书以至天明。此事记于萧绎的《金楼子·自序》，读来温暖可爱，如见邻家少年。

唐宋以来，随着经济重心的逐渐南移尤其是宋室南迁，导致江南社会畸形繁华，加之宋朝边患不息，亟需酒税以维持军费开支，以至“史策所载历代榷酤，未有如宋之甚者”（清赵翼《陔余丛考》）。“榷酤”即由国家垄断经营酒业，以取暴利。据《文献通考》记载，早在北宋神宗熙宁十年（1077），越州的酒税已达15万贯，高出邻近各州一倍。南宋以来，绍兴作为曾经的驻跸之地，又紧临都城杭州，酒业更是异军突起，“城中酒垆千百家”（《上元雨》），“倾家酿酒三千石”（《草书歌》），就是绍兴诗人陆游对家乡酒业的描述。“越州蓬莱”（亦称“蓬莱春”）则是当时最有名的绍酒（北宋张能臣《酒名记》，南宋周密《武林旧事》）。

明清以来，随着国家榷酤政策的放宽以及资本主义的萌芽，民营酒业，尤其是大规模的商品性酒业发展很快，绍兴县东浦镇的孝贞，湖塘乡的叶万源、章万润、田德润等大酿坊都创设于明代。绍酒作为一种以地域为名称的品牌，开始声名远扬，清康熙《会稽县志》即称“越酒行天下，其品颇多，而名老酒者特行”。东浦为优质绍酒的著名产地，因此东浦酒也成了当时通行全国的“免检产品”，“地迁方不验”（清吴寿昌《乡物十咏》）。此后，绍酒又多次在巴拿马博览会等中外会展上获得金奖，1988年更成为钓鱼台国宾馆唯一国宴专用酒，名声响彻中外。

酿制绍兴酒有几个关键原料：一是上等精白糯米。绍兴的糯米种植甚至严重影响到了当时的口粮供应，“敝乡膏腴之田种粘者十之四五，致有数乡全种粘米而不种粳者，是以绍兴之

酒遍满天下，而食米之分数减其五六矣”（明余煌《与周父母论煮粥平籴禁粘书》）。粘即糯米。二是含根霉的麦曲。根霉的作用是把谷物所含淀粉分解成葡萄糖。三是用粳米粉和蓼草制成的含有酵母的酒药。酵母的作用是把葡萄糖分解成乙醇即酒精。四是鉴湖水。鉴湖为东汉会稽太守马臻修建的大型水利工程，汇聚了会稽山各路溪泉，水质清澈，富含钙和微量元素锂，是酿造绍兴黄酒的极佳水源，被喻为“绍兴酒之血”。按照含糖量的多少，绍兴黄酒从甜到不甜可分为香雪、善酿、加饭和元红四种类型。元红是绍兴酒中产量最大的一种，加饭则是最有特色的一种。加饭即在酿造过程中多次投入糯米饭和麦曲，以便酒液更加醇厚清澈。加饭酒越陈越香醇，

咸亨酒店（李生校摄）

孔乙己的故事就发生在咸亨酒店里。酒是温暖醇香的，孔乙己却是落魄寒酸的，正应了那句“百无一用是书生”。有书读，当然是好事。但读书是有讲究的，活着读是经世致用的学问，往死里读只能读成一肚皮酸腐的“四脚书橱”。反观现代的教育制度，难道不值得我们反思吗？

因为陈年窖藏的加饭都装在一种五彩雕塑的酒坛里，故陈年加饭亦称“花雕”。另有一种俗称“女儿红”的花雕，是百姓为新诞女儿酿造的酒，至女儿婚礼时开坛宴客。这种越地习俗的起源似乎很早，晋人嵇含的《南方草木状》和唐人房千里的《投荒录》中都有记载。

绍酒营养丰富，所含赖氨酸比等量葡萄酒和啤酒至少多一倍，被称为“高级液体蛋糕”，而且绍酒之性“芳香醇烈，走而不守”，为“味甘，色清，气香，力醇之上品”（清童岳荐《调鼎集》），故清人袁枚比之以清官名士：“绍兴酒如清官廉吏，不参一毫假，而其味方真，又如名士耆英，长留人间，阅尽世故而其质愈厚。”（《随园食单》）绍为水乡，苦卑湿，绍酒具有补气养血、活血化瘀、驱湿祛寒的作用，热饮尤佳，故绍人皆嗜酒善饮。金龟换酒的贺知章、沈园题壁的陆游、狂生醉酒的徐渭，直至近代的革命志士秋瑾、教育家蔡元培、共和国总理周恩来，皆有酒名。鲁迅更是借助绍酒，通过孔乙己这个典型形象，写尽了封建制度的残忍和人性的麻木。众人皆醉我独醒，“旗手”鲁迅不担空名。

阅读链接：

周立平主编：《'94国际酒文化学术研讨会论文集》，浙江大学出版社，1994年版。

游修龄、曾雄生：《中国稻作文化史》，上海人民出版社，2010年版。

俞为洁：《中国食料史》，上海古籍出版社，2011年版。

一年耕种长苦辛，田熟家家将赛神

江南赋重，天下为最。早在明中期，经济名臣邱浚即已指出："韩愈谓赋出天下，而江南居十九。以今观之，浙东西又居江南十九，而苏松常嘉湖五府，又居两浙之十九也。"(《大学衍义补》) 因此，这里的农民虽然生活相对富裕，但极其辛苦，气候和土地条件被利用到极致，时间和劳力也被利用到了极致。他们一年要种两季甚至三季稻、麦、油菜等大田作物，为尽地力，还要在大田作物中套种或间作其他作物。为维持复种制下的农田肥力，就得养猪、养羊以积肥；为耕垦土地就得养牛为役力；为应付节俗、待客及自身最基本的肉食需求，就得养几只鸡、鸭；密布的水域则被用来放鸭、养鱼、种菱藕。为获取现金以维持家用和发展生产，这里更是普遍种桑养蚕、缫丝织绸。同时，随着商品经济的繁荣，茶叶、棉花、瓜果、糖蔗、乌桕、油桐、竹笋等效益较好的经济作物和林木，也被越来越多地纳入农事。由此可见，说浙江农民"一年耕种长苦辛"(唐张籍《江村行》)，一点都不夸张。

"有山皆种麦，有水皆种秔。牛领疮见骨，叱叱犹夜耕"(南宋陆游《农家叹》)，浙江农民之辛苦，不用多说，看看烂到骨头的牛脖子，再看看这插秧的一家人，就能感同身受："田夫抛秧田妇接，小儿拔秧大儿插。笠是兜鍪蓑是甲，雨从头上湿到胛。唤渠朝餐歇半霎，低头折腰只不答。秧根未牢莳未匝，照管鹅儿与雏鸭。"(南宋杨万里《插秧歌》) 而且春耕、插秧的时候，还是蚕事最忙的时节，故翁卷称"乡村四月闲人少"(《乡村四月》)，甚至连杭城闺秀朱淑真也感受到了这种忙碌的气氛：

皂（灶）王爷

相传腊月二十四，灶君朝天欲言事，于是家家摆宴送灶王。他们把麦芽糖粘在灶王嘴上，要他嘴巴甜甜地“上天言好事”，又要他完事了就赶紧回家，“下界保平安”。整场仪式就像孩子们在太爷爷面前的撒娇耍赖，充满了世俗的欢愉。

“蚕事正忙农事急，不知春色为谁妍。”(《东马塍》)

其实，中国农民的生存要求是很低的，“田家无所求，所求在衣食”（明刘基《田家》)，只要缴完了租税还能有饭吃有衣穿，他们就很满足很开心了。尤其是江南农民，由于深受佛、道思想的影响，隐忍而通达，只要未被逼到绝境，他们都能苦中作乐，强颜乐活。特别是妇女们，虽然农事蚕事、养猪喂鸡、采茶做饭、生儿育女……家里家外地忙，但她们很会在劳作中寻乐子解忧愁，秧歌、采茶歌、采菱歌、采莲歌在浙江长盛不衰就是这个道理。“青袯蒙头点村妆，手学蜻蜓掠水忙，细分春雨绿成行。山歌新样腔难仿，羞杀扬鞭陌上郎。”明人卜世臣的这首《懒画眉·咏插秧妇》就让我们眼见了一群时髦、开朗又泼辣能干的农妇。杭嘉湖的农妇在制作青豆茶的时节，会

相约轮番在各家剥豆，既不误农事，又能彼此谈笑舒缓心结。如果年景不错，他们就更要好好庆祝一番了。浙江的乡村“乐事”特别多，逛庙会、赛龙舟、看社戏、轧蚕花……虽然大都借着祭祀神灵的名头，但与中原儒家文化中心区肃穆庄严的祭祀仪式有很大的不同，这里的乡村娱乐更轻松更活泼，说白了就是借鬼神之名义娱自身之快乐，这或许与江南轻灵、洒脱的水文化特质有关。湖州含山的蚕花节就是典型的例证，名义上是上含山拜祭蚕花娘娘，实为蚕农们借此在清明时节出来踏青游玩一番，祭蚕神、摇快船、吃蚕花饭、评蚕花姑娘。最热闹的就是轧蚕花，姑娘们头戴蚕花，打扮得漂漂亮亮成群结队而来，小伙子们则在姑娘中间轧来轧去，挑选自己的意中人，场面远胜今天的相亲大会。

中国人的娱乐，尤其是乡村的娱乐，有一项几乎是不可缺的，那就是好好吃一

水乡泼水节（湖州市委党史研究室提供）

顿。几乎所有的娱乐最后都落实在了吃上，祭祖要吃祭灶也要吃，结婚要吃送丧也要吃，满月要吃做寿也要吃，田里开镰要吃建屋上梁也要吃，春社要吃秋社也要吃，一年四季八节吃下来，忙得主妇在灶台边团团转。但这种忙，是开心的忙，代表了富足和平安，不仅大家能借此为肚肠添点油水，而且亲友相聚，其乐融融。同时，这种场面还是男人和女人展示养家和持家能力的一个平台。因此，世道平安之时，农家多喜客来，尤其是古风淳朴之时，即使是陌生人都会热情相邀，共享人生乐味。陆游有一次散步到了山西村，就被陌生的村民们热情而且自豪地“请吃饭”，“莫笑农家腊酒浑，丰年留客足鸡豚”，弄得陆游很感动，“从今若许闲乘月，柱杖无时夜扣门”（《游山西村》），答应以后有空就会来走走。这就是浙江的乡民，勤劳、知足、乐观向上，而且懂得分享，浙江几千年的农耕文明血脉不断，靠得就是这股元气。

阅读链接：

朱小田：《传统庙会与乡土江南之闲暇生活》，《东南文化》，1997 年第 2 期。

朱小田：《近代江南庙会与农家经济生活》，《中国农史》，2002 年第 2 期。

张中文:《我国乡村文化传统的形成、解构与现代复兴问题》,《理论参考》, 2010 年第 10 期。

参东西洋之新理，以兼擅众长

明清时期，江南蚕桑已完全超越粮食生产，形成了“以桑为业”“以蚕代耕”的局面，“田收仅足支民间八月之食，其余月类易米以供。公私仰给，惟蚕丝是赖。比户以养蚕为急务”（清康熙《石门县志》）。康熙帝南巡时，就曾亲眼看到浙西“桑林遍野，天下丝缕之供，皆在东南，而蚕桑之盛，惟此一区”（清康熙《蚕赋·序》）。江南成了真正的“丝绸之府”，湖桑成了中国最优秀的桑树品系，湖州辑里丝则成了中国最有名的蚕丝产品。同时，记录和总结蚕桑经验尤其是江南蚕桑经验的著作开始大量涌现。据统计，清以前编写的蚕桑书只有 4 本，清代却有 155 本，约占清代全部农书的 1/3 强（《中国农业百科全书 · 农业历史卷》）。可以说，明清时期，浙江在桑树品种选育、桑树栽培管理、养蚕技术、桑园产叶量和生丝质量等方面，均处于全国领先水平。

但这种盛况，在清末民初逐渐受到了世界新兴资本主义的威胁，尤其是日本蚕丝业的崛起，对中国影响尤大。日本通过科学育蚕、机器缫丝和织绸，以物美价廉的丝织品霸占世界丝绸市场，并倾销中国。在这场经济争夺战中，“固守数千年以来之同样旧法”（孙中山《建国方略》）的中国，输得一塌糊涂。同治十一年（1872），日本生丝输出量仅为中国生丝出口量的 17.6%，光绪二十三年（1897）已与中国不相上下，民国二年（1913）竟然已超过中国 1.87 倍（《浙江省农业志》）。民国二十二年（1933）出版的《浙江省建设月刊》记录的数据更加触目惊心：“我国销

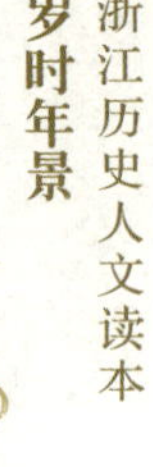

售美国之生丝，不到五万包，而日本竟销去五十余万包，尚不及十与一之比。”

于是，在一些有识之士的奔走呼号下，中国掀起了一股学习西方先进科学技术的热潮。这股热潮起始于清道光二十年（1840）鸦片战争后的“师夷之长技以制夷”，在光绪二十四年（1898）的“戊戌变法”时达到高潮，光绪帝的维新诏书中就包括了兼采中西各法、推行西方近代农业科学的内容，一般认为这是政府层面公开推行西方近代农业科学的开始。

当时的杭州知府林启是个相当开明的改革派，在清末暮气沉沉的官场中，仍“勤于治理、勇于赴事”。他看到浙江蚕农深受“洋货”之害，行业凋敝，百姓困顿，颇为忧虑。“戊戌变法”的前一年，也即光绪二十三年（1897），林启就在杭州西湖边的金沙港创办了浙江蚕学馆，自兼总办，聘留法科学家江生金任总教习，聘日人前导次郎等为教习。林启还亲自制订了《蚕学馆试办章程》，提出蚕学馆的办学理念是：“用中国之成法，参东西洋之新理，互相考证，以兼擅众长。”具体的办学目标有四个：一是培养蚕桑科技人才；二是改良蚕种，培育优良蚕种提供给蚕农饲养；三是帮助其他省份发展蚕桑；四是编译国外的蚕桑著作，普及蚕桑科学知识。同时，蚕学馆还通过派出去、请进来的办法进行人才和技术的交流，以便尽快地学习和推广先进的养蚕技术。从目前的史料看，浙江蚕学馆不仅是全国最早的蚕学馆，也是全国最早的农业学校，也就是说以西方科学技术为教学内容的近代农业类学校，就是从杭州这家浙江蚕学馆最先开始的。蚕学馆之

孤山林社旁的林启像

林启不是杭州人，杭州人却为他修墓建社。他敬慕孤山梅妻鹤子的林和靖，希望“为我名山留片席，看人宦海渡云帆”，人们就真的让他如愿与和靖为伴，坐孤山望西湖了。悠悠天地间，民心是杆秤，此言不虚。

外，林启还创办了求是书院和养正书塾，这三所学校后来分别发展成浙江丝绸学院、浙江大学和杭州高级中学。浙江的现代教育因此一直走在全国前列，并成为近代民主和科学的启兴之地。

浙江蚕学馆之后，浙江蚕桑业的改革和科学教育都进入了一个积极发展的时期。例如，清光绪三十三年（1907）杭州开办了蚕桑女子学堂，光绪三十四年（1908）开办了钱塘县蚕桑初级师范学堂，民国元年（1912）钱塘蚕种制造场开始制造和推广改良蚕种，民国四年（1915）杭州横河桥设立了浙江省女子蚕业讲习所。不久，杭州艮山门外又设立了原蚕育种制造场，复又建立杭州蚕种改进所，对原蚕土种饲养进行改良试验。随后，桐庐、衢县、临海、宁波、海宁、兰溪等地也相继开办了蚕业讲习所，设立试验田，示范并推广种桑养蚕的先进技术。民国十七年（1928）浙江大学农学院设立蚕桑系，引进外国蚕种，进行杂交试验，成功繁育出了一系列优良品种，并在蚕业改良区统一发放蚕种，禁养土种，同时进行蚕具消毒、机器烘茧等新法的推广和指导。这些努力都在一定程度上促进或者说维持了浙江的蚕桑业。但在国破民穷之时，单纯的技术革新和行业改革，作用终究是有限的。民国二十二年（1933）5 月 1 日的《申报》就有这样的报道：浙西以蚕桑衰落，“去年也曾设有人市，夫携其妻，父带其女，辗转呼号，论斤出售，与大旱时之西北，情形固无或异”！民国二十四年（1935）出版的《浙江省农村调查》亦记蚕乡崇德（今桐乡）“280 户蚕桑业平均收入五年中锐减百分之五七”，蚕业之破败由此可见一斑。

阅读链接：

吴佩琳、季玉章：《浙江蚕学馆：我国近代最早的农业学校》，《农史研究》（第五辑），1985 年。

吴佩琳、季玉章：《关于中国近代农业教育起点问题的探讨——浙江蚕学馆是我国近代最早的一所农业职业学校》，《南京农业大学学报》，1985 年第 3 期。

吴惠芬：《清末浙江的蚕丝业改良》，《农业考古》，2003 年第 3 期。

滔天洪水益为虐，昊天不吊可谁尤?

浙江自古以来就是一个水、旱、台风等自然灾害频发的地区，这和浙江的地理、气候特点密切相关。浙江地势西南高东北低，杭嘉湖平原更处于太湖的碟形洼地之中；山区峰岭陡峻，溪流短促险急；沿海地区则有海潮相侵。气候上虽然四季分明，但梅雨、台风表现典型，因此境内低洼平原处易成涝渍之灾，山区易发洪水和旱灾，沿海则多风灾。加之历代人口滋繁，人稠地狭，境内自然植被破坏严重，围垦湖河海涂则严重扰乱了自然水系，这一切又进一步加剧了灾害的危害程度。同样的降雨量，在地表植被茂盛和自然水系正常的时候，雨水可以被植被、土壤大量涵养吸收并顺利分流进入湖河江海，但当土壤裸露、自然水系紊乱壅滞的时候，就会浊流奔突、泥沙俱下，从而造成灾难甚至大灾。当然，时局混乱、战乱频仍的时期，乡村凋敝破败，水利失管失修，也会加重灾难的程度。这一点明清以来表现得尤为明显。据统计，从东汉至清朝的1800余年间，江浙共发生水旱灾474次，其中明清时期305次，占64.3%（游修龄《〈中国科学技术史农学卷〉序》）。民国时期更甚，民国37年的历史中，除民国二十三年（1934）外，浙江年年有水灾，而且平均每年有2.2次，其中最严重的一次就是民国十一年（1922）的壬戌大水灾（《浙江省农业志》）。

这次水灾自4月份余杭因淫雨发生山洪暴发开始，5、6月间金衢宁绍台处及湖属各地均发生1次以上大水；7月，境内新安江、衢江、金华江、苕溪、浦阳江、曹娥江、甬江、椒江、瓯江诸水并涨，沿江各县无不成灾；8、9两月，温台两属又因台风酿成大水。这次大水前后历时半年，灾区遍及55个县、市，占全省总县数的72%。同一地区连续发生大水一至五六次不等，例如嵊县就先后遭遇5次洪水，诸暨、义乌、临海等县城都曾进水被淹，临海县城甚至被连淹3次，乡村更是一片汪洋，诸暨70多个湖塘，十分之九溃堤，余下二三湖塘亦内涝成灾，同样无收。亲历水灾的义乌人何菁曾这样描述水灾之惨烈："大雨突然倾盆倒，三天不停没田畴。怀山襄陵势浩荡，水夹沙泥多滞留。下流西风又作梗，力猛激水水逆流。山洪再冲江身曲，更形高涨前寡俦。平野稻禾尽淹没，近水房屋多漂浮。县城佛堂遭水灌，布帛菽粟作浮鸥。嗣停五天水未退，风伯雨师再回头。"这种情势，以当时的救灾能力，似已无力抢救，成灾已是定局，秋作绝收，积尸蔽途。"滔天洪水益为虐，昊天不吊可谁尤？"(《壬戌水灾》)洪水肆虐，苍天不可怜我们，我们又能怨谁呢？人们唯一能做的，就是在灾后开展积极的救助，帮助逃过洪水的人尽可能地活下来，并尽快地恢复生产和生活。

壬戌水灾的灾后救助，是近代中国最著名的一次赈灾活动，几乎汇集了政府和社会各界的所有力量。由于灾情重，灾期长，当时浙江的许多地方已出现啃食草根、树皮的现象，有些地方甚至开始聚众抢食大户，而当地官府和民间的钱粮，在一次次的劝捐赈济中，也已消耗殆近。于是情急之下，整个赈灾募捐工作开始转向外界，更多地依赖和借助新兴资本家、商人和海外华侨的力量，无意间却开启了一种全新的赈灾体制。

浙人善工商，民国时期浙江商帮已闻名天下，上海更是浙

籍工商界人士的聚集地。据说当时百余万上海人中，仅宁波人就有50余万。他们实力雄厚，执上海商界之牛耳，获悉壬戌大水后，“痛切桑梓，均抱救济之怀”，成了赈灾的主力之一。以海外华侨为主力的华洋义赈会，不仅为壬戌水灾提供了大量的善款和物资，而且倡导了一种先进的赈济理念——以工代赈，即在灾时或灾后用善款招募灾民从事开渠、掘井、浚河、筑堤、修路等基本建设，灾民通过工作得到薪金，就能有尊严地维持生活；或者成立信用合作社，通过贷款的方式帮助灾民重建家园、恢复生产。对赈济机构来说，它用募得的善款雇工修建的各种工程项目，大多会有利益回报，借贷出去的资金也会有利息回报，如此一来它的资金运转就会进入良性循环，出现灾荒时就能及时出手相救，而不必每次都事到临头才急吼吼去四处募捐。救灾重在救急，远水解不了近渴，因此华洋义赈会的这种做法，得到了民间慈善组织的普遍仿效。

壬戌水灾的灾情是惨烈的，教训也是深刻的。旅沪浙江名人组织的浙江自治协会在灾后不久就指出：“全浙被灾，哀鸿遍野，虽曰天灾，然亦人祸。行政官府对于水利事业，既不注重事前，又不知筹防事后，补救无法，委之天命，听其自然，以致浩劫人民，永久沉沦。”因此，兴修水利、植树造林以预防灾害，一时成为社

明　周臣《流民图》(局部)

古代交通运输不便，调粮赈灾往往不及，好在中国地大，此灾彼丰，因此纵灾民就食他方就成了中国的赈灾传统。北宋郑侠、明代周臣和民国蒋兆和都画过《流民图》，流民凄惶，辗转沟壑，朝不保夕，然与其困守待毙，不如搏命一逃，故历代王朝均允许灾民逃荒。

会共识。浙江水利委员会于当年10月就提出了浙西防灾计划即南湖疏浚计划；奉化旅沪同乡会组织的水灾善后会认为，植树造林对于防治水旱灾害“费省事简，效率又宏”；浙江地方当局也“迭经令饬各县知事培种林木”。然言之非艰，行之维艰，灾害一过，人们就好了伤疤忘了疼，加之筹款筹工困难，此事也就没人张罗没人管了。故《申报》曾做文痛斥：“中国人之惯性，临灾则张皇惊骇，事后则淡然若忘。一见再见之后，则更视为故常而不以为意。水灾之来，募捐也，借款也，摊派也，各种附捐也，有老例在，举而行之，甚便至用。款如何监督，弊窦如何防范，初时尚有人注意，稍久则一切不复过问。若欲于灾过之后，谋所以防二次之灾，督责政府，举防灾政策之实，则更千百中无一人注意焉。”于是计划、建议均被束之高阁，而灾难仍在一次次地降临。

阅读链接：

邹怡：《民国壬戌浙西灾民沉浮写真——方赞修〈勘灾杂咏〉解说》，《中国历史地理论丛》，2004年第2期。

王振忠：《民国壬戌新安江畔的灾异图景》，《寻根》，2005年第2期。

陶水木：《浙江壬戌水灾述论》，《杭州师范大学学报》，2010年第5期。

耕者有其田

中国自古以农立国，农民问题是中国一切问题的根源，而土地问题又是农民问题的关键，故中国历朝历代均有土地改革，以调整社会各阶层的利益平衡，维持社会的正常秩序和发展。中国共产党是一个代表无产阶级利益的政党,其领导下的“土改”，就是为了消灭封建土地制度，实现“耕者有其田”的社会理想。但新中国成立初期推行的土改，与战争年代的土改已有很大的不同。此时新中国已经成立，我党面临的问题已是治天下而非打天下，因此原来打土豪、分田地的斗争模式已不再适应新形势的需要。此时的中国百废待兴，而对于一个农业国来说，待兴的“百废”只能依赖农业的支持，农业和农村的复兴由此成了当时的头等大事。因此，这次土改虽然打的旗号仍然是“耕者有其田”，但事实上“耕者有其田”只是手段，最终的目的是借助土改调动农民的生产积极性，解放和发展农村生产力，为国家经济复兴尤其是工业化建设提供足够的物质和人力支持。也因此，这次土改在政策上对富农网开一面，在工作方法上也温和了许多，其用意就是尽可能地调动最大多数农民的生产积极性，尽快恢复农村经济。

全国各地解放的时间不同，东北、华北等老解放区在解放战争期间已经实行了土改。浙江是新解放区，1950 年才在中央的统一部署下正式实行土改。此前，浙江省委已经开始了剿匪反霸、减租减息、征收公粮、恢复生产、组织群众等一系列土改的准备工作。到 1949 年年底，全省 85% 的地区大股匪特已被歼灭和击溃。农民的觉悟普遍提高，称公粮为“翻身粮”“胜利粮”，不仅自己积极缴纳，而且主动协助政府检查粮食成色，量斗过秤，督促地主如数缴纳。

1950年，浙江省成立土地改革委员会，当时的浙江省委副书记谭启龙担任委员会主任，正式开始土改。浙江人稠地狭，土地历来紧张，贫雇农的比例很高。租地要交租，千百年来如此，似乎天经地义，因此一开始农民并不敢向地主“要田”。为此，土改工作队下乡后，首先开展政治宣传工作，组织诉苦会，帮农民算账，教育他们从阶级的角度看清剥削的实质，弄清到底谁在养活谁，从而放下“分田”的思想包袱。当然，土改涉及的是当时中国最大多数人口的基本生存资源“土地”的再分配问题，被分的自然不甘心，白拿了别人的也不会太安心，因此政策的制订和实施都需格外谨慎。浙江土改的基本原则是积极团结中农，中立富农，只分地主田产，只对反动不法地主和恶霸地主进行严厉镇压。在当时的情形下，保存富农经济不仅有利于我国国民经济的发展，而且可以起到鼓励中农发展生产、激励贫民勤劳致富的作用，毛泽东称其为“富农放哨，中农睡觉”，意即政策不打击富农，中农就能安心生产了。一般的守法地主被没收田产后，也会和贫雇农一样分到一份维生的田产，政府鼓励他们自食其力，在劳动中改造自己，而且除土地之外，并不没收地主的其他财产。涉及具体分配方案时，则提出了“农民团结互让，干部大公无私，目的有利生产，方法民主协商，分配公平合理，结果群众满意”的分配原则。为防止运动的过

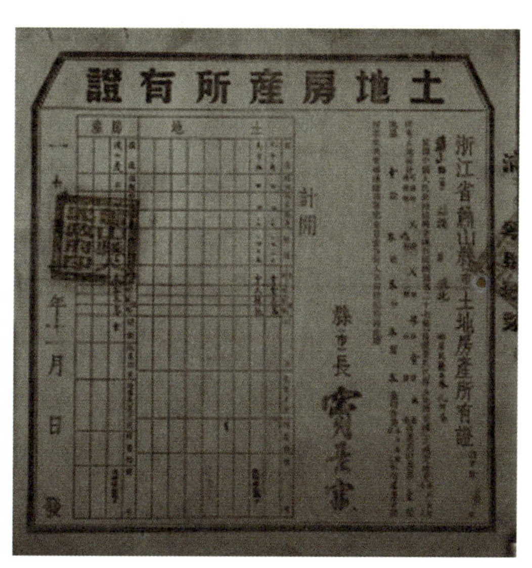

土地房產所有證

浙江省蕭山縣土地房產所有證

計開

縣市長

年 月 日 發

1951 年萧山县县长签发的土地房产所有证（申屠勇剑提供）

土地是农耕社会最大的资源，纵观千年历史，此起彼伏的战争、扩张、动乱，说到底就是土地和人口的争夺。土地更是农民的命根子，“耕者有其田”也因此成了最得人心的口号。虽然在阶级社会里，“耕者有其田”只能是相对的，但它终究是人类最美好的愿望之一。

火和失控，这次土改不再组织革命式的贫农团，改由民主选举的农民协会参与土改。考虑到中国农村传统上都是乡绅主政，近代更是官、绅勾结形成了权绅势力，因此为防止胜利果实被篡夺、变色，土改时对干部队伍的建设非常重视，作风不好或目的不纯者都及时清除；对参与土改的各级农民协会，硬性规定其领导骨干中贫雇农必须占 2/3 以上，强行压制权绅势力的抬头，从而建立起过去在乡间几乎没有任何话语权的贫雇农的参政权威，夯实和巩固了新中国的乡村基层组织；同时组建民兵队，防止地主和反革命势力的反扑。

此次土改的成果是巨大的，在制度上消灭了地主阶级的封建土地所有制，实现了农民土地所有制。在政治上，农民翻身当主人，生产积极性由此高涨，全省的农业生产得到了迅速的恢复和发展。1952 年的粮食总产量由 1949 年的 430.05 万吨提高到了 700.8 万吨，增长 62.96%，农业总产值则增长了 52.5%。土改之时，恰逢抗美援朝，当了主人、有了土地的农民，爱国热情空前高涨，当时有 200 多万名浙江青壮年农民报名参加中国人民志愿军，在为志愿军捐献飞机、大炮的活动中，农民捐献的份额甚至占到了全省捐献总数的70%（《浙江省农业志》）。耕者有其田，人民翻身做主人，新中国正以崭新的姿态迅速崛起。

阅读链接：

李良玉：《建国初期的土地改革运动》，《江苏大学学报》，2004年第1期。

王祖强：《让农民拥有自己的土地：回顾浙江解放初期的土改运动》，《今日浙江》，2009年第10期。

陶艳梅：《建国初期土地改革述论》，《中国农史》，2011年第1期。

城市影像

浙江的城市自宋以后进入发展高峰期。特别是南宋以后，杭州、宁波等城市不但迅速成为全国性的大都市，其影响甚至及于海外。城市功能也从以政治与经济为重的形制走向多重发育，成为一个区域内文化、教育等方面的中心，城市生活多姿多彩。

引　言

包括浙江在内的中国城市的发展过程，颇有亚洲特色。探究其成因，除了经济发展的因素外，政治权力的影响力尤需加以正视。城市首先是政治中心，然后随着经济、文化的发展，逐渐具备其他功能。城市的规模与发展水平，往往与其政治地位成正比。

在这种情况下，浙江春秋战国时期的城市只能说是粗具雏形。较之以农民为主体的乡村，城市的发展当然有优势，但是从现代城市概念来说，还是很不完善的，只能说是权力阶层及为其服务的人员聚居之所。当时的城市虽然已经有城墙等界域概念，服务业也有一定的规模，但由于各小国之间争战不绝，既摧毁了城市建设，也将经济区域割裂成极小的块状，这些都直接导致城市无从发展。

秦一统全国对于中国的城市而言所产生的意义是巨大的。城市固然是由政治权力所吸聚而成的，但是其真正的发展，却是依赖经济体系之成为有机体。秦统一了货币、度量衡等标准之后，大市场体系得以建立，浙江的城市才算是正式走上了发展之路。

郡县制的建立更是圈定了以后城市发展的基本图景。郡或县的行政中心之所在，就是以后城市发展的原点。虽然秦朝旋生旋灭，没有能够将城市真正发展起来，但汉朝基本延续了秦朝的郡县设置，因此可以说，城市发展的格局由秦奠定，于汉代得到真正的发展。

有了统一的经济体，有了布局节点，经过休养生息之后，浙江城市的网络初步形成，根据政治地位的大小形成了分级城市体系，并且规范了管理。城市粗具规模，经济功能开始呈现，城市建设有了规划，城市管理逐渐规范。

城市的繁荣与否完全是时代之产物，因此进入隋唐时期，浙江的城市有了长足的进步。随着人口的南迁，浙江渐脱“蛮荒”之名，较之北方城市，无论是人口、规模、经济还是文化，都不相上下。杭州与地处江淮的淮安、扬州、苏州，号称当时的四大都市；广州、泉州、明州（今宁波）都是著名的外贸港口城市。特别是坊市制松动之后，市场经济初现活力，人口流动增速，城市渐现活力，开始产生了自我扩张能力，并逐渐向乡村地区扩展。

根据中国城市的发展与政治中心的位置相对应的规律，浙江的城市自宋以后进入了一个发展高峰期。特别是南宋以后，杭州、宁波等城市不但迅速成为全国性的大都市，其影响甚至及于海外。城市功能也从以政治与经济为重的形制走向多重发育，成为一个区域内文化、教育等方面的中心，城市生活多姿多彩。而且出现了区域性的城市密集区，绍兴、明州等就是例子。坊市制在宋代被彻底打破，城市由此出现了多样化的态势，不同结构、不同功能的城市形态纷纷出现，并且乡村开始普遍地市镇化，产生了向城市主动进化的能力。

元代的浙江城市主要是守成，繁杂的政治限制使得城市的发展脚步滞缓。然而元代的浙江城市是当之无愧的国际化大都市，当时欧洲的发展还处于徘徊不前的状态，通过海路登岸的航海者几乎都对浙江的城市发出了由衷的赞叹。

流动是城市的活力所在，但是清早期的屠城、封海等措施，不但摧毁了原有的文明，且将城市固化了，对城市发展的破坏几乎是毁灭性的。但是浙江城市在宋代所形成的格局与形态并没有被彻底破坏，随着社会的安定、政治经济的松绑，浙江的城市在清中期还是得到了很大的发展，作为封建城市而言，仍然是非常兴盛的。

现代风气劲吹，浙江得风气之先，城市自治兴起，各种现代元素以非常快的速度将浙江城市改造成为现代意义上的城市。而铁路这一新兴交通工具的出现，又改变了浙江以前以水路交通线作为城市生存基础的格局，不少城市没落了，另一些城市开始兴起。在同一个城市内部，城市的中心也发生改变。在多重现代化的进程中，浙江的城市逐渐发育成为现代化都市，而这个过程，是非常迅速的。

山阴城：浙江城市的最初形制

中国的城市形成机制自有特点，与西方颇不相类。目前的观点往往将西方城市的起源与古希腊的城邦联系起来。城邦的聚合主要由经济关系决定，契约精神是城邦内部及互相之间联结的主要文化凭据，而公共领域及公共活动则是城邦民众的重要公共生活。中国城市的产生则倚仗于政治中心的所在。权力统治中心逐渐发展为城市，越是大的重要的城市，越是权力集中的地方。了解到这个基本的差异，中国城市规划，尤其是现代化进程之前古代城市与西方城市发展之间的许多不同，就可以清楚地得到认识。

产生于浙江越国时代的山阴城，就是权力吸引形成城市的典型例子。

越国时代，浙江社会不断开发进步，各种城邦和城堡大量涌现。作为一般性政治据点的城邦较多地具有城市特征，成为后世浙江郡县城市的滥觞。

越王勾践七年（前 490），山阴城始建。《越绝书》称之为“勾践小城”，“周二里二百二十三步，陆门四，水门一”。随即又在小城以东筑“山阴大城”，“周二十里七十二步”，设陆门三，水门三。“小城”和“大城”，由越王勾践嘱越大夫范蠡兴建，故亦称蠡城。2011 年绍兴建城 2500 周年。绍兴是目前除苏州外全国唯一一个 2500 年来建城城址不变的城市。

山阴城分为小城和大城两重结构。小城位于今绍兴市区府山东南麓，城墙周围总长约 3 里，城区面积约 72 公顷。根据出土文物估计，当时小城里人口密集度很高。

阅读链接：

（东汉）袁康、吴平等著，乐祖谋点校：《越绝书》，上海古籍出版社，1985年版。

陈桥驿：《历史时期绍兴城市的形成与发展》，《纪念顾颉刚学术论文集》，巴蜀书社，1990年版。

封晓东：《春秋勾践大、小城城址选择的历史经验》，《绍兴文理学院报》，2011年6月期。

山阴大城是以小城为依托修建起来的，其规模比小城大10倍，实际上是小城外面的郭城。大城并非只是小城在空间上的拓展。如果说小城主要是宫室和政府机构所在地，属于政治中心，那大城则是一般性的居民区和商业区。大城里居民繁多，商业活跃，市场发达。

为了加强市场管理，政府还设置了专门负责市场活动管理

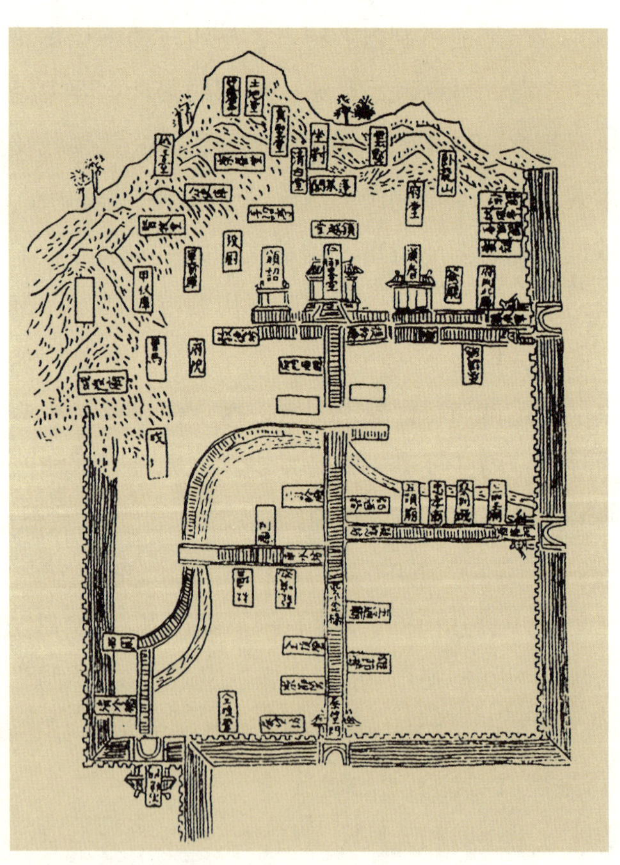

山阴城

的“市吏”。“市吏”与现在的城管功能有重合，但作用似乎更为广泛。《吴越春秋》卷三《王僚使公子光传》记载，公元前525年，吴王僚二年，公子光想刺杀王僚，秘密寻找刺客，就命善于相面者为吴市吏，观察往来人等。伍子胥到了吴国，装疯，光脚在市集里行乞。围观者甚众，但均不识其真面目。第二天，那位善相的市吏见到了，就带着他一起面见王。这个故事讲的是吴国都城的事。越与吴接壤，方言接近，地理环境类似，文化传统差不多，因此可推知越都城也是如此，其市吏也是负有多方面职责的。

勾践小城以及山阴大城建立之初，即设计为越国都城，要“立国树都”。主持设计的范蠡选择了卧龙山作为城址，兼顾交通、防御及拓展等多种战略需要。地处会稽山北，山会平原之上，城内又有种山、怪山、蕺山、火珠、鲍郎、蛾眉、彭山、白马等山，后人称之为“负卧龙山脊，面秦望，带鉴湖，玉架天柱，诸峰环峙左右”，得山水之利而无旱涝之忧，能攻易守而基业可据，因此被今人称为我国古代城市规划史上的一项杰作。

越都城的选址和规划思想，基本决定了后来绍兴作为一个城市的面貌。当然，后世对于绍兴城，代代有修葺。后人根据不同历史时期绍兴的生产、生活、交通、防火、防御之需，在城市道路、城墙、河道、民宅、园林、古迹等方面，时有修葺与新建。

大城以小城为中心，环绕拱卫。这种城市结构在之后许多年都是中国古代城市的主流规划，对于现代城市的许多问题也很有解释力。中国城市如要制造新的中央商务区，迁移市政府是可供选择的方式。中国城市本来就是环绕权力中心而生，城市内部最高权力所在地即是城市中心，一切设施由此生发。将市政府迁址，自然带动整个城市中心的转移，包括城市的交通设计，公共设施的设置，乃至商业布局，都依此原理而规划。

钱唐城：杭州的崛起

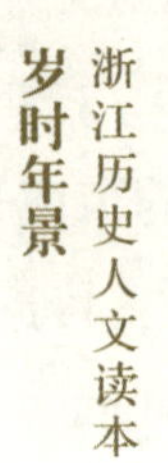

杭州城是在钱唐城的基础上发展起来的。讲到杭州，必得讨论钱唐城。

钱唐在秦和西汉时只是一个户不满万的小县。为免江潮冲击，钱唐城设在今杭州城南的灵隐山谷地中。东汉郡议曹华信发动民众筑防海大塘，西湖以东的沙洲平原逐步形成扩大，阻止了江潮对平原的冲击，钱唐城开始由山谷向沙洲迁移。

江海潮患、西湖整治、饮用水一直是杭州城面临的三个发展难题，也是古代各朝一直努力应对的问题。

钱唐所处的交通地理位置是非常特殊和罕见的。钱唐城市所在处，是一块沙涨之地，空间狭小，饮用水供应困难。但是其所处的交通地理位置非常重要，刚好是一个十字路口，一横是钱塘江，一竖是运河，上是江南运河，下是浙东运河，共同构成这一竖。钱唐是著名的货物水运中转中心，其港口商船云集，热闹非常。因此，只有解决了上述三个问题，城市发展才能打破瓶颈，有继续扩大和提高地位的余地。

隋唐时期钱唐城迅速崛起，这与几项较大的市政工程的成功实施有直接关联。一是沙河疏浚，使城区免受江潮冲击；二是居民饮水工程；三是西湖整治工程；四是捍海塘工程。随着潮患问题的进一步解决，城市经济、人口、商业都在迅速发展。居民的文化生活也日显丰富多彩。最为突出的是宗教的兴盛，尤其是佛教。有唐一代，杭州城内先后有360座寺庙之多，灵隐寺已具可观规模。

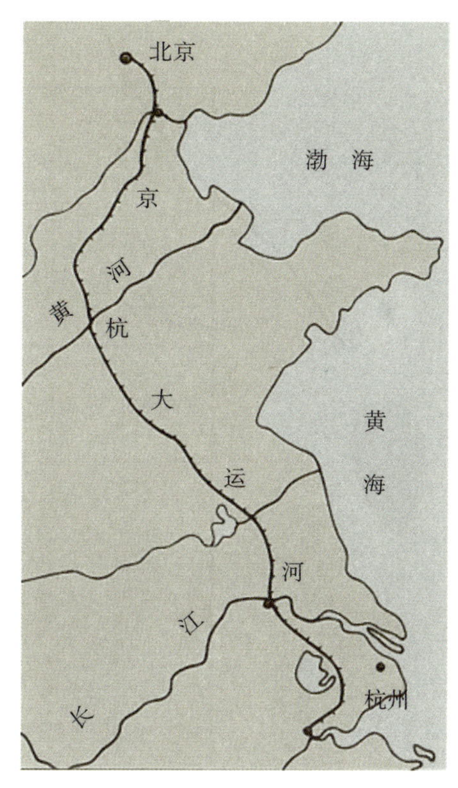

京杭大运河示意图

吴越政权对杭州城的形态发展有着决定性的作用，几次大规模城市扩建，均在此期间完成。吴越国王钱弘俶在城南凤凰山下营建子城，为其宫室。至此，杭州城凡子城、内城、罗城三重，城区面积较隋唐时扩大一倍。

同时，杭州城区的内部格局也发生很大变化。南宫北城、前朝后市格局形成。城市主轴线，即“腰鼓线”也于此时产生，密集的城市街巷网络由此生成。后来南宋时著名的天街，又称御街，就是在这基础上形成的。

六朝时，钱唐已经是非常重要的大县，奠定了杭州作为一省中心地位的基础，从钱唐令的资料就可以看出这一点。除了有一例沈文季是做了钱唐令后再做武康令之外，其他都是先经历其他县令，才能担当钱唐令。担任过钱唐令之后，即有升迁，可说明钱唐令基本上是同级升迁的顶端。另外，钱唐令中有三位曾担任中央官职，而且都是尚书郎迁转。可见，钱唐在六朝时候就已经成为很重要的大县。

阅读链接：
（东汉）赵晔著，周生春校释：《吴越春秋辑校汇考》，上海古籍出版社，1997年版。
陈桥驿：《吴越文化论丛》，中华书局，1999年版。
陈吉余：《钱塘江河江沙坎形成及其演变过程》，《地理学报》卷三十。

附录：从钱塘到杭州的历史发展

年　代	事　件
秦王政二十五年（前222）	秦灭楚，于今杭州地置钱唐县
秦始皇三十七年（前210）	《史记·秦始皇本记》载：东巡会稽，“过丹阳，至钱唐，临浙江”。这是钱唐之名最早见于正史记载
两晋	钱唐县仍属吴郡，隶扬州
齐武帝永明三年（485）	唐寓之在新城（今富阳新登）起兵，次年正月以钱唐为中心建立政权，国号吴，年号兴平（486—487）
梁武帝太清三年（549）	侯景升钱唐县为临江郡（不久即废），隶吴州，此为钱唐设置郡级政区之始
隋文帝开皇九年（589）	灭陈，废钱唐郡，并桐庐、新城入钱唐县，割吴郡盐官（今海宁）、吴兴郡余杭及富阳、於潜共5县置杭州，杭州之名自此始
隋文帝仁寿二年（602）	置杭州总管府，湖州武康县划属杭州，唐初罢郡为州
唐高祖武德四年（621）	改余杭郡置杭州，为避国号讳，改钱唐县为钱塘县
唐太宗贞观元年（627）	天下大定，分全国为十道，杭州属江南道
北宋太平兴国三年（978）	吴越王钱弘俶纳土归宋，杭州复降为州
南宋高宗建炎三年（1129）	高宗避金兵自扬州南渡至杭州，以州治为行宫，升杭州为临安府，亦称行在所
明太祖洪武九年（1376）	改浙江行中书省为浙江承宣布政使司，杭州府隶浙江布政司杭严道
清顺治七年（1650）	于杭州建旗营，置镇守将军署
民国元年（1912）2月	废杭州府，以原钱塘、仁和县地并置杭县，直属浙江省，为省会所在地
1949年5月3日	杭州解放，杭州市为浙江省直辖市，浙江省省会

李泌：杭州的打井人

李泌像

杭州地近江海，水质咸苦，居民的饮水很困难，一直是治城的重大问题。饮用水质量低、数量少，也限制了城市人口与城市经济的发展。这片土地原本是钱塘江和东海的故地，沧海桑田，此时已成为陆地，但地下水仍旧咸苦不堪饮用。老百姓只能到很远的西湖去汲水，路途远非常不方便。隋开皇十一年（591），杨素奉命依凤凰山营建杭州城。营建之初城市不大，但一旦成为州治，居民日益聚集。逐水而居是人的天性，由于杭州城内缺乏饮用水，所以城内百姓纷纷搬到有水的边缘地区，城内人口零落，根本不像个州治了。

这种状况在唐德宗建中二年（781）得到了改善。那年，李泌上任杭州刺史伊始，便着手整治城内居民饮水系统。

李泌出任杭州刺史时，发现杭州城民生凋敝，街市萧条，原因就是饮用水的问题。经过细心查访，李泌发现西湖水清淡不咸，西湖里面还有几十处地泉，于是着手改造杭州城内饮水系统。自涌金门至钱塘门分置水闸，掘地为沟，沟内砌石槽，石槽内安装竹管（至北宋改用瓦筒），引西湖水至城内各地，设置6个出水口，即相国井（今井亭桥西，因李泌后升任宰相，故取名相国井）、西井（又名化成井，在相国井西）、金牛井（在西井西北）、方井（俗称四眼井）、白龟井（在今龙翔桥西）、小方井（俗称六眼井，在钱塘门外）。在西湖边又挖了6个入水口，再铺暗道水管进城。入水口有水闸，一开启，清洁的西湖淡水就溢满了水池，人们取之不尽，用之不竭。六井就在今天的湖滨一带。岁月流逝，六井如今大多已难觅踪迹，只在今天解放路与浣纱路拐弯处，留下了一口象征性的井——相国井。后人感戴李泌，便在井上架亭，唤作井亭，井旁之桥便由此得名井亭桥。如今，桥已芳踪全无，唯井还在，成了文物；井亭桥虽然不在了，地名却被保留了下来，成为历史定格。

比李泌晚300年的苏东坡曾在《乞开杭州西湖状》文中提起李泌的功绩："杭之为州，本西湖故地，水泉咸苦，居民零落。自唐李泌始引湖水作六井，然后民足于水，井邑日富，百万生聚，待此而后食。"这样创造性的城市给水工程，在1200年前建成，不由使人称叹不已。正是由于有了李泌六井，杭州遂得以日趋繁荣，故杭人在昔日入水口处设李泌的引水装置和六井纪念标志，以表今人衔德之意。

阅读链接：

（后晋）刘昫等：《旧唐书·李泌传》，中华书局，2000年版。

刘荫伯：《李泌》，解放军出版社，1996年版。

徐冲、林正秋：《唐李泌刺杭日期考》，《杭州师范学报学报》，1994年第2期。

潮文化：市民的传统公共活动

汹涌的潮水一直是钱唐城的心腹大患，宋代海宁女诗人朱淑真写有这样一首描写潮患灾难悲惨情景的诗：

飓风拔木浪如山，振荡乾坤顷刻间。

临海人家千万户，漂流不见一人还。

清代著名海宁诗人查慎行也写道：

门前成巨浸，屋里纳奔湍。

亭户千家哭，沙田比岁荒。

但是，气势澎湃的钱江潮也给杭州居民带来了一项独特的公共活动，即每逢秋天八月十八大潮时节的观潮活动。观潮之风，始于汉，至隋唐五代就已蔚然成风，于宋乃盛，南宋起便把每年农历八月十八日定为观潮节。这一天，往往全城出动，这从文学创作中就可观察到。自唐以来，出现过大量赞美海宁潮的优秀诗篇。唐代诗人徐凝《看浙江潮》：

浙江悠悠海西绿，惊涛日夜两翻覆。

钱塘郭里看潮人，直至白头看不足。

这首诗并没有对大潮本身作太多的描绘，而是通过“直至白头看不足”这一句，从侧面反衬出潮的壮美和人们对看潮的热爱。

早在公元前 1 世纪，我国东汉时期杰出的唯物主义思想家和教育家王充就对潮

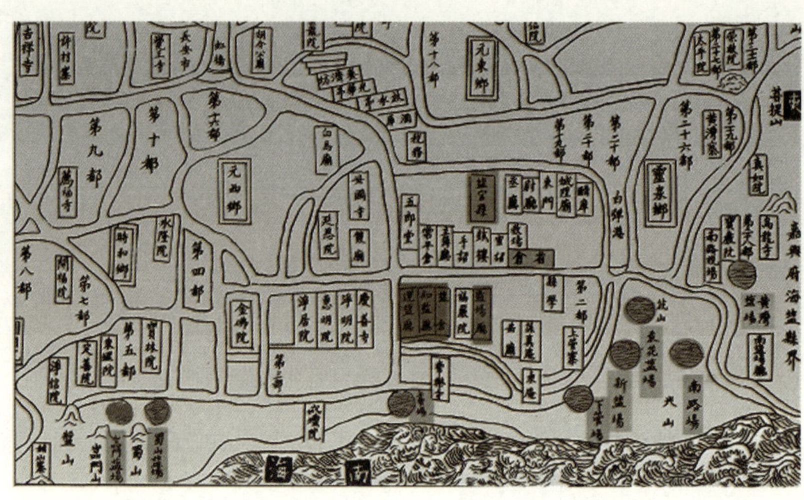

古代观潮胜地示意图

的起因有过论述，他的论断是："涛之起也，随月盛衰，大小满损不齐同。"（《论衡》）也就是说：潮的兴起，是随着月亮的盛衰而产生的，潮的大小与月亮的圆缺有密切的关联。后来，关于潮的起因，在北宋燕肃《海潮论》、元代宣昭《浙江潮候图说》、明代杨魁《见潮论》、清代《两浙海塘通志》等中都有不同程度的记述。上述文献中，大多论述了潮汐大小随月亮圆缺变化而变化的这种奇特现象，却并没有真正明白月球对地球的引力这一科学原因。在文人眼中也是如此，比如宋代大文豪范仲淹就说："把酒问东溟，潮从何代生？宁非天吐纳，长逐月亏盈。"和他同时代的另一位诗人蔡襄却对此提出了疑问："寻思物理真难辨，随月亏盈亦未通"，意思是潮的大小仅仅随着月亮的变化而变化好像也很难讲得通啊。经过现代科学家长期的观察研究，终于解开了钱江潮起因之谜，主要包括三大因素：月亮对地球的引力、"喇叭口"的挤压、"江底沙坎"的推撞。

潮水是文学创作的绝好题材。自唐宋以来，经过无数文人骚客的妙笔生花和民间百姓的口头演绎，钱塘江海宁潮积淀起了深厚的历史文化精粹：神话传说、民间故事、诗词歌赋、书

阅读链接：

《海宁潮传说》，浙江文艺出版社，2013年版。

张炜芬：《海宁潮古诗词书法集》，西泠印社出版社，2000年版。

林炳尧：《钱塘江涌潮的特性》，海洋出版社，2008年版。

画辞章、名人逸事、经典建筑、节庆习俗、宗教活动等等。这些人类文化智慧的结晶有机地贯穿在一起，交相辉映，汇合成了一个庞大的“潮文化”体系。

除了观潮，还有“弄潮”。每当潮水上涌，会有弄潮儿进行表演。宋朝周密写有《观潮》一文，对此市民公共活动有详细记录，既写了浙江潮的自然景观，又写了弄潮者的表演方式，还提及了市民观看的盛况，十分全面。全文不长，兹录于下：

浙江之潮，天下之伟观也。自既望以至十八日为盛。方其远出海门，仅如银线；既而渐近，则玉城雪岭际天而来，大声如雷霆，震撼激射，吞天沃日，势极雄豪。杨诚斋诗云“海涌银为郭，江横玉系腰”者是也。

每岁京尹出浙江亭教阅水军，艨艟数百，分列两岸；既而尽奔腾分合五阵之势，并有乘骑弄旗标枪舞刀于水面者，如履平地。倏尔黄烟四起，人物略不相睹，水爆轰震，声如崩山。烟消波静，则一舸无迹，仅有“敌船”为火所焚，随波而逝。吴儿善泅者数百，皆披发文身，手持十幅大彩旗，争先鼓勇，溯迎而上，出没于鲸波万仞中，腾身百变，而旗尾略不沾湿，以此夸能。

江干上下十余里间，珠翠罗绮溢目，车马塞途，饮食百物皆倍穹常时，而僦赁看幕，虽席地不容闲也。

南宋 李嵩《钱塘观潮图》

水井：杭州的文化符号

因为独特的地理位置，杭州是个水井遍布的城市。历朝历代，政府号召，居民自发，掘出大大小小各式各样的水井，其形制有方有圆，有六角有八角，还有双眼、四眼乃至八眼。曾经，杭州整个城市就像是一座水井博物馆。

杭州临海，钱江潮虽然壮观，却是咸潮，侵入城市，使得大部分河湖港汊中的水都变咸，无法饮用。无水不成城，寻找甘甜的地下水脉成为头等大事。据传东晋郭璞在城隍山脚下成功开凿出第一眼甜水井，引得全城百姓不论远近前来取水。这口井所在的巷子即命名为大井巷，名称沿用至今，这口井也延福至今。唐相李泌在杭州任刺史时，大力提倡挖井，相国井就是那个时候开凿的。

据《民国时期的杭州》记录：到民国十九年（1930）为止，杭州共有4842口井，平均每20户人家就有一口井。《人民日报》曾刊文介绍：20世纪80年代中，杭州还保存有5549口水井。

杭城水井故事多。随手撷取一二以纪之：

水井对于杭州特别重要，它作为故事主体大量出现在民间传说和典故之中，就是一个明证。李泌对杭州的贡献前文已述。

杭州古井

杭州罕见的青石圈井，上面因井绳留下的岁月沧桑，历历在目。

传说吴越国钱镠也曾造有99口水井，可惜如今多不可见，延安路上的钱王井是仅余的遗迹了。井眼最多的，多达十个眼，比如吴山脚下的郭婆井。相传郭婆一家都致力于掘井，除郭婆井外还有郭公井、郭儿井，听名字就知道都出自一家。

古杭城有十大城门，民谚说："百官（武林）门外鱼担儿，坝子（艮山）门外丝篮儿，正阳（凤山）门外跑马儿，螺蛳（清泰）门外盐担儿，草桥（望江）门外菜担儿，候潮门外酒坛儿，清波门外柴担儿，涌金门外划船儿，钱塘门外香篮儿，太平（庆春）门外粪担儿。"每个城门都有自己的井的故事。

比如望江门，又叫草桥门，因为以前，在它的东边有一座茅山河草桥。桥边有亭，曰草桥亭，民间传说梁祝故事中的梁祝结拜即发生于此。亭西在明清时建有寺，叫海潮寺。寺内有古井，就是著名的双照井，也就是梁山伯与祝英台双双照影处也。据说，仔细观察井水，可见水中隐隐现有一双男女的身影，那就是梁祝的影子永留波心。后来，这里建造了一座海潮寺，双照井就成为"海潮八景"之一。

大井巷，南宋时称为吴山井巷，巷因井名，流传千年。南宋吴自牧《梦粱录》记载："吴山北大井，曰吴山井。盖此井系吴越王时，有韶国师始开，为钱塘第一井……不染江潮之水，遇大旱不涸。"南宋淳祐七年（1247）遇大旱，大井日下万绠（井绳），

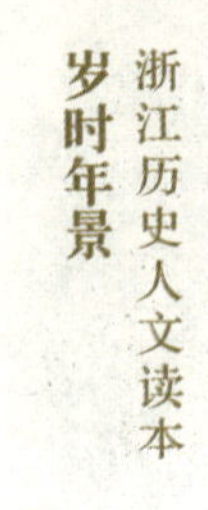

阅读链接：

（南宋）潜说友：《咸淳临安志》，浙江古籍出版社，2012 年版。

周峰：《民国时期杭州》，浙江人民出版社，1997 年版。

顾希佳等：《杭州社会生活史》，中国社会科学出版社，2011 年版。

不减不盈，足见其水源之盛，为钱塘第一无疑。《西湖游览志》曰："吴山坊，内有大井，周四丈……洪武初，参政徐本立石，刻'吴山第一泉'五字，纪宋事于碑阴。"

大井巷内有大井，与当地居民生活息息相关。百年老店朱养心膏药店即位于大井巷内。据清乾隆《杭州府志》记载："杭州多火灾，唯朱养心药铺从不受灾，似乎得益这口凿于五代吴越时的大井。由于井水源自山泉溪涧，清冽醇厚，汲养而不穷，成为取之不尽的水源，辅助制造膏药，相得益彰。"

著名的张小泉剪刀店也曾建在大井的对面，大井水还是制作张小泉剪刀的独家之秘。史料记载，他们就是用大井之水磨砺剪刀，刀锋凌厉似二月春风，名声不胫而走，闻名于世。

即便大旱，大井亦从不干涸，井水清冽，扔一枚硬币进去，图形历历在目，清晰无比，可见水质之清纯。至今，大井仍是吴山第一泉。

水井可说是这座城市的生命之源。像一只只眼睛，水井有机地建构着杭城的日常生活，静静地看着水井人家度过悠悠岁月。它承载着历史，也承载着祖祖辈辈杭州人的记忆。

杭城居民的一天自井边始，一清早就在井边排队，洗漱、做饭，全都离不开水井，形成独特的城市景观。夏日夜间，居民聚集井边，讲故事，吃井水浸的西瓜，纳凉闲聊。冬日里，井水不冰手，居民们就取井水洗些杂物，在井边晒晒太阳。被井水浸润的生活，形成独特的市民文化景观。有关井的美好回忆，永刻杭城人的心间。

南宋临安城市格局

两宋时期，中国的城市得到了极大的发展。尤其是临安，在南宋期间成为全国最为繁荣的城市，人口达百万。南靠凤凰山，西倚西湖，东、北部为平原，诸多园林点缀其间，整座临安城宛若一位娉婷少女，清丽可人。

临安的整体格局可谓“南宫北市”，即城市的街区市集在北，南部凤凰山则为宫殿所独占。全城最繁华的区域乃是御街，以宫殿北门为起点，延伸贯穿全城。御街南段为衙署区，中段为中心综合商业区，包括若干行业市街及文娱活动集中的瓦子，许多达官贵戚的府邸就设在御街旁商业街市的背后，而官府商业区位于御街南段东侧。自大内和宁门杈子外至朝天门外清河坊，南至南瓦子北，谓之“界北”，极尽繁荣。

御街也称天街、大街，是临安城内最繁华的商业街，自和宁门杈子外至观桥下，沿街各家均以商贸为业。御街中段的棚桥是临安最大的书市，刻版作坊就在棚桥附近。

临安城内商肆林立，商贩往来不绝。四鼓以后，夜市才收摊，而五鼓时分，早市又开张了，买卖可谓昼夜不歇。

南宋临安城呈现南北狭长的不规则长方形，御街仿佛脊骨，由其生发的各个坊巷仿佛鱼骨。四五千米长的御街及四条南北向的道路、四条东西向道路交叉构成城内主干道，在此基础上再构织次一级的街道若干，通向御街中部。今天杭州的中山

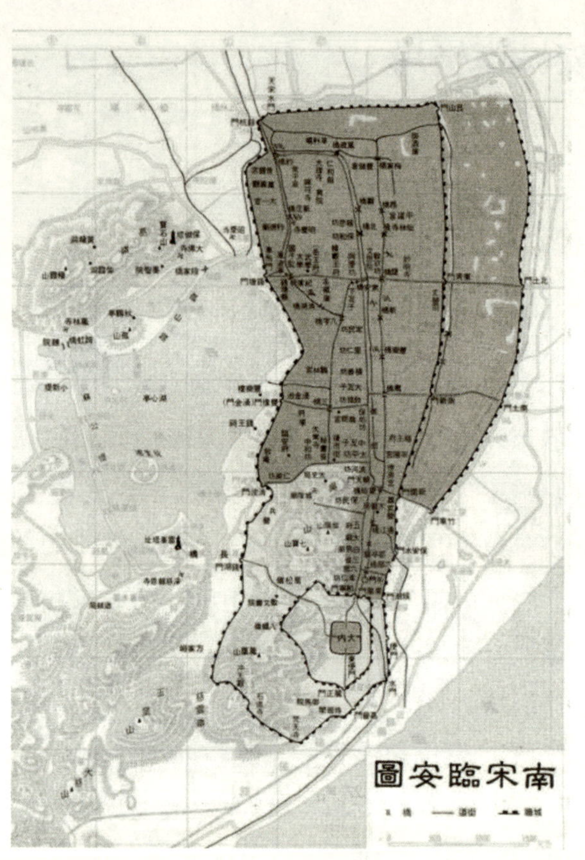

南宋临安图

路地区，尤其是中山中路、清河坊一带，当年坊巷至今仍有大量遗存，其中 20 余段保持了较完整的空间格局风貌。

整个城市的居住区在城市中部，官营手工业区及仓库区在城市北部武林坊、招贤坊一带。官窑在城南凤凰山下，称内窑，现已发掘遗址作为南宋官窑博物馆。以国子监、太学、武学组成的文化区在靠近西湖西北角的钱塘门内。私营手工业则遍布全城。丝纺业多为亦工亦商的作坊，集中在御街中段官巷一带。

临安多水，河流湖泊天然曲折，城垣也随之弯曲。城内四河，以盐桥河为主要运输管道，沿岸商业发达。城外多条河流与大运河相连，构成对外水路交通。临安历来重视疏浚河道、修筑闸堰、新开河道，努力改善城市的水环境。水，也部分决定了临安城的城市布局。如何依水用水，仍然是今天发展杭州城市规模的重大课题。

阅读链接：

（南宋）吴自牧：《梦粱录》，浙江人民出版社，2012 年版。

傅伯星：《图说南宋京城临安》，西泠印社出版社，2011 年版。

［日］内藤湖南：《概括的唐宋时代观》，译文载《日本学者研究中国史论著选译》（第 1 册），中华书局，1991 年版。

绍兴灯市：市民娱乐的盛会

正月十五古称元宵，宋称元夕节。绍兴府开元寺前，每逢元宵佳节，就会形成一座天下闻名的“灯市”。

灯市，不仅作为节庆中的重要活动内容，更是商品交易的场所和市民娱乐的盛会。绍兴的元宵节除张灯外，乡村还须演戏，俗称“灯头戏”。演戏场数无定规，一般演三五夜，多者演至正月月底，比较富裕的村落有连演十八日者，俗称“十八日灯头戏”。所以元宵前后是戏班生意最红火的时期。有些村子则通日敲锣击鼓以代演戏，俗谓“灯头锣鼓”。有的村庄则有“跳大头和尚”和搭花台之举。

灯市虽以灯为市名，其实除去灯之外，更是特产大汇卖。国内各州府甚至海外的特产，都汇聚于此，玉帛、名香、珍药、织绣、漆藤器，山积云委，炫人眼目，法书、名画、古玩、奇物亦不时有之。

绍兴灯市之所以能够有效地组织起全国乃至全球性的贸易市场，与浙东运河分不开。早在北宋时期，浙东运河就成为沟通浙东和浙西的重要通道，经南宋政府的一系列有效整治与疏浚，通航效率大大提高，与外部市场具有很强的勾连能力。就运输能力而言，萧山、上虞段可行两百石舟，山阴、余姚段可行五百石舟。有如此强大的运营能力作为保障，官府纲运和民间客货运输均极其繁忙。就是通过这条运河，都城临安及全国各地甚至是海外的商品，均得以源源不断地输入绍兴。

古代赏灯图

灯市繁荣还与绍兴古俗有关。绍兴历来重视元宵灯事，据南宋嘉泰《会稽志》记载，宋代时，越中满街放灯，观者云集，满城人涌。因人流量太大，官府不得不开放门禁，让大家自由出入。到了明代，元宵更是成为重要的大节日。当时，这里竹贱、灯贱、烛贱，家家动手制灯，且以不能制灯为耻。所以一到元宵，绍兴城内大街小巷，均悬满彩灯。古人放灯，本只十五一夜，绍兴则在明万历年间已连放五日，提前两日，即于十三日起家家门前架棚悬灯，至二十夜方撤棚卸灯。

明清之际，绍兴还在龙山、蕺山和塔山放灯，叫做灯会。张岱在《陶庵梦忆》中就记载有万历二十九年(1601)绍兴龙山灯会盛况："沿山袭谷，枝头树梢无不灯者，自城隍庙门至蓬莱岗上下，亦无不灯者。山下望如星河倒注，浴浴熊熊；又如隋炀帝夜游，倾数斛荧火于山谷间。"观灯者不计其数。第二年，"朱(赓)相国家放灯塔山，再次年放灯蕺山”。绍兴城内的三座名山，年年成为元宵放灯之所。

至清代，绍兴更重视元宵灯市，而且滋长斗豪夸富之风。据清嘉庆《山阴县志》记载:“元宵前二日,官府弛禁,纵民偕乐。朱门画屋尽出器币以矜豪华。其寺观庵宇悬诸花灯，街市结棚张采，作烟楼月殿，穷奇竞巧。”

近年来，灯会作为大众节庆，更是政府鼓励，百姓踊跃。元宵佳节，主要街道悬灯张彩，内容从旧时多见的“观音送子”“如来念经”等更新为表现建设成就的文字或图案。灯内的照明亦从蜡烛等改为电源灯。

阅读链接：

（南宋）范大成：《灯市行》。

孙光圻：《中国与海上丝绸之路》，福建人民出版社，1991年版。

［日］加藤繁著，吴杰译：《中国经济史考证》，商务印书馆，1973年版。

唐花：世界首创的植艺

宋代浙江城市化进程迅速，形成了网络状的商业布局及各种专业市场。在市场需求的催发下，各门手工艺、种植业都呈现出细分的态势，专人专业，其业遂精，有了不少突破性的进展。其中“唐花”一项，在当时属于世界首创。

“唐花”，并不能从字面理解为唐朝的花，而是“堂花”“煻花”的别称。堂指堂中摆放，煻是烘培的意思，即用增加温度的办法促使植物提早开花。“唐”较之

北京中山公园唐花坞

"堂""煻"在字面上更为古雅好看，有利于商品出售，遂同音牵转为"唐花"。概而言之，唐花是经过特殊方式培植的反季节花卉。

这一技术出现在南宋。南宋时临安（今杭州）是首都，既是政治中心又是经济中心。为了适应帝王、贵族、富商和文人赏花娱情的需要，临安附近东西马塍，即今天杭州马塍路一带的花农们创造了这一独特的植艺——唐花。现北京中山公园内有一座雁翅形的建筑，名唐花坞，得名即源于此。坞两旁为玻璃暖房，室内一年四季都展出各种名贵花木，只要一踏进花房，立刻就感到芳香扑面，沁人肺腑。因为是人工控制花期，所以无论哪个季节，也不管是雨雪风霜，在这里都可以看到万紫千红争奇斗艳的场景。尤其是隆冬季节，室外白雪皑皑，花坞里却繁花似锦，春意盎然。

牡丹国色天香，花期在四五月间。民间传说，武则天曾在雪天下令百花齐放，众花依令逆时而发，唯牡丹不从。则天皇帝大怒，将牡丹贬至洛阳。宋代的花农却能令牡丹在腊月怒放，其手艺之巧，可见一斑。

唐花工艺逐渐成熟以后，供应渐丰，稍有资产的人家都可以享受到唐花之趣。市售之花品种很多，牡丹、芍药之外还有红白梅、碧桃、探春等。慢慢地，唐花不但用于案头清供，还被当成贡品，列入腊月节日采购的清单。这可谓是供需互相促进的一个例证。

据记载，唐花的培植颇似今天的大棚工艺。花农用纸糊密室，凿地作坎，将盆花放在竹篾编成的地窨上，用牛粪、硫黄悉心灌溉培植。再放开水入坎里，水蒸气挥发时，轻轻扇开。如此，大棚里温度升高，花就提早开放了。所谓纸糊的密室就是一种简易的温室，用汤气熏蒸是为了增加温湿度，扇以微风是促其通风，以防郁闭，粪以牛溲、马尿，具有消毒、杀菌作用，用来提高室温。

牡丹、桃、梅都可以用这种方法，但是桂花不宜。因为桂花相反，必凉而后放。花农就将桂花放在暑气不到的石洞阴凉，鼓以凉风，养以清气，于是桂花也可早早开放。古代花农早已掌握各种花的习性，区别培植。

这种方法一直流传下来，元代《种树书》、明代《便民图纂》、清代《花镜》等书中均有对唐花术的记载。尤其是明清时期的首都北京，唐花术更是盛行。右安门外的草桥，就是唐华的烘开催放之地。主要花品有牡丹、金橘等多种春花，特别盛行于年末岁初。新年里，人们持花相赠，或家贮自赏。花匠们也于此时从唐花的售卖中收得劳作以后的丰盛回报。

小小一盆唐花，反映的不仅是园艺史上的进步，更是行业分工之后精细化、专门化的成果，还代表着中国人特有的审美意趣。

阅读链接：

（明）李日华：《六研斋二笔》，明崇祯刻本。

（清）俞樾：《茶香室丛钞》，中华书局，1995 年版。

（清）英廉：《日下旧闻考》，清乾隆武英殿刻本。

草市：城镇化的市场经济动力

草市与官市不同，是由群众自发组织起来的。这种市场通常设立在交通要道，如路口、河口、渡口等人群聚集之所。

大约南北朝时期，草市就已经出现。但一直没有取得合法地位。唐后期政治动荡，社会混乱，官府无暇打压草市，草市得以蓬勃发展起来。不过另一方面，由于没有官府保护，作为商业聚集中心的草市，大量的现金流引来了各类盗贼，成为被打劫对象。然而，历经政府高压政策与盗贼掠劫的双重考验，草市仍然依托着强大的市场需求生存下来，并得到长足的发展。

北宋一统全国后，政治秩序的稳定促发了商业环境的孕育。宋太祖赵匡胤实行了一些开明政策，承认了草市存在的合法性，而官方化的代价是必须纳税。合法化后的草市大量涌现，遍布全国各商业网点，且名目繁多，极具活力，形成广泛的初级市场。到了南宋，许多地方的草市已直接称为“市”。事实上，草市的发展过程也是城市扩展的过程，部分农村在商品交换的过程中逐渐形成集市，继而或独立成为市镇，或成为城市的延伸部分。

浙江草市的覆盖率相当高，市场分类具有精细化的趋势，米、茶叶、鱼类、药材、花卉、柴草、水果、盐、酒、糖等日用品都有专门的交易市场。许多专门市场与当地出产紧密结合在一起，如山阴县的项里出产杨梅，就形成了杨梅交易市场。诗人陆游曾以诗记载当时盛况，“项里杨梅熟，采摘日夜忙，火齐千担装杨梅”。从诗中可知，其产量与交易量都非常巨大，交易活动可谓十分活跃。

当时农民白天从事种植与采摘活动，晚上则进行商品交易。由于草市的民间自发性质，夜市也非常繁荣。夜市的兴盛，不仅代表着交易规模的发展，更反映出当地人民生活习惯、活动方式的发展与变化。从“日落掩柴扉”发展到“晚间市船归”，表明了农业生活方式向城市生活方式的逐渐转变。

市场经济内在的自发性协调机制，在草市的发展中得到很好的体现。比如草市的交易时间十分灵活，为了规避互相竞争，照顾各方面的交易需求，一些相邻的草市自觉错开开市时间，日市与夜市得以有机衔接。如绍兴镜湖边的三山市，由三山

南宋集市

东市、西市、南市和蜻蜓浦市组成。在活动时间上，东市的夜市十分活跃，西市等则主要是日市。

繁荣的草市商品交易，必然地带动了相应的商品生产。由专业市场开发出的需求，产生了一大批专业生产者，专业的茶户、蚕农、花卉专业种植和经营都应运而生。手工业领域专业化生产更为活跃，机户、染户、磨户、酒户、窑户、纸户等等，不一而足。这正是市场经济的典型特征，也是浙江经济从自给自足的小农经济向专业化生产与经营转变的标志，同时导致了以商品经济为动力的城市扩展进程，更是市镇广泛兴起和发展的基础。

与经济活动相对应的是，宋代浙江的城市文化中经商风气浓厚，重商观念被越来越多的社会阶层普遍接受。南宋著名学者陈亮从理论上提出“农商并重”观点，颇具浙江特色的事功学派走上历史舞台。在这样的风气影响下，越来越多的人选择从商，豪强大族的经营规模更是动辄上百万计。浙商当时就已经成为一个知名群体，有理论支持，有资金运作，有专业市场，更有一套完整的商品生产流通体系。

阅读链接：

（南宋）陈亮：《陈亮集》卷十二《四弊》，中华书局，1987 年增订本。

郑学檬：《中国古代经济重心南移和唐宋江南经济研究》，岳麓书社，1996 年版。

陈国灿：《南宋江南市镇与农村城镇化现象》，《四川大学学报》，2006 年第 6 期。

瓦子：城市娱乐文化的兴盛

瓦子兴盛于南宋时期，是一种综合性的娱乐场所，别称很多，如勾栏、瓦舍、瓦市或瓦肆。之所以叫瓦子，据南宋末年吴自牧在《梦粱录》中的说法：“瓦舍者，谓其来者瓦合，去时瓦解之义，易聚易散也。”意思是说，此为玩闹娱乐之地，如砖瓦之类易合易散，只是游戏人间。所谓勾栏，许多人误以为是色情服务场所，其实它只是瓦舍中表演伎艺的场所，因其地围有勾画着图纹以作装饰的栏杆，所以叫勾栏。杭州现在还有一处叫瓦子巷的，就是当年遗名。

南宋失了半壁江山之后，宋高宗赵构以临安（今杭州）为都城，大量驻军亦随行至此。这些南渡的北方人，模仿东京旧制，建起瓦舍，招来伎艺，以为军中娱乐。渐渐全城模仿，瓦子在临安便异常地兴盛起来，且纳入官府管理范畴。城内瓦舍隶属于修内司管理，城外瓦舍隶属于殿前司管理。目前能查到记载的，共有 24 座瓦舍，比如众安桥的北瓦、米市桥下的米市桥瓦、候潮门外的候潮门瓦、艮山门外的艮山门瓦、城东的菜市瓦、城西郊后军寨前的赤山瓦等，都是出名的瓦子。其中以众安桥的北瓦最大，有勾栏 13 座之多。北瓦中表演项目很多，有两座勾栏专门讲史，

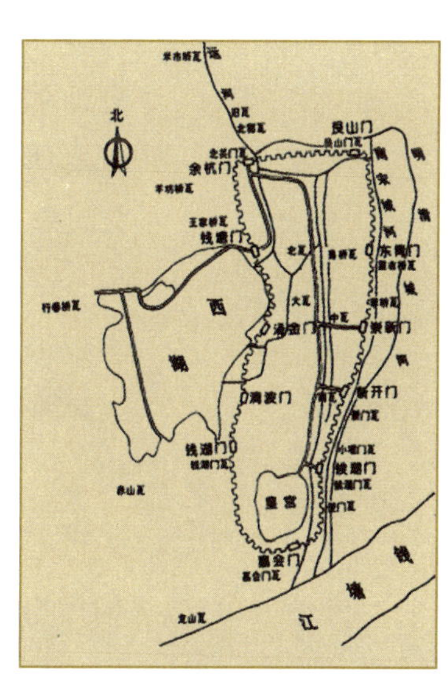

南宋临安瓦舍分布图

其余还有说经、小说、相扑、各色傀儡、影戏、杂剧、背商谜、教飞禽、装神鬼等等表演，使人目不暇接，昼夜不停地演出，观者如云。瓦舍内各处都有杂货零卖及酒食之处，其中一家大酒店，餐具都用银器，可略见瓦舍盛貌。

《都城纪胜》《西湖老人繁胜录》《梦粱录》《武林旧事》诸书都对瓦子里上演的各项技艺有详细记载，细数有上百种之多，尤其以说话、傀儡、杂技、杂剧、影戏最受欢迎。说话就是讲话本，又分为小说、说铁骑儿、说经、讲史书四种，其中小说又分烟粉、灵怪、传奇、公案等题材，大致上类似于现在的网络类型小说，不少作品取材现实生活，篇幅精简，投市民所好。讲史的篇幅就比较长了，经常要分作几天，临了来个“且听下回分解”，吊足听众胃口。讲史非常受欢迎，除了有悬念之外，还因为讲的大多是前朝争战之事。南宋虽然偏安，然而亡国之剑高悬额前，人们大多通过听讲史舒解焦虑，振奋精神。讲史之人往往渲染汉人之神勇，鼓吹战绩，激发热血，听众感觉十分过瘾。

说话人出身复杂，除了落魄文人，甚至还有和尚、尼姑、小贩等。这些来源不同的说书人风格迥异，见识不同，也使得这一行业丰富多彩，听众可以各取所好。表演之外，还有叫“雄辩社”书会，是同行之间切磋技艺的场所。另外，各类同行艺人也都组织专门的社团，像演杂剧的绯绿社、蹴毬的齐云社、相扑的角觝社、使棒的英略社、影戏的绘革社、吟叫的律华社等。

瓦子其娱乐活动得以盛行于南宋，一方面在于南宋政府“直把杭州作汴州”。传统的看法认为，南宋朝廷不思进取，耽于淫乐，民众也随之以玩乐享受为荣。当时就有人这么认为，比如南宋学者吴自牧就说过瓦子是“士庶放荡不羁之所，亦为子弟流连破坏之门”（《梦粱录》）。

另一方面，我们也应看到，瓦子及其各项技艺在临安的高度发达，除了上行下效之外，更与当时市民阶层的兴起有着密切关系，亦可说是工商业繁荣到一定程度后，城市生活发生的变化，是城市娱乐文化兴起的标志。瓦子内所表演的种种世俗性伎艺，受到市民的追捧，反映了新兴市民阶层的口味与喜好。同时，也与南宋社会相对开放、打破坊市界限、鼓励新兴文化有关，是城市高度发达的表征。

智言慧思

海神东过恶风回，浪打天门石壁开。
浙江八月何如此？涛如连山喷雪来。
——（唐）李白《横江词》

千里波涛滚滚来，雪花飞向钓鱼台。
人山纷赞阵容阔，铁马从容杀敌回。
——毛泽东《七绝・观潮》

阅读链接：

（南宋）孟元老：《东京梦华录》，中州古籍出版社，2010年版。
（明）施耐庵、罗贯中：《水浒传》，浙江古籍出版社，2010年版。
郑振铎：《中国俗文学史》，中国社会科学出版社，2009年版。

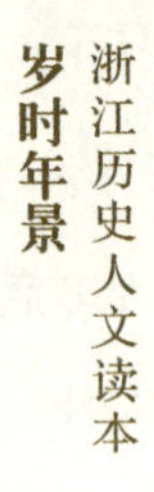

城市生活中的服务业盛景

浙江古代的城市形态，到了宋代有了很大的变化，主要是传统州县城市普遍突破了原有政治和军事性质的限制，开始成为开放层次不同的经济和社会中心。服务业的兴起与发达，即是这一方面的重要标志。

服务业既是商业的延伸，也是手工业的补充。宋代坊市制度的结束，犹如拆除了横亘在城乡之间的一道天然屏障，大量流动人口潮水一般涌入城市，促使商品经济迅猛发展起来，商业街成批涌现，交易市场遍地开花，宋代浙江城市服务业普遍兴盛。

首先兴盛的便是酒肆茶坊。饮酒和品茶的风气虽然并非始于宋代，但是宋代城市人口的激增和经济的繁荣，引发了酒茶销售规模的飞速扩大，即使是僻静的里弄坊巷，也往往设有酒肆和茶坊，供人以品茶饮酒为乐。酒肆茶坊已不仅仅是士大夫和有闲阶层聚朋交友的地方，那里聚集了三教九流各色人等，又有应运而生的说书、评话、讲史、小唱等一干项目助兴，成了市民娱乐、休憩的上好去处，也成了反映市民众生相的消遣场所。

南宋酒肆

随着酒肆茶坊的兴盛和流动人口的活跃，城市饮食服务业的门类和品种日渐增多，从熟食小点到精美肴馔，都有专门的作坊生产。据《梦粱录》卷十三、十六记载，南宋初年，临安的饮食服务业已由唐代的170行增加到400多行，知名者就有上百家，供应的熟食品不下200种，而且家家兴旺，市民趋之若鹜。一种新的生活习惯由此产生，人们越来越喜欢到遍布街头巷尾的饮食店去消费，以图方便，追求时尚。此前以满足生产者自身和贵族阶级需要为目的的城市手工业立时萎缩并趋于瓦解，新兴市民转而占领了市场，迅速成为生产的对象和消费的主体，从而使已经开放的市场日添活力，充满生机。

南宋以后，为数众多的移民辗转来到临安。他们一贫如洗，除了出卖劳力之外无以为生，从而为临安市场提供了数量巨大的廉价劳动力，为外来的商业资本提供了充沛的雇用对象，为降低经营成本创造了可能，劳动密集型的服务业之兴盛尤赖于此。在临安，人力婢仆、歌童舞女都有专门的官私牙嫂中介雇买。

两宋浙江城市的服务业颇为完备，除了前述之娱乐性的瓦子外，餐馆、旅店、租赁、典质、借贷、裁缝、修补等等，百姓日常生活的方方面面都有所涉及，并且分工精细，已经形成了针对不同消费人群的市场细分。针对不同的消费群体，又衍生出各种经营方式，有豪华高档的，也有面向普通百姓的，还有许多流动摊贩行走于村乡。

服务于商品流通的停塌、塌房、寄廊等物流仓储行业极为兴旺。北宋时，交通要道口和大城市城外设有堆垛场，南宋叫做塌房。临安城位于江南水乡，“水”在临安的商品流通中，既发挥了很好的作用，也体现了鲜明的特色。临安除了南边濒临钱塘江外，自北往南还有一些河汊延伸至城里。故此，在临安城的北关水门内形成了一个“有水数十里”的白洋湖，便于货船进出临安城。城内外还有依水而建的大规模仓库群区，以水环绕库房，既可防盗，又可防火，而且方便运输，想得非常周到。临安的塌房服务功能比较完善，不仅有供存放货物的库房，而且还有专业人员管理。除了塌房以外，在城内，房廊也是随处可见。房廊有官办的，也有私人办的，私人房廊多半由富商设置。房廊比较多见，不仅临安有，其他州郡亦有设置。

阅读链接：

徐吉军：《南宋临安工商业》，人民出版社，2009 年版。

（南宋）周密：《武林旧事》，中华书局，2007 年版。

姚培锋：《南宋两浙地区城镇居民的社会生活——以杭嘉湖地区为例》，《赣南师范学院学报》2003 年第 4 期。

暖风熏得游人醉

南宋诗人林升有首著名的诗："山外青山楼外楼，西湖歌舞几时休？暖风熏得游人醉，直把杭州作汴州。"诗中提及的"游人"，不仅是指汴州移民，也指旅游的人群。

南宋以后，浙江的旅游业已经由自发的游历活动演变成为行业行为，经济色彩非常浓厚。与现代旅游业一样，当时的旅游业有大量的游客，有旅游路线，有景点建设，有旅店接待，还有其他许多配套服务。临安因有著名之西湖，当然是最重要的旅游区，明州、绍兴、温州等地的旅游业也非常发达。

另一首南宋诗从另一侧面揭示了南宋旅游活动发展水平的真实状态。诗云："白塔桥边卖地经，长亭短驿甚分明。如何只说临安路，不数中原有几程。"请注意诗句里"地经"这个有关旅游活动的关键词。地经，就是地图，即临安的导游图。诗句描写的是钱塘江边白塔桥畔出售导游图的状况，客观地展示了南宋时期的旅游业之盛，已经出现了用地图为游客导游的与现代相似的方式。

节日庙会等喜庆活动，为临安市民阶层和各方来宾、游客丰富多彩的文化娱乐和观光游览提供了各种便利条件。节日庙会的特殊时段和空间是旅游观光、休闲娱乐的最佳时期，成为南宋时旅游观光兴盛的缘由之一。

南宋时西湖上已经游船如织，既有可容百人之大船，也有小小舟楫，租船业极为兴盛。皇帝游览西湖的龙舟，常年停泊在杭州清波门外"柳浪闻莺"的御码头。游船上供应各类饮食器物，游人只需登船即可。湖上往来多只小货船，供应各种游客需要的商品，情形与今天十分相似。南宋《梦粱录》卷十二有以下一段记载：

湖中大小船只，不下数百舫。有一千料者，约长二十余丈，可容百人。五百料者，约长十余丈，亦可容三五十人。就有二三百料者，亦长数丈，可容三二十人。皆精巧创造，雕栏画栱，行如平地。各有其名，曰百花、十样绵、七宝……黄船、董船、刘船。其名甚多，姑言一二。更有贾秋壑府车船，船棚上无人撑驾，但用车轮脚踏而行，其速如飞。又有御舟，安顿小湖园水次，其船皆是精巧雕刻创造，俱用香楠木为之。

湖中南北搬载小船甚夥，如撑船卖买羹汤、时果；掇酒瓶，如青碧香、思堂春……及供菜蔬水果……诸色

西湖游船

千千，小段儿、糖小儿、家事儿等船。更有卖鸡儿……及茶、供茶果、婆嫂船、点花茶、拨湖盆、拨水棍小船，渔庄岸小钓鱼船。湖中有撇网鸣榔打鱼船，湖中有放生龟鳖螺蚌船，并是瓜皮船也。又有小脚船，专载贾客妓女、荒鼓板、烧香婆嫂，扑青器、唱耍令缠曲，及投壶打弹百艺等船，多不呼而自来，须是出著发放支犒，不被哂笑。若四时游玩，大小船只，雇价无虚日。遇大雪亦有富家玩雪船。如二月八及寒食清明，须先指挥船户，雇定船只。若此日分舫船，非二三百券不可雇赁。至日，虽小脚船亦无空闲者。船中动用器具，不必带往，但指挥船主一一周备。

更有豪家富宅，自造船只游嬉，及贵官内侍，多造采莲船，用青布幕撑起，容一二客坐，装饰尤其精致。

西湖风景区旅游活动离不开官方的大力支持，为旅游活动提供公共服务是临安官方行政职能的内容之一，独具地域特色。具体说来，西湖整治、维护、创设与改造景点，营造节日气氛，举办竞技活动等，是临安官方所提供的主要公共服务。苏堤就是由苏轼建造的一个新景点，获得极大成功。

除了优化环境，官府还时常牵头组织各种观光商业活动。如在节日期间，以官方的名义召集具有特殊技能、美食制作、清洁卫生的小贩商人，组成临时市集，吸引人们前来观光购物，谓之“买市”。

总之，当时的南宋官府对旅游业拉动整体经济的作用已经有了深刻的认识，并且也在引导方向上付诸了实践。

阅读链接：

张建融：《杭州旅游史》，中国社会科学出版社，2011 年版。

青丝：《南宋临安的旅游经济》，《百家讲坛》，2010 年第 12 期。

徐吉军：《论南宋都城临安的酒店》，《浙江旅游职业学院学报》，2011 年第 1 期。

市民阶层的开放与保守

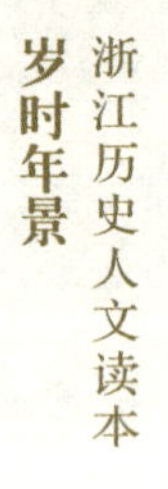

作为一个独立的社会群体，市民阶层并非仅指居住于城市内的居民。国内学者谈到市民阶层时，往往借用西方概念，因为两者的成分组成颇为相似，其主体都是工商业人员，包括行商、坐商、流动摊贩在内的商业经营者、服务业经营者、手工业经营者及商业性文化人员等。还包括具有商业观念和市民意识的部分官吏、士人、地主、农民等。

市民阶层的产生与社会的开放性以及商品经济的发展繁荣程度有着十分紧密的相关性。宋以前，城市以政治权力为中心运行，城市内外流动性均极弱，当时的居民只能说是居住于城市之内却没有形成一个整体性的、有文化结构的人群。中国的市民阶层起源于何时，学界有不同的观点。通常认为，在南宋的浙江城市中，市民阶层已经兴起。

市民阶层的兴起是与几个现象联系在一起且互为因果的。

首先，是市民文化的确立，这个过程是与城市的进程联系在一起的。最初的城市文化结合了政治、宗教与军事文化，后来演变成宫廷文化，进而发育出真正的市民文化。从神到王到民，城市的主宰者在发生变化，市民对于城市、对于国家的主导作用在逐渐增强。文化就此带有都市特征，其口味与心态都具有了市民化的特征。话本就是典型的市民文化，专供文化水平有限、思想开放的市民消闲之用。除了用白话创作之外，还可用于表演，十分符合市民口味。

古代说书场景

其次，各种市民组织，比如“行”“团”“作”的大量出现，提高了工商业者的社会地位，为市民社会的形成提供了组织保证。

市民阶层形成具有重要社会影响的势力，乃是市民社会形成的最终标志。确立了文化、结社活动之后，市民阶层的社会地位显著提高。随着城市规模的扩大，市民人数急剧增加，他们为本阶层争取利益、发出自己声音的需求不断提高，影响力显著增强。在市民文化的渗透下，满城重商，价值观发生了重大变迁，上自贵族宗亲，下至贫门小户，都将经商逐利视为好事，几成时尚。这种风气还渗透到婚姻领域，引发以财论婚的风气。当时便有许多士人对此表示不满与忧虑，认为把婚姻的基础建立在财礼的基础上，会引发婚姻和家庭的许多问题。此种情形，与当今现状何其相似。

市民阶层的兴起，具有十分积极的意义。市民掌握了发言权之后，他们所代表的灵活多变的文化机制发挥了重要作用，令城市更为开放与灵活，是推动城市发展的重要力量。

但是市民阶层也有它天然的局限性。封建王权社会的城镇，完全是一个等级森

阅读链接：

佚名：《西湖老人繁胜录》，中国商业出版社，1982 年版。

戴静华：《两宋的行》，《学术研究》，1963 年第 9 期。

［英］亚历山大主编：《国家与市民社会——一种社会理论的研究路径》，中央编译出版社，1999 年版。

严的社会，等级制度以及与之相配套的封建伦理、封建意识也最为强烈。王权政治会把在眼皮子底下的城镇作为重点进行统治思想的贯彻推行，这就使得所有的市民阶级，从官僚、富贾、中产阶级小业主、衙役到普通的小市民都受到统治阶级强力实行的教化影响。

同时，封建的市民社会本身就是一种相互之间密不可分的人身依附关系：王养官，商靠官，奴依商，伙计与手工业者的生存更是必须依赖大商家作为商品经济的上流，市民阶层内部由此形成一级一级依附生存的链条。手工业者如不服从老板管束，则将面临失业，师徒之间更有严格的从属制度。市民社会里，没有平等，都是弱者服从强者，强者压迫弱者。千百年来，弱者恒弱，养成了自觉的奴性。反而是农民，他们长期生活在一个自给自足的小环境中，以宗族为约束，享有相对较大的自由度。后来中国革命所依赖的工人阶层，大多是刚洗脚进城的、由农业经济破产而沦为产业工人的农民，他们反而具有革命自觉，与农民一起实现工农革命。市民阶层则不脱小市民习性，成为最保守、最注重私利的社会阶层，阻碍着社会进步，并生产出一整套与现代民主开放精神相悖的意识形态。

市民阶层本来是开放的产物，却又成为开放的阻挠，这正是历史的吊诡。

厢坊制：新型街区格局

现代城市，街区相邻，可划分出大大小小的生活区。每个生活区块内，除了有居民以外，还有各种生活配套设施。同一个城市之内，分有不同层次的商业中心，街区之间以道路相通。这种格局被现代人视为当然，可是在中国的城市发展史上，这类街区的出现与形成，却是一项重大的变革。

唐五代以前，城市实行里坊制，里坊与市分离。里坊制确立于春秋至汉，是中国城市最初由权力中心生发而来的证据。每个城市都由政治区、居民区和商业区三种职能区域组成。宫殿与衙署占据全城最有利的地形，并用城墙保护，实行严格的隔离政策。里是居民区，而市是商业与手工业区，大城市可设多个，小城市仅一个。里与市分处不同人为切割区域，都环以高墙，设有门禁，有专人管理。市定时开启关闭，限制自由贸易；里则封闭居住，居民的一切经济活动必须在围墙内进行。同时全城宵禁，一切都是为了保障权力中心的安全。里坊制下的城市阶级分明，流动性极差。整个城市圈以高大的城墙，墙外即为农村，城乡界限十分明确。

从宋代开始，随着经济活动的增强，里坊制全面解体，代之以综合性的坊巷街区。城市商业的发展，逐渐打破了城市坊墙的限制。商人纳税开设铺店，形成了新的商业街道与市场，出现了商业与居民区混杂交错的现象。在城市内部区划上出现了厢、坊、街、巷管理制度。从史志资料中可以看到，临安城的道路呈不规则的网格状，道路地势斜向分布，并以坊命名，而这些正是里坊制崩溃的佐证。城市中新的行市与街市取代了旧有的封闭式的市，居民区与商业区交叉存在，并逐渐连成一片。居民众多的小巷不再相互隔离而是直通大街，从而使大街小巷的网状畅通结构取代了旧有的封闭式坊里结构。这种新型的城市格局，以临安（今杭州）、绍兴、明州（今宁波）、温州等浙江地区的城市最为典型。

宋代的浙江城市，已经出现了城心与城郊的概念。传统的城郭以内的地块当然是城区，但是城郊十几里以内的地区，也算是城市的延伸，或可说是与农村的过渡区域。城内部分又分为厢和坊。厢大概相当于现在的区，坊则类似于街区。临安城内就分为 9 厢 85 坊。绍兴府城区分为 5 厢 96 坊。州级城市规模较大，先分厢而后分坊，县级城市规模不大，一般都直接分坊。如湖州长兴县城有 13 坊，武康县城有 7 坊，等等。

坊并非单纯的居民生活区，而是和现在的街区一样，有着综合配套设施，是一种综合性社区。坊就是街巷，只是在巷口立坊名，大多数坊有坊、巷两个名称，通常坊名文雅而巷名俚俗，如融和坊即肉市巷，而德化坊旧名“木子巷”。有的甚至坊、巷同名，如天井坊又称天井巷、修文坊又称修文巷。有少数街巷则没有坊名，如新街、后市街、新开北巷、新开南巷等。

临安府有点像今天不设区的市，直接管辖“在城八厢”，不设相当于县级的都厢。由吏部派出八、九品武官担任基层厢的厢官，大致相当于今日城市的“街道办事处”，主要职责是“分治烟火贼盗公事”。

与以前的里坊制相较，厢坊制有三个显著特点。其一是不

详细记载了南宋都城临安城市生活的南宋《咸淳临安志》

再设由高墙围隔成的封闭性居民点，而是呈开放性的城市基层，其间也可以包含一定的商业网点。其二是彻底打破了官民分居、坊市分离的格局。官府衙门、贵戚府第与一般市民住宅互相杂处，商业和其他经济活动散布于城市各处，依生活和商业需要而分布，经营时间也不再受到限制，一些城市还在自由组合的基础上形成了商业区。其三是城区范围不再被严格限制在城郭之中，城市活动不断向城郊地带扩展，城乡界限趋于模糊。在这种城市布局中，经济活动和居民生活因素无疑起着主导作用。

厢坊巷街制与里坊制最大的差异就在于尊重了经济所带来的开放性要求，开放城郭，开放居住区，开放商业区，开放活动时间，开放区域间交流，这是应市民生活与经济发展的要求而变革出来的，更促进了城市经济的繁荣与市民阶层的兴起。

这种街区结构使得商品得到进一步流通，各种艺人匠人得以专门发展，城乡进一步流动。特别是市民开始拥有消费的自主权，而开放的商业布局也有能力跟进市民的消费需求，因此，市民生活的需求就成为城市经济的主导。进而，市民文化产生。南宋市民崇尚消费的文化进一步刺激拉动了商业发展，对城市内部的流动性和开放性提出了更高的要求，整个城市的内部与外部活力得到激发，城市发展非常迅速。

南宋的城市发展，是中国古代城市史上最可圈可点的一段，厢坊街巷制的实行，不可谓不重要。

阅读链接：

樊莉娜：《厢坊制的始行时间》，《中国历史地理论丛》，2004 年第 1 期。

杨宽：《中国古代都城制度史研究》，上海人民出版社，2003 年版。

傅宗文：《宋代的草市镇与扩城建郊》，《社会科学战线》，1988 年第 4 期。

城管的前身：两宋的消防和治安管理

“消防”原是日语，属外来词语，是20世纪引进中国的。但是消防的概念，在中国古已有之。宋朝，管理公众事务的消防治理，最突出的成就在于诞生了世界上第一支由国家建立的城市消防队。这支城市消防队，无论组织形式还是本质，与今天的城市消防队有着惊人的相似之处。这支国家消防队创建于北宋开封，完善于南宋临安，到淳祐十二年（1252）临安已有消防队20隅，7队，总计5100人，有望火楼10座。

古代房屋多为木结构，且连檐接瓦，一旦发生火灾，经常延及整条街巷，因此消防工作历来受到重视。南宋时，宋高宗赵构曾亲自过问临安的消防事务。除了五千余人的常规消防队之外，绍兴三年(1133)还诏令殿前各司，再选三百御前精兵划归临安府，专司救火。殿前军本是皇家亲兵近卫，乃是军中精锐，均为一时之选，专调用于消防，可见当时对于消防工作的重视程度以及消防形势之严峻。

除了配员精良，宋代的防火灭火设施也非常完善。消防人员住在专设的望火楼里，各员轮流值勤，不分昼夜观察全城，哪里冒火烟就及时赶往扑灭。城隍山是当时杭州的制高点之一，上设大型望火楼。老杭州都知道“城隍山上看火烧”这一民谚，就是指人们站在吴山的望火楼上，居高临下，杭城何处起火一目了然，可以及时准确地指挥扑救。

当时配置的灭火器具，除了常用的水桶、水囊、水袋、洒子、麻搭、斧、锯、梯子之外，还有专用的火杈、大索、铁锚儿、唧筒之类。

唧筒在所有的器具中，特别值得一提。它的形制颇像现在的火枪，用长长的竹筒制成，下面开孔，用棉絮裹住水杆，制成活塞。拉动水杆，竹筒吸入水；压下水杆，水柱从开孔处喷出，加大压力，水可以喷得相当远，可谓一个划时代发明。

当时全城按比例设置水铺，即贮水点，配置各种防火和灭火器具。水铺由禁军看守，按时点数检查，有损坏者及时修复。另外，每隔十余家，就在坊巷间设一冷铺。冷铺里不但放置灭火器具以备不时而需，而且还有防盗贼的作用。

浙江在两宋期间实施厢坊制之后，城市日益繁荣，各处瓦子商铺夜夜笙歌，昼夜不歇；再加上北方流民大量流亡到浙江，人员复杂，各种治安问题随之而来。据《武林旧事》等书记载，节日期间满城车马，有无赖子执五色印，上刻“你怜我，我怜你”等字，专门印在年轻女子背上，大行轻薄之事。至于偷摸拐骗等案子，更是不计其数。

当时城市中甚至出现了黑社会组织，无业游民、逃兵、地痞无赖作为黑社会地下组织的主体，频频作恶，拐卖儿童、奸污妇女之类不轨行为屡见不鲜，甚至《水浒传》中出现的人肉包子亦非文学描写，而是确有其事。这些团队人数众多，规模巨大，旋除旋复，极难治理。此外，临安宗教发达，僧寺、道观、尼庵数量众多。当时良家女子除礼佛外很少出门，因此佛门清净之地也不免为奸邪之徒利用，发生一些乘游人烧香拜佛之际，拐骗甚至强抢女子的事件。

城隍山上望火台

为了对付这些问题，宋代开设了专门的城市治安管理机构——厢。它的任务是“止令分地巡逻，治烟火盗贼公事”，掌管防火、防盗、环境卫生、排水、交通等公共管理职能。宋朝还设有监市，本职工作是市场监督管理。因其城市管理经验丰富，对城市的管理介入逐渐增多。监市由于熟悉商贩的经营之道，对他们的监管力度也就有所加强，其中最重要的一条就是收税。当时还建立了军巡制度，厢的办事衙门称为厢公事所，大约有 230 名管理人员。厢下设军巡铺，大约二百步设一铺，每铺有押铺一名，军兵四五名。临安街头总共有 230 多个军巡铺，其功能相当于现在的治安民警。同时，又增加了住房、服饰、日用等方面的等级规定，健全了防火、防盗、环境卫生、排水、交通等公共管理职能。

阅读链接：

（南宋）周淙：《乾道临安志》，成文出版社，1983 年版。

（清）徐松辑：《宋会要辑稿》，中华书局，2006 年版。

梁庚尧：《南宋的市镇》，载《汉学研究》，1985 年第 5 期。

市民的户籍、赋役与税收

中国自古以来重视户籍管理，宋时全国推行郭户制，郭乃城市人口，户乃农村人口。郭户制从户籍分类中将城市人口与农村人口区别开来，单独编籍，主要目的是为了方便征收赋税，同时限制城市规模。

在郭户管理中，宋朝将居民以街巷为单位进行编列，实行户牌制。在每户门口放置一块牌子，上面写明户主、户主妻子、户主子女、奴仆、寄居亲友等人的姓名、年龄、相貌特征等，十分详尽。家庭成员若有增减，都在牌上及时反映，甚至来了客人，也要将客人的姓名、来处、何时来何时去等信息详尽在牌上登记，务求一目了然，以供随时查对。一月两次，厢巡检会派出值勤官员挨家挨户核对，凡有发生变化的，都登记在案，以供日后查询。

除了每户都有户牌之外，每街还有街楼，楼街上写明本坊本巷名称、有多少居住人口等诸多信息，以便控制。另外，还有许多人口管理条例，比如禁止私度僧道，禁止无证住宿、勾留；设“店历”，登记客人往来住宿情况，不得容留逃军、逃犯等等。其管理手段与现在颇为相似。

同时，当时科举也与现在高考类似，每个地区有录取名额限制，考生必须按户籍参加考试，禁止外地人冒用京师户籍参加科举考试。

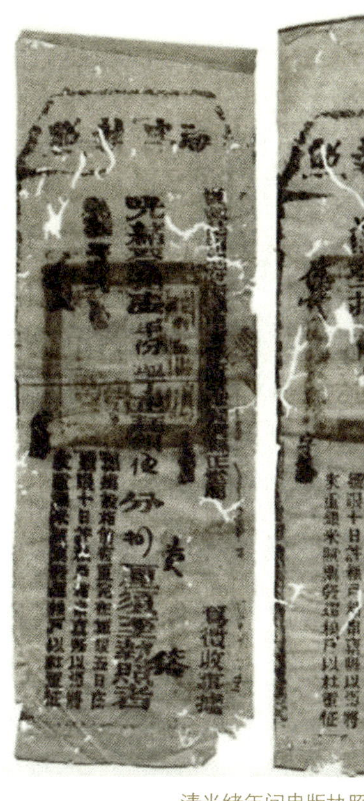

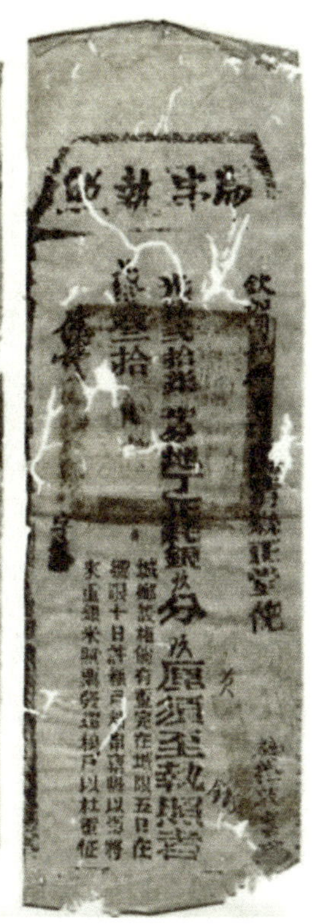

清光绪年间串版执照

除了将城市人口与农村人口在户籍种类上区分开来以外，宋朝还按财产和经济状况将人口划分等级。城郭户有十等，大约分三个层次：县城坊郭户第三等以上和府州城坊郭户第四等以上，是资产丰厚的豪富之家；州县城坊郭第七等户以下，是贫乏之家；介于二者之间的，是中产之家。

将坊郭户分成不同等级，是为了方便区别征收赋税。不同等级的户，承担的赋税也不相同。所征赋税主要有地税、役钱、和买、身丁钱、夫役、差役等。除了这几种主要赋税外，城市坊郭户还需承担科配以及各种临时性摊派和征差。

各项赋役税收不但不尽合理，且极尽盘剥之能事。比如身丁钱即人头税，为了少缴人头税，南宋出现了“生子不举”之俗，且愈演愈烈。所谓生子不举，就是说生子不养育。在中国多子多福的观念里，生子而不养育的现象貌似难以理解，且南宋政府为了鼓励生育还出台多项政策，却仍然禁而不绝。其实正是贫苦之家甚多，身丁钱又重，因为经济因素而不得已自动放弃养育孩子。

许多赋税简直就是抢劫。比如宋初由政府出一定价钱向老百姓买绢，这本应公平买卖，到了仁宗时却改为强买。买绢时，政府只付十分之三的现金，另外十分之七由官府生产的官盐支付，这样百姓的实际收益就打了一个折扣。后来官府不直接生产盐了，而是改由卖生产凭证给私人，有证者生产的即为官盐。这样官府没有盐了，买绢时，这十分之七的价格折合的盐，也理所当然地不付了，老百姓等于将绢打个三折卖给官府，当然赔本亏损，等于向政府交钱。再到后来，这三成钱也不给了，直接让百姓上交绢。到了南宋的时候更甚，绢也不要了，让百姓折合成钱来上交，而且价钱看涨，由一匹折两钱，最后上升到一匹折十钱。这就是“和买税”的始末。除了绢和布，粮食也是一样，政府强买粮食，用纸币支付。而南宋大量发行纸币，这些纸币约等于废纸，实际是官府强抢了粮食。

南宋与北宋相比，土地和人口都大大不及，大约减少了三分之一，但是税务收入，南宋通常都在 1 亿以上，最高年份甚至达到 1.2 亿，而北宋平均只得 6000 万。地少了，人少了，税却多了，税钱到底从哪里来？除了各种巧立名目，无可否认的是，工商业税已经取代农业税成为第一税源。这就意味着，郭户的赋税负担极为沉重。

宋代征税之花样百出，巧立名目，简直不可胜数，超出今人之想象。著名的有二税盐钱、蚕盐钱、丁绢、丁盐钱、僧道免丁钱、秤提钱、市例钱、折估钱、折布钱、布估钱、畸零绢估钱等等。值得一提的是“僧道免丁钱”。由于僧道是可以免除徭役的，农民因而都想去做僧道，于是官府规定，要出家须交钱。苏轼在杭州，想治理西湖，拿不出钱来，只好向中央申请了度牒来卖。财政靠出卖和尚尼姑的资格证书来支撑，这真可谓极大的讽刺。

不但史家、后人早有共识，都道宋代尤其是南宋税赋太重，就是当时的人也已意识到这个问题。在史籍之中，处处可见有关赋税之杂之重的抱怨与自嘲，有说数倍于古的，也有说七倍于唐的，更有说从古以来，盘剥之法，无过于本朝者。对于税的批评，真可谓是宋籍中的一大景观。

阅读链接：
（清）徐松辑：《宋会要辑稿》，中华书局，2006 年版。
（南宋）李心传：《建炎以来系年要录》，上海古籍出版社，1992 年版。
林正秋：《浙江经济文化史研究》，浙江古籍出版社，1989 年版。

洁净的城市

自从有了城市，环境卫生问题便随之而来。我们常常用欧洲的城市环境来反衬国内令人堪忧的环境现状，其实在中世纪，欧洲的城市环境十分可怕，甚至有将夜壶向窗外倾倒者。西俗绅士应走在女士左侧，其实就是因为走在街道左侧者，往往得承受从天而降的臭雨，久而久之，形成此俗。

较之中世纪的欧洲，中国古代的市政管理显得颇有规则，既有专门机构负责，又有较为全面的制度。南宋驻跸杭州后，常住人口在100万以上，污水排放、大小便处理、街道清洁等等环境卫生问题都有专门的对策。

南宋临安城每家门前都挖有沟渠，里面有流动的水，雨水、生活污水以及少量的垃圾，都可随沟渠流走，且政府会派人定期疏通，形成制度。临安、台州、明州、湖州、淳安等城，史书上都记载有清渠之事。

马路的污泥，政府会派专人铲除后用船运到乡间，充作肥料。当时已经有马桶,平时放于床后隐蔽处,每日清早听到摇铃，家家户户拎出马桶清污，集中运到乡间作肥料，可谓秩序井然。

垃圾处理也是循环利用，不但由官府雇用人手进行垃圾分捡，民间拾荒人也自发从垃圾中挑出可用的废旧物品，或向酒楼收购泔水喂猪，甚至拾出的垃圾还有再处理后出售的专门渠道。

在一些大型建筑，比如太庙两侧，设有砖砌的排水道，是早期的下水道设计。

有一段时间，乱倒乱扔垃圾现象十分严重，于是官府颁令,禁止乱倒垃圾。绍兴四年(1134),大理立法，规定凡擅自将粪土瓦砾等物抛入河渠中者，“杖八十科断”。还设立了专职官员来监督有关法令和规定的执行。

井水乃城市生活之源，当时采取了不少措施以防井水受到污染。比如井上建亭，严州城中西井所在的街道,民居逼仄,井水容易被污染,知州“买民地为亭覆之”，有效地解决了这个问题。另一个是在井周围筑护栏，杭州六和塔寺南的砂井周围即筑有铁栏杆。还有在井上加盖的。

古代入墙排水沟

江南湿热，水源充足，因此上上下下都有洗澡的习惯。据《都城纪胜》记载，临安有一个独有的行业，叫“香水行”，其实就是营利性的澡堂子。家中洗浴更是日常生活的一部分，尤其闷热夏季，每日甚至不止一浴。观宋词，形容夏日晚浴后身心如何舒爽的妙句，比比皆是。

在此风气熏染之下，官府衙门，如秘书省中也设有浴室，内中手巾、水盆、净纸俱备，管理有序，十分干净。

从史料记载中可以看出，和现在的许多家庭卫生间设置极为相似的是，一室之内，前为浴室，后为厕所，水盆毛巾也安置其内。如厕之后，可以近便净手，与现代卫生习惯符合。便后已经使用卫生纸，且卫生间常备有专用的便纸，连安放都要整齐。这些与现代卫生间比起来，亦无逊色之处。

智言慧思

八月涛声吼地来，头高数丈触山回。
须臾却入海门去，卷起沙堆似雪堆。

——（唐）刘禹锡《浪淘沙》

阅读链接：
林正秋：《南宋都城临安》，西泠印社出版社，1986 年版。
程遂营：《唐宋开封生态环境研究》，中国社会科学出版社，2002 年版。
杨小波：《城市生态学》，科学出版社，2002 年版。

社会赈济和救助

黄仁宇在《中国大历史》中说，历史进入了宋朝，就好像进入了现代。

他这样说，不仅是指宋代的经济进步与社会结构，更是因为宋代所施行的高福利政策。具体到城市，就是城市赈济和救助。

如果你是一个宋朝人，尤其是拥有城郭户籍的，从你被怀在母亲肚子里开始，到你出生，到你受教育，到生老病死，你都会得到国家福利政策的照顾。

当时民间"生子不举",生下孩子不养育的情况非常严重。针对大量弃婴问题,《胎养助产令》出台，怀孕妇女及腹中胎儿受法律保护，贫家婴儿由政府专门照顾，出生时找产婆，生下之后，贫困家庭还可以申请育儿补助。杀婴被视为大罪，弃婴则由朝廷全面收养。朝廷不仅扶育弃婴长大，皇帝每年还要亲自为这些无父无母的孤儿主婚。

小孩到了一定年龄，该入学了，宋朝实行的几乎是免费教育制。官办学校不收学费，有的县象征性地征一二文钱，交不起钱的学生，政府便也免收了。进了国家和省上的"重点学校"，政府还要补助学生。如太学，非但读书不用交学费，每月每个学子还能领到一千文钱。"孤寒士子"在校外没有房住的，学校提供免费住宿和膳食。南宋百姓受教育程度之高，史所罕有，全国的文盲非常之少，史载"人人尊孔孟，家家诵诗书"，苏东坡等很多宋人都有这方面的记录。苏东坡曾说过，宋朝基本上每家人都能识字，十家人里九家人都能写字。南宋叶适等人也记录当时每家都能著书："今吴、越、闽、蜀，家能著书，人知挟册。"《舆地纪胜》记录农村"家乐教子，五步一塾，十步一庠，朝诵暮弦，洋洋盈耳"。

对社会弱势群体，凡是没儿女的老人、孤儿、残疾者、穷人，政府都出钱出力予以养济。

武侠小说中把南宋的丐帮写得十分生动，但其实政府收养了大部分乞丐，以至街面上几乎看不到行乞之人。且收养之后，吃、住、看病、丧葬国家都予承担。

当时有"居养院""安济坊""漏泽园"，是职能不同的社会福利机构。孤老弱贫者的安置处称为居养院，疾病贫乏者的收养机构是安济坊，贫穷产子之家的援助机构为举子仓，弃婴的抚养院称慈幼局、婴儿局、及幼局。为贫者代收尸骨、掩埋安葬的，一般是设置公墓的形式，称为漏泽园，也称义冢、义阡等。这些机构形成了一套完整的体系。这一体系自宋朝确立以后，元、明、清三代基本沿袭了其主要部分，成为中国古代社会后期福利性社会救济的基本格局。

当时的城市赈济和救助，重点针对城市贫民及无业之人，一般在冬春时节进行，规模相当大。南宋中期，临安城平时的赈济人口往往在十几万人以上，还有几十万的贫民长期接受逐日赈济，时间长达半年。庆元、湖州等地都设有义仓，赈济贫穷的有籍之人。

在天灾、战争造成饥荒时，宋朝政府各州各县都专门设置"义仓""广惠仓"等非常完善的应急措施。除了奏请朝廷开放

南宋　李嵩《货郎图》

备荒仓储粮食之外，还往往强制富家义捐。

两宋在社会救助上的措施令人印象深刻，可以说开创了后世社会救济的大致格局。无论在救助数量还是救助措施上，不但超越前朝，而且与后来的元、明、清相比，也毫不逊色，甚至有所优胜。宋朝按贫富划分阶层，这在救助时就十分方便，贫者得济。且宋政府视救助为义务，不仅视为施仁政更是当做应有之分。

仅谈社会救助，宋朝仿佛伊甸园。然而，大宋天下并非乐土，完善的赈济计划是由严酷的高税收支撑的。一方面人们不堪支付人头税，只得弃婴遍野，另一方面政府则行收容安养；一方面人民流离失所，贫无所居，另一方面却街无乞丐；一方面天灾人祸导致饿殍遍野，另一方面是政府开仓放粮，以为仁政。历史是立体的，观史只看一面，又何能了解真实的古代中国？

阅读链接：

[法]谢和耐：《南宋社会生活史》，中国文化大学出版社，1982年版。

（元）刘一清：《钱塘遗事》，上海古籍出版社，1985年版。

张峻荣：《南宋高宗偏安江左原因之探讨》，文史哲出版社，1986年版。

美丽天城杭州的外来文化

讲到元代的杭州城，许多人立刻想到的是一所繁华富庶的天上城市。这得归功于元代时来中国旅行的几位外国人，他们的记载后来广为传诵，颇为人知。

元朝的杭州城之所以由外国人留下了如此多的记载，是因为当时中国的国际化。在中国古代历史上，对外影响最大的王朝是唐朝和元朝。但是，假如从对外影响范围、往来国家数量和国际地位角度比较，唐朝是无法与元朝比拟的。优惠的通商政策、通畅的商路、富庶的国度、美丽的传说，使元朝对尚处在落后地位的西方和阿拉伯世界的社会各界形成了巨大的吸引力。

杭州当时已具有国际化都市的色彩，旅行家、商人、传教士、政府使节和工匠，由陆路、海路来到中国，他们当中的部分人长期旅居中国，有些人还担任政府官员。据统计，这些人分别来自波斯、伊拉克、阿速、康里、叙利亚、摩洛哥、高丽、不丹、尼泊尔、印度、波兰、匈牙利、俄罗斯、英国、法国、意大利、亚美尼亚、阿塞拜疆、阿富汗等国。一些人归国后记录了他们在中国的见闻。正是这些游记，使西方人第一次较全面地把握了中国和东方的信息，一个文明和富庶的中国真实地展示在世

外国人根据欧洲城市形象勾勒的杭州城市印象

界面前。这些信息改变了欧洲人对世界的理解。学术界普遍认为，马可·波罗等人的著作对大航海时代的到来产生了至关重要的影响。

马可·波罗称杭州是“世界上最美丽名贵的天城”，鄂多立克在游记里将杭州喻为“天堂之城”，马黎诺说杭州是“最有名之城”，摩洛哥人伊本·白图泰记载:“城开十二座大门，而从每座门，城镇都伸延八英里左右远。”

马可·波罗到杭州的时间，大约晚于关汉卿不久，即建元不久之后。在著名的《马可·波罗游记》中，他这样介绍这座东方的名城：

> 离开了吴州城，在三天的路程中，经过许多人口众多和富饶的城镇、城堡和乡村。人民丰衣足食。到了第三天的晚上，便到了雄伟壮丽的杭州市。这个名字是“天城”的意思。因为这座城市的庄严和秀丽，堪为世界其他城市之冠。这里名胜古迹非常之多，使人们想象自己仿佛生活在天堂，所以有“天城”之名。

杭州城自古以来就有“上有天堂，下有苏杭”的美誉，可能马可·波罗的中文水平还不够，所以从这句话中误会出杭州的意思就是“天城”。在马可·波罗的笔下，杭州城有相当出色的市政建设，这里街道宽阔笔直，铺砌整齐，并与河流和众多的桥梁一起组成了立体的交通。城内有众多的商铺，还有若干个大型的露天市场，与这些商铺和集市配套的，还有大型的仓库，商人中间不乏来自海外从事国际贸易的

阅读链接：
何高济译：《鄂多立克东游录》，中华书局，1981年版。
马金鹏译：《伊本·白图泰游记》，宁夏人民出版社，1985年版。
吴振华编著：《杭州古港史》，人民交通出版社，1989年版。

人士。

除了海外来客，还有许多来自北方的汉人，边疆地区的蒙古、女真、党项等族人，西域各族人以及海外各国的商人、僧侣等，形成各族杂处的局面。时人陶宗仪《南村辍耕录》中提到杭州城内有不少来自西域地区的回族商人。西夏人迈里古思以杭州籍应试科举，官拜绍兴路录事司达鲁花赤（蒙古语，意为镇守者）。

元代有大量北方文人喜欢寓居杭州，因“山川风物之美……朔方奇俊之士风致，自必乐居之”。如关汉卿、马致远和白朴等剧作家，还有萨都剌、迈里古思等少数民族诗人。

杭州城大规模的外来人口涌入始于南宋。南方在宋代以前经济一直十分落后，在杭州城市发展史上，移民的作用功不可没。杭州从有史载的秦代至六朝长达800余年的历史中，一直仅是会稽郡或吴郡的属县，地位曾经不及吴兴（今湖州）、金华。到了高宗南渡后，杭州一跃成为全国的政治、经济与文化中心，成为马可·波罗眼中“世界上最富丽名贵的天城”。

移民还促进了不同地域或民族间的文化交流。外来移民为迁入地的文化带来了新鲜的血液与发展因子。移民运动本质上是一种文化的迁移。如在小说史上与说话艺术密切相关的“瓦舍”，就是外地移民带来杭州的。王士性认为杭州人的消费观念与西湖旅游文化的兴盛，“大都渐染南渡盘游余习”。杭州人爱吃面条，菜里加蒜，以及方言中的儿化音，均受移民文化影响。

清代兵火中的城市即景

明末清初，浙江的城市遭到毁灭性的破坏。其原因众所周知——清兵大规模的屠城。浙江地区的抗清斗争至为激烈，所遭受的破坏也尤为严重。

清军攻入海宁之后，实施大规模屠城，男女老幼被杀者数千。杭州虽然是南明守军主动开城投降的，但清军仍对城内居民大举屠杀。金华府城被攻破后，更经历了血腥的“三日屠城”，街巷家室白骨累积。顺治八年（1651），清军攻破定海、舟山，又实行屠城，死难者万余，城郭民居悉遭焚毁。衢州府江山一带，“丁壮死徙殆尽，往往乡行竟月，绝无人烟”。连地处浙南山区的处州府云和、龙泉、庆元、景宁等地，也不能幸免。民间流传的三塔血印和尚的故事，即以当时清军的暴行为蓝本，记述清兵回攻嘉兴时掳掠妇女，将她们关在寺内，被寺僧放走，清兵发觉后将寺僧烧死，血沁石上。当时嘉兴濒于毁灭，查继佐《国寿录》说：当时“城中被屠，郭外数十里无人迹”。

为了隔断沿海人民与郑成功及其他反清力量的联系，清廷于顺治十三年（1656）宣布海禁。十八年（1661），下迁界令：强迫浙江等省滨海居民内迁 30 里，立界石，寸板不许下海。沿海 30 里内，堕城郭，烧庐舍，居民流离，造成严重灾难。现在嘉兴城区东栅乡的有些居民祖上原籍浙南温州，就是在迁海时被流徙至嘉兴的。境内沿海村镇虽不在迁海范围之内，亦设立边界，设兵戍守，界外禁止居住、捕捞与养殖。海上贸易更不能公开进行，乍浦一度成为荒凉村落。规定凡犯禁者，不论官民一律

1906 年杭州路边

处斩，家产全部赏给告发者;所在地方官员一律革职，从重治罪;地方保甲不先告发者，一律处死。如此严刑苛法之下，浙江在清前朝的近半个世纪里，城市几近毁灭，社会动荡不安，各方面都濒于崩溃。直至康熙二十三年（1684），台湾郑克塽投降后才开禁，许民出海贸易、捕捞。

浙江各个城市，清廷都派出重兵把守，且特别重视水防。比如嘉兴城的乍浦，处于钱塘口，杭州湾北面，雍正为了加强边防，训练水军，也为了震慑汉民，威统嘉兴，下令在乍浦设副都统属，令乍浦成为省一级的军区机关所在地。同时，从杭州调防 1800 名满兵、蒙古兵驻防，由满洲副都统率领。

在这种情况下，繁华浙江满目疮痍。晚明遗民张岱在《西湖梦寻》中有记："甲午、丁酉，两至西湖，如涌金门商氏之楼外楼，祁氏之偶居，钱氏、余氏之别墅，及余家之寄园，一带湖庄，仅存瓦砾。则是余梦中所有者，反为西湖所无。及至断桥一望，凡昔日之弱柳夭桃、歌楼舞榭，如洪水湮没，百不存一矣。余乃急急走避，谓余为西湖而来，今所见若此，反不若保吾梦中之西湖，尚得完全无恙也。”甲午年是顺治十一年（1654），丁酉年是顺治十四年（1657），张岱所看到的昔日繁华的西湖，已经是如同经过洪水湮没洗劫的景象。

杭州有“旗下”，即旗兵驻扎的所在，也称“旗营”。旗营在西湖边最好的地段圈地多达 1400 余亩，强拆民居，筑以高墙，将今天的湖滨路以东、岳王路以西、庆春路以南、开元路以北这一大片最繁华区域圈入其内，本地人不仅不许入内，且路过都不许观望窥看，只能低头快速离开，否则就会惹祸上身。

现代作家郁达夫曾写道 :“在杭州城里的大观，第一要推吴山。”郁达夫所说的是近代的情形，第一大观为什么不是西湖呢？因为当时西湖属于城外，必须由旗兵搜身检视后方能出涌金门而至西湖，十分不便，这使得西湖旅游远不如前朝兴盛。反而是吴山，因在城内，成为市民聚集娱乐的首选。这也造就了现在西湖文人气厚重，吴山市井味浓郁的状况。

杭州人春秋两季所进行的扫墓祭祀活动，须得出城，定要经过旗下才能出钱塘门。扫墓多有妇女车轿，八旗兵闲来无聊，一看有女式车轿经过，经常上前起哄，强迫车轿停下，掀帘调笑戏谑。扫墓妇女往往因此受侮，使得当时扫墓成为难事。汉人气不过，也想看看旗下女人。他们发现旗营之中也有女人，亦出城扫墓，其穿着打扮大异汉俗。平时经过旗营，汉人再好奇也不敢东张西望，可旗妇如果出营扫墓，那么站在钱塘门城楼或城墙上就可以看到。于是扫墓时季，经常有人特意去看旗下女人，成为一时风行，称为“看鞑儿奶奶”或“看鞑二奶奶”，盖因旗人称太太为奶奶也。这句话也就成为杭州一句暗中流行的俗话，通行至今。

据《说杭州》，每年（阴历）三月十九日，杭人称为“太阳节”，说是“太阳菩萨”的生日，民间许多人都吃斋纪念。其实，这一天是明朝最后一个皇帝崇祯的殉难日，民间是以这样的曲线方式对他加以纪念，以示对清朝政府的不满，杭州城里还有几处崇祯帝的庙，名义是祭祀“朱大天君”，实际是祭祀崇祯帝，其中以下城仓桥的香火最盛。

智言慧思

海阔天空浪若雷，钱塘潮涌自天来。

——（明）王在晋《望江台》

一千里色中秋月，十万军声半夜潮。

——（唐）李廓《忆钱塘》

阅读链接：

谢国桢：《明清之际党社运动考》附录三《清初东南沿海迁界补考》，辽宁教育出版社，1998 年版。
曹树基：《中国移民史》，福建人民出版社，1997 年版。
海外散人：《榕城纪闻》，《清史资料》（第 1 辑），中华书局，1980 年版。

明清时期的禁锢与衰落

城市化率（也叫城镇化率）是城市化的度量指标，一般采用人口统计学指标，即城镇人口占总人口（包括农业与非农业）的比重。古代浙江的城市化进程在两宋达到了发展的高峰，尤其是南宋。据统计，南宋浙江的城市化率高达 24% 左右，有些学者更认为达到 30% 以上。而 1990 年，中国的城市化率是 26.41%。当然，估算古代的城市化率误差可能不小。但无论如何，与之前的历朝历代相比，两宋浙江的

明人所绘《明军抗倭图》

城市化率无疑达到最高峰。

宋代浙江城市最大的特点就是开放性。厢坊制的实施作为城市规划的一项重大突破，为现代城市形态奠定了基础。而工商业、娱乐业、手工业乃至文化产业的全面开放，更形成了城市的全面繁荣。政府的服务意识也很强，对旅游业、城市建设与治安、福利、城市管理等多有突破性贡献，许多措施福泽当代，于今仍有借鉴意义。

元代的浙江城市举世闻名，与其对外开放带来的传播热潮有密切关系。但是元代的浙江城市，与两宋尤其是南宋的空前繁荣相比，已经进入了一个相对缓慢的发展阶段。元军在攻占浙江的过程中，虽未有大规模战乱，但蒙元贵族掳掠成性，造成很大破坏。元统一全国之后，又全面推行民族歧视和民族压迫政策。作为南宋的统治中心，浙江地区是南人聚集区域，在等级中地位最为低下，横征暴敛更为严重，极大地阻碍了浙江城市的恢复与发展。

如果说元代浙江城市在南宋的基础上还保持着世界领先地位与相对繁荣的话，那么明清之际，可谓衰落。

元明之际的大规模战乱，张士诚与朱元璋的混战，令部分城市毁于兵火，成为废墟。比如宋元以来持续繁荣的杭州、嘉兴，都庐舍焚毁，居民亡散。经有明一代近百年的恢复，刚有起色，至嘉靖年间，倭患又兴。据研究者统计，仅浙东沿海宁绍温台四府，明嘉靖元年至嘉靖四十五年间（1522—1566）报倭患即达 146 次。受此浩劫，刚有所恢复的城市又再现萧条，城中偏

明代杭州岳庙全图

僻之地，甚至狐兔成群。

明万历年间，浙江城市有所恢复，重现繁荣富庶之象。但这种局面并没维持多久，以城市为主要征收对象的商税、酒税等课税额十分庞大，呈不断加重之势。再加官吏营私舞弊，恣意妄为，令广大市民和工商业者无法维持正常的经营活动，纷纷破产，市民反苛役斗争、反宦官斗争不断出现，城市重新走向衰落。

历史证明，稳定性、开放性与城市发展有重要关联。清政府对浙江的统治可谓全面禁锢，再加屠城伤本，城市发展无法走上正轨。总体上讲，明至清前期浙江地区城市发展呈现不断减速乃至停滞的状态，无论是量还是质，都无法超越宋元时期的水平。

其实，明清时期浙江各地的农村经济有着显著进步，尤其是商品生产迅速发展。本来，这可以为城市发展提供极好的基础与契机。但国家统治日趋僵化，对城市的控制与盘剥达到无以复加的程度，浙江城市就此戴上枷锁，失去活力，无力发展。

为了控制城市，明代严格限制农村人口向城市流动。人们要外出必须得有路引，由本人向户籍所在地官府提出详细申请后才能获得。户口制度也比前朝严格得多。厢坊制在宋代本来是一种具有开放意义的进步，在明代却因强化管理体制，设厢长、坊长、铺头以及铺行、火甲，层层管理，加强了禁锢。

与此同时，传统城市固有的内在局限也越来越明显地暴露出来。传统城市作为封建统治的据点，是特权阶层聚集之处。他们的需求往往推动着城市工商业的发展，这使得城市产生了很强的寄生性。特别到了明至清前期，一方面，大城市特权阶层人数不断增加；另一方面，政府对城市的控制日益严密，使城市的寄生性更为明显。不少城市所谓的繁荣，只是一种假象。浙江传统城市已越来越呈现出缺少发展活力的趋势。这表明，浙江传统城市已失去发展空间，面临着新一轮的转型。

阅读链接：

[美]刘易斯·芒福德：《城市发展史——起源、演变和前景》，中国建筑工业出版社，1989年版。

成德宁：《城市化与经济发展——理论、模式与政策》，科学出版社，2005年版。

张文和、孙选中：《城市定义研究》，《浙江学刊》，1987年第1期。

交通是城市形成的力

“交通是城市形成的力”，此乃德国人文地理学家 F. 拉采尔的名言。诚哉是言！交通对于城市发展有着决定性的影响，交通状况决定了城市能够容纳多少生产要素，可以将城市边界扩大到多少，也决定了一个城市的辐射能力以及它对于附近城镇体系的构建力。

交通是连接城市的重要纽带，也是为城市发展运送人流、物流的重要通道。作为城市发展的主要动力，交通对生产要素的流动、城镇体系的发展有着决定性的影响。

浙江的城市大多数都集中在水陆交通线上。近代交通引入中国以后，传统的车、船、人力等运输方式之外，轮船、火车、汽车等机械动车出现，使得沿海航运、内河航运都得到拓展，特别是铁路的修筑，更对浙江城市发展起到了重要的作用。

浙江地区铁路的修筑始于 20 世纪初。清光绪二十三年（1897），林钟涞、高源裕、戴生昌等人具禀要求修筑杭城湖墅至江干的铁路，候补知县陈佩璋禀请修筑宁绍铁路。但第二年，清廷被迫与英国签订《苏杭甬铁路借款草约》，规定苏杭甬铁路由英商承办，因而这两条铁路建设计划无法实施。但草约签订数年之后，英商迟迟没有动工的迹象。光绪二十九年（1903），绅商李厚祐禀请设立杭州铁路公司，准备招华股 70 万元，建造江墅线，获得批准。此事成为收回苏杭甬铁路自办权的开端。光绪三十一年（1905），代表浙省 11 府的绅商汤寿潜、张元济、夏曾佑、李厚祐、

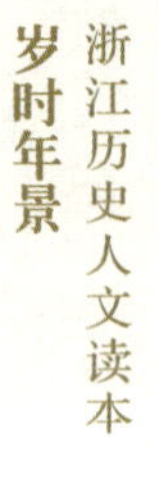

民国二十二年（1933）杭江铁路通车纪念币

严信厚、朱葆三、虞洽卿等160人在上海集会，决议筹股自办浙江铁路，成立浙江铁路公司，并公举汤寿潜为总理。浙路公司成立后立即投入工作。至宣统元年（1909），沪杭铁路全线贯通，由杭州途经嘉兴至上海，纵贯浙北平原。

浙江水脉纵横，水路运输既天然又便宜，在各种运输方式中乃是首选，因此大江大河边上，往往形成经济贸易中心。不仅如此，全浙1050个市镇之间的交通脉络，也就是浙江的水网图。近代以来，建公路筑铁路，交通网络发生质的变化，由水而陆，陆运逐渐取代水运，成为最主要的运输与交通方式，河流贸易时代一变而为铁道贸易时代，成为商业发展的大势。以前有埠头处有集市，近代浙江，除沿海兴起个别新兴城市外，铁路沿线城镇出现飞跃式发展，并逐步取代原先沿河城镇交通中心之地位。

以陆运为主的新式交通，打开了向内陆纵深的道路。杭江铁路就是典型案例。原先浙江向东部深入，只能依靠钱塘江这条水上通路。有了杭江铁路，就可以从内陆走了。铁路沿线城镇借此大大发展，浙江中西部的交通、经济重心逐渐从兰溪向金华转移。同样，衢县原为兰溪上游的一处转运码头，自杭江

铁路通车后，商货渐改由车运，情形渐有改变，成了杭江线上一独立之区域中心。甚至原为浙省边邑的江山，也因此一跃而成为华东大都会。

铁路一改千百年来浙江以大运河和钱塘江为中心的运输格局和以江河为中心的交往轴线，原来繁荣的钱塘江沿岸市镇失去了依托，逐渐没落。如梅城位于钱塘江中上游富春江、新安江、兰江三江交汇处的交通节点，有着 1700 年县治、1200 多年州府治的历史。但因梅城远离新式交通线，只得告别往昔的繁华，衰落成为一个普通小镇。沿江的桐庐，杭江铁路一开，就失去了一二十年前的繁华热闹。兰溪本为上江交通中心，全段商业，除杭州外，以此为最盛。相比之下，金华在铁路未通之时，商业甚微。然而铁路通车之后，商货行旅渐渐改由车运，而以金华为中转之地，故商业日渐发达。金华繁荣了，兰溪反而衰落了。

随着公路、铁路等新式交通工具的出现与推广，客货运输的流向改变，交通线边上的城市不仅自身强盛，且向外扩展。宁波在浙江最早开埠，宁波江北岸自从甬曹通车之后，铁道交通更加便利，各项贸易频繁。嘉兴本来繁华，但城内精华地段在清朝咸丰年间的战乱中付之一炬，元气大伤。到了民国，火车站就设在嘉兴东门外，市面当即复兴，附近空地开辟成为市场，并建起了足称模范的市区和住宅区，一时新贵聚集东门。沪杭铁路路轨铺设到嘉善西门时，原勘定贴近北城墙而过的路基，因要拆除宁绍会馆，遭到抵制，已筑成的 67 号桥以东的路基，三筑三扒，协商不成，只好改道北移，原定车站随之北移，重新在距市区 1.5 千米的张丰浜设火车站。为与铁路运输对接，轮船码头也从城内各处移至火车站的南侧。火车站、轮船码头区块取代原先的东门与西门，成为嘉善的水陆客运中心与货物进出转运中心。火车一响，黄金万两，火车站设在何处，何处就成为繁荣市面。

杭州本因水而兴，历史悠久，规划得当，因此一应建筑都沿袭旧制，多年来城市面貌没太大变化。但是清朝末期，沪杭铁路通车，现代化之风立时沿铁路线劲吹，城市开始发生巨大的变化。之后，公路网逐渐完善，汽车数量猛增，城市的出入口都不同了。拱宸桥于光绪二十二年（1896）开埠，一直是杭州市面最盛的地块，其领先地位保持了将近10年。但沪杭铁路建成，城站兴起，拱宸桥这个河埠头遂逐渐衰落，终于沦为杭城的贫民区。城站则成为进入杭城的第一站，是最重要的对外窗口及新贵们趋之若鹜的城市新区。

智言慧思

两浙之富，国之所恃。

——（北宋）苏轼《苏东坡全集·奏议集》卷九

越俗僭宫室，顷赀事雕墙。佛屋尤其侈，耽耽拟侯王……饭以玉粒粳，调之甘露浆。

——（北宋）欧阳修《送慧勤归余杭》

阅读链接：
魏颂塘：《浙江经济纪略》，1929年刊印本。
丁贤勇：《近代交通与市场空间结构的嬗变：以浙江为中心》，《中国经济史研究》，2010年第3期。
于洪俊、宁越敏：《城市地理概论》，安徽科技出版社，1983年版。

发达的城市金融业

近年来，温州等地的“地下钱庄”成为热点话题。其实，自古以来，浙江民间融资就十分发达。比如从贩卖钱钞的钱铺而发展起来的钱庄，就是民间金融的实例。南宋时，流通货币品种繁多，金银铜钱之外，还有纸币交子、会子和钞引等，临安由此产生许多“金银盐钞引交易铺”，用铜钱买卖金银和各种钞引，谋取汇总差率。南宋亡国，货币废止，但交易不绝，民间仍然买卖钞贯。明朝中期，又出现铺户，也是做铜钱和钞贯生意。16 世纪 70 年代前后，杭州城内亦有了民间钱铺名称，交易功能类似。

钱铺在清顺治、康熙、乾隆几朝发展迅猛。到了道光十八年（1838）左右，杭州钱铺已相当发达。许多钱铺粗具钱庄的雏形，能够南北通存通兑，汇款划项，并与官府合作，存汇饷银款税，还出现了钱票，铺内通用。

上海、宁波等地开埠之后，对外贸易激增，又带动浙江丝绸、茶叶等贸易，外国银元流入，国内外贸易量大增，汇兑业务也随之增长，钱业成为国际贸易中的重要环节，钱庄由此有了较大的发展。

钱庄的经营方式虽然与现代银行不同，具有中国传统商业风范，但是业务范畴却是差不多的，无外乎吸引存款、发展贷款、汇兑以及货币买卖。同治末年，杭州建立钱业会馆，形成钱业市场，并根据市场细分，出现大同行、小同行和现兑庄三类不同的钱庄。大同行钱庄，是钱业同业组织的会员钱庄，可直接进入钱业市场交易。

阅读链接：

《杭州金融机关组织表》，《浙江潮》（第3期）。

李国祁：《闽浙台地区清季民初经济近代化初探》，《中国史学论文选集》，幼狮文化事业出版公司，1981年版。

吴筹中：《浙江最早的商业银行——浙江兴业银行》，《浙江金融》，1985年第2期。

它主要办理异地款项汇划和为工商业调剂资金余缺，是业务规模最大的一类钱庄。小同行钱庄，也参加同业组织，但不能直接进入钱业市场交易。它的业务对象主要是本地客户，一般不经营异地款项汇划，业务规模小于大同行钱庄。现兑庄是专门从事货币兑换的钱庄，不参加钱业同业组织。还有一些现兑摊和兼营兑换店，不计入钱庄之列。

杭州在清末就出现了现代化银行，且风行一时，令大同行钱庄倒闭者几近半数。政府也支持银行，将公款都交由银行代理，钱庄失去大客户。能够生存下来的钱庄都是实力较强的，因此到了民国初，钱庄又恢复发展，杭州的晋泰、泰生、开泰、同和等10家大同行钱庄曾同浙江兴业银行、浙江银行一起代理运库。一战爆发，中国现代工业和商业都有所发展，杭州钱庄与新兴的银行同时得到发展良机，但同业增多，竞争愈益激烈。民国四年（1915），经同业公议制订《营业规则》，进行自我整顿后，业务增长很快，钱庄继续增多。至民国二十年（1931），

民国十二年（1923）浙江兴业银行黑龙江分行兑换券

杭州市区有大同行钱庄 23 家，小同行钱庄 26 家，未入会的现兑庄 25 家。

20 世纪 30 年代，世界性的经济危机爆发，同时日本时常侵窥我国边境，战争一触即发，政治动荡，经济萧条，杭州亦受波及，工商业大量倒闭，钱庄收不回贷款，出现高额呆账，无法周转。同行竞争更加激烈，几家大银行陆续开办储蓄业务，钱庄资金纷纷流向银行，周转日益困难，资力单薄的钱庄陆续倒闭。到民国二十五年（1936）春，杭州钱庄继续开业的只有大同行 12 家，小同行 17 家；现兑庄、兑换店因法币政策实行后，现兑业务已无必要，全部停歇或转业，钱庄业从此骤然衰落。民国二十六年（1937）12 月日军侵入杭州前，市区钱庄全部停业。

浙江的现代银行业非常发达，浙江第一家官商合办银行是浙江银行，第一家近代储蓄银行是大通商业储蓄银行，另外还有浙江兴业银行。浙江兴业银行是由浙江铁路公司发起的，成立的初衷是为了筹款用于保路运动。另外，宁波人李厚初在上海创办了四明银行后，当年即在宁波开办分行，次年又在温州设分行。清政府官办大清银行也陆续在浙江各市设立分号。

此外，光绪末年，浙江还出现了具有近代金融业特征的保险公司，杭州、嘉兴、湖州有华洋人寿保险公司，衢州有衢州水险公司，台州有允康人寿保险公司。

观察城市金融业，其民间融资的活跃情况与经济活力有着极大的关系。钱庄业乃至银行业的发展情况，与浙江的工商业生产曲线几乎一致。浙江大规模的商品流通和贸易活动，主要靠金融业来进行资金调剂和融通。同时，近代工业企业兴办所需的资金，也需依靠钱庄来承担，部分钱庄经营者还进而直接参与工业活动。比如严信厚，原本开设有“源丰润”钱庄，后创办通久源轧花厂、纱厂等实业。“五金大王”叶澄衷，在宁波等地开设钱庄的同时，还经营商业、地产和企业。镇海柏墅方氏家庭，以经营钱庄业的雄厚资本转投实业。浙江金融业的发达与城市工业的发展是密切相关、互相促进的。

市政管理的近代起步

真正意义上的市政管理乃是专门针对城市制订管理规则，并通过行政手段保障城市的公共运行。中国传统市镇在管理上一直从属于城乡合治的行政体制，尽管从宋代起，开始出现一些有别于乡村的市政管理形式，如城镇居民户籍的单列，厢坊管理机构和军巡治安体制的建立等，但尚未形成针对城镇社会特点且相对独立的管理体系。直到明清时期，城市管理不仅没有进一步独立，反而更趋乡村化，不再像宋代一样由朝廷直接委派官员负责管理，也没有正式的管理体制，取而代之的是乡村保甲制、连坐制在城市的推行。

鸦片战争之后，社会环境变迁巨大，城乡分治的需求越来越明显。城市中市场、税收、商业、治安、公共管理等重大问题都与乡村存在着极大的差距。同时，租界设立，租界内引入西方城市管理体系，也推动了近代市政管理的全面进步。

所谓警察，就是近代市政的产物。中国古代军警不分，由军队来负责治安事宜。明清两代东西两厂、锦衣卫、刑部、大理寺和地方各级军政衙门，均负有维持地方治安的责任。清光绪二十三年（1897），时任浙江巡抚的廖寿丰参照租界做法，在新开辟的杭州拱宸桥各国通商区设立巡捕房，此为浙江警察之开源。光绪二十九年（1903），杭州城设立了浙江省巡警总局，日常职责除了与现代警察相似的需巡逻地块、稽查户口、缉拿盗犯、处理纠纷、管理交通之外，还要清运垃圾，保持城市公共场所卫生。

宁波一等邮局工人在接送邮件

近代警察制度的建立，是浙江城市治安管理制度的一大变革，也是近代市政的滥觞，是传统官府衙门向近代市政过渡的形式。

同时，浙江的各城市也开始进行近代化的市政建设工作。如架设路灯、办劝工厂、整理商务、开设市场、施衣、放粥等，其中有些如图书馆、阅报社、电车、公园、救火会，在当时只是在大城市里才可能实行的事情。市政建设发生了一场深刻的革命，从道路、桥梁、供水到电车、电灯、电报、电话、邮政、医院，西方近代化的产物无一不在城市内安家落户。

浙江的近代邮政最早出现在宁波，清光绪四年（1878），中国海关总税务司英人赫德（Robert Hart，1835—1911）与北洋大臣李鸿章商定，依照西欧邮政之法，授权天津海关税务司英籍德人德催琳（Gustar Detring，1842—1913），指令宁波海关书信馆收寄华洋公众邮件，承担投递和转发业务。并附发大龙邮票面值五分银、三分银各 2500 枚，一分银 625 枚（合计“关平银”206.25 万两），开创了浙江近代邮政之先河。光绪二十一年（1895），杭州城内官巷设立了杭州会送信局（寄信局），此为杭州近代邮政的开始。

清光绪二十二年（1896）八月，位于杭州拱宸桥畔的世经缫丝厂开始了由丝

阅读链接：
张大昌：《杭州八旗驻防营志略》，台北文海出版社，1972 年版。
陈梅龙等译编：《近代浙江对外贸易及社会变迁》，宁波出版社，2003 年版。
杭州市电力工业志编纂委员会编：《杭州市电力工业志》，水利水电出版社，1994 年版。

绸传统手工业生产向机器大工业生产迈进的尝试。与此同时，他们还引进了当时最为先进的直流发电设备供生产照明用。次年二月，浙省电灯公司、宁波电灯厂相继出现，共同开创了浙江省公共供电的先河。二十四年（1898），求是书院学生所创办的浙省电灯公司开始向城区供电。自是年起，杭州市民开始用电灯代替油灯照明，收费实行包月制。然而，由于种种原因，这三家电业先驱都遭到了失败，数年间先后倒闭。

然而电力普及毕竟是时代必然趋势，清宣统元年（1909），宁波和丰电灯股份有限新公司成立，次年向社会供电。光绪三十四年（1908），官商合办的浙省大有电灯公司筹建。宣统三年（1911）七月，隶属于该公司的板儿巷电厂建成投产，向当时的商业中心清河坊一带的商家供电。根据当时《申报》的报道，板儿巷电厂试灯当晚，门前灯饰达六七百盏之多，灿若星辰、亮如白昼，杭城百姓万人空巷前往观看，盛况空前。

清光绪三十二年（1906），浙江铁路公司在业兴银行内设“德律风”，为杭州有线电话的开始。

宣统三年（1911），几个从日本回国的留学生在羊市街租赁一所四开间的两进西式楼房，开设了杭州人自办的第一家医院，取名浙江医院。

19 世纪末至 20 世纪初，浙江大中城市普遍建立起由官方或民间开办的灭火队，构成城市消防体系，实行商业化的经营方式。

城镇陋俗典水面

典水面并非字面上理解的是一种饮食，而是浙江古代的一种典妻风俗，是变相的买卖婚姻，尤以台州地区为盛。比如浙江仙居、临海一带城镇，典水面曾是既正当而又极普通的事。

典妻之俗始于宋代，至元代时，此风颇盛，官方曾下令禁止，但并未能禁绝。明、清仍相沿此习，不受法律约束。新中国成立后，典妻婚基本销声匿迹。但是近年来，相似的情形已有抬头迹象，地下婚姻死灰复燃。重提典水面，颇有当代意义。

“典水面”是仙居话，意思就是“租妻”，也叫“租肚子”等。典与租在时间上还有短长的差异。民国《定海县志》记载：

> 男子妻亡无力续娶，或妻久不育，常在外别谋一妻，订立契约，限以岁月。时期久者，谓之“典妻”；暂借，谓之“租妻”。期至各离，所生子女则归男子。其见典、租之妇，大抵为孀，亦有因家贫虽夫存而出典、租者。

“不孝有三，无后为大”是中国传统的伦理思想，故若人到中年仍无子嗣，其惶惧心理是可想而知的。本来，娶妾与领养子是最普通的补救方法，但娶妾有一个最大的缺点，就是妻妾间难免因彼此利益的冲突而起纠纷，结果搞得家中鸡犬不宁。领养子又因无血统渊源，有被族人视为“非我族类”之虞，尤其是清明时涉及祭祖、管理祖业等问题时，领养子易受族人的排挤与侮辱。故此二者均非上策。在这种情况下“典水面”就应运而生了。因为“典水面”的女人住在她原来的家里，由受典者移樽就教的，其与正妻间之冲突即可避免；而所生孩子之地位更非养子可比，因确是自家血统，族人无以歧视。“典水面”成为一种相当普遍的辅助性的婚姻制度。

被典租的女方以小寡妇为最多，她们对亡夫忠心耿耿矢志要把子女抚养长大，使亡夫的宗姓承继有人，所以不愿抛弃子女而再嫁；而“招老二”，又恐日后与伯叔子侄等人发生冲突。但是家贫子幼，且孀妇又正值青春或徐娘半老，岁月悠悠，长此守寡也确非易事，所以“典水面”就成为最理想的出路了。还有些是因丈夫精神上或身体上有问题，不能克尽其夫道或无法养家糊口而“典水面”的。

因纯金钱原因而“典水面”的也有。黄花闺女是绝不可能“典水面”的。“典水面”没有仪式，不用请客，但须有媒人及聘金，聘金大多是送些首饰、做几套衣服。最重要的是那张“典水面”契，写的时候诸关系人均须在场，字斟句酌，非常认真，里面须载明租期年限、起讫年月日、所生子女分配办法、每年男女应付赡养费数目等项；其次尚须附带说明伯叔兄弟子侄不得干涉及年限届满后男女双方各奔前程、互不相涉等语。然后，男女双方及媒妁等人盖章画押，契由男方收执。一切手续完备后，自契约生效之日起，男方即可堂而皇之地去做入幕之宾了。女的若仍有丈夫或已有情人的，此时则只好暂时“让贤”回避，不得有所妨碍。邻居们则对新邻居欢迎如仪，视为理所当然。实际上因各种原因，男的大多只在农忙后或过年过节时去一去，每次最多只住上个把月，有的甚至只在第一年里去过几次，以

《为奴隶的母亲》初版书影

后就懒得再去，只坐在家里等生孩子的消息了。

租期大多是5至11年。所生孩子的分配办法有男归父、女归母或统归父等方式。一般以男归父、女归母为多，小孩多在3周岁后离开生母而到父家去。每年的赡养费则视女方的年龄、容貌、生育纪录诸因素而定，大致上是每年几箩谷子及几套衣服，至于其他的赠送，则要看以后双方的感情及生育的情形了。

宁波的典妻，一般情况下典租双方有媒证，须订契约，载明典租期、典租价，一至两年为租，三至五年为典。典租价以妇女年龄、典租期限而定，但此女必须具有生育能力。典妻的原因多种多样，或因久病负债累累，或因家贫度日艰难，或因欠下赌债无力偿还。受典者也是情况各异，有因妻子久未生育的，有独身穷汉无力结婚而为求子嗣者。典妻进门，以薄酒谢媒，不举行仪式，所育之子归典方，继承权须宴请亲族长老获其认可方为有效。典妻期满回原夫家。

台州人柔石写有一部短篇小说《为奴隶的母亲》，于民国十九年（1930）3月1日发表在《萌芽》第1卷第3期上。小说曾被改编成黄梅戏，2003年又被改编成电影。小说详尽地描写了“典妻”现象，着力刻画了一个被压迫、被摧残、被蹂躏的贫苦妇女——春宝娘的形象。因生活所迫，她不得不忍痛撇下 5 岁的儿子春宝，被丈夫典至秀才家成为生儿子的工具。当典主的目的达到之后，她又被迫与另一个儿子秋宝生离死别。她拖着黄瘦疲惫的身体，带着痴呆麻木的神情，离开秀才家。回到自己那间破屋的时候，她已经奄奄一息，而分离了 3 年的儿子春宝又陌生得不认识她了。小说取材于作者家乡俗事，采用白描的写作手法，将这一陋俗刻画得相当详细，是左翼文学中重要的作品。温州左翼戏剧家董每戡也以此为内容写过剧本《典妻》。

阅读链接：

柔石：《为奴隶的母亲》，人民美术出版社，1983 年版。

叶丽娅：《典妻史》，广西民族出版社，2000 年版。

陈华文：《浙江民俗史》，杭州出版社，2008 年版。

城镇自治：城市现代化的重要表征

近代以后，中国工商阶层和一些士绅尝到了资本主义的甜头，产生了强烈的参政议政意愿，希望借此发展资本主义。他们的诉求是要在区域内运用民主手段实行民选，产生议政机关，催生地方政府工作报告，实行地方公务事务的自主管理。浙江的自治运动始于辛亥革命时期各省谘议局之开设，终于北伐军占领杭州。清政府在光绪三十四年（1908）颁布《城镇乡自治章程》,规定城镇自治以学务、卫生、道路、农工商务、公共营业等领域为主。城市自治机构的决议机关为议事会，或称议会。议会由选民直接选举生成，任期两年。议事会设议长和副议长各一人，由议员互选。执行机构是董事会，设总董一人，董事两至三人，任期两年。总董由议事会选举候选人，由地方政府呈请所在省行政长官删选，主持董事会一切事务。董事由议事会选举,经地方官员核准,职责是辅助总董,分领各部门事务。早在光绪三十年（1904）,湖州士绅沈谱琴即发起成立地方议公所，并选举产生了议员和议长。也就是说，浙江的地方自治在清廷颁布章程之前就已经开始了。

地方自治讲的是城镇官绅合治。所谓的官，是指地方官府和官吏；绅，则有别于前朝，晚清的绅不仅有地主、解职官员和士，还包括商人和吸收了西学的知识分子。地方官员与地方绅士合治之后，城镇原有的政治格局发生了改变，中央集权下的城市开始松动，取得了一定的独立性，也有了许多自治权力，现代城市制度的萌芽出现。得以分享权力之后的士绅，热衷乡梓，把加强本地市政建设视为头等大事。

湖州湖城东街承天寺巷的沈谱琴旧居

这里曾是沈谱琴创办吴兴女学堂的私宅之一，汤国梨曾任校长，著名书法家沈尹默也曾居于此处。

特别是具有经济实力的民族资本家，从实业、市政、教育、慈善等多个方面入手，将浙江城市大力推入近现代化。

清末的地方自治，实际上就是城镇自治，其活动范畴在城镇内，自治内容也是有关城镇的各类事务，关注点亦落在城镇的发展与建设上。地方自治直接推动了城市的近现代化，具有高度的商业化特征。

城镇自治使得城市工商业大为繁荣，一时间，绅士经商办实业的积极性高涨。甲午以后，清政府陷入财务与政治的双重危机，无力顾及地方城市工商业，城镇自治正好解决了这个问题。

地方自治不仅体现了政治上的民主开放，更是对民间资本的肯定与鼓励。股份公司在此期间出现，表明各个工商业者在自主经营的愿望下，实现了自由联合。在这种新兴的经营方式下，不必再官督商办，也不必官商合办，而可以双向选择，自择伙伴共同投资，选择自己适合的行业，基本不受政府干涉。这使得商人们投资意愿增强，集合了各项小股资金干大事，成就近代城市工业。

中国古代城市，多因权力集聚而生；而现代城市，则多因经济聚合。城镇自治促进了工商业繁荣，股份公司的出现更是聚敛资本成就了大工业大商业，令城市的主要功能进一步向经济功能转变，而这，正是城市现代化的表征之一。

智言慧思

京师漕粟多出东南，江浙居于大半。

——(南宋)卫泾《后乐集》卷十三《论围田札子》

东南之利，舶商居其一。

——《宋史·食货志》

阅读链接：

《地方自治汇表》，《东方杂志》，光绪三十三年(第10期)。

张朋园：《立宪派的阶级背景》，《辛亥革命与近代中国》，中华书局，1994年版。

［美］帕克、伯吉斯、麦肯齐：《城市社会学》，华夏出版社，1987年版。

产业工人：引领城市的全新力量

随着城市现代化进程的加快，城市的阶层结构也在发生变化。劳工，即工人阶级，尤其是产业工人，成为城市中一大主体阶层。产业工人对于古老中国是新鲜事物，鸦片战争后才出现，主要分布在广东和浙江。这全新力量的形成和壮大，在引领城市发展方向上起着越来越重要的作用。

城市产业工人来自市民阶层的很少，大部分是失地农民、破产的小手工业者以及城市贫民。城市的快速扩张，不断吸收周边生活无以为继的农民。他们主要出卖劳力，专业技术能力偏低，报酬极低，朝不保夕。这个新的社会群体互相之间竞争激烈。

工人阶级与市民阶层有着本质的区别，它不仅是中国资本主义发展的产物，更由殖民主义而来，是伴随着帝国主义直接在中国开办企业的过程而产生的。清光绪十七年（1891）印行的《浙志便览》一书总序中就说到：道光二十四年（1844），“宁波自通商后，民之服役夷人者以万计”。可见，在外国所办的船坞、工厂、航运等企业中，产生了浙江第一批工人阶级；随后开始的洋务运动及民族资本主义工厂的出现与发展，浙江工人阶级的人数更加膨胀。

劳工阶层往往极端贫穷，入不敷出，为了争取基本的生存条件，他们不断展开多种形式的斗争。马克思描述德国无产阶级的原话几乎可以照搬到中国："无产阶级只是通过兴起的工业运动才开始形成，因为组成无产阶级的不是自然形成的而是人工制造的贫民，不是在社会的重担下机械地压出来的而是由于社会的急剧解体，特别是由于中间等级的解体而产生的群众，虽然不言而喻，自然形成的贫民和基督教日耳曼的农奴也正在逐渐跨入无产阶级的行列。"其相似性使得劳工阶层天然成为城市革命的依靠力量。

作为城市无产阶级主体部分的工人阶级，其斗争形式完全适合国际共产主义革命的常规动作。列宁将马克思学说与现代工人运动有效结合起来，他认为马、恩"教会了工人阶级的自我认识和自我意识"。事实上，真正教会城市无产阶级这些的，正是俄国以城市为主体的革命。

中国的情形与俄国非常相似。劳工阶层在城市发展与社会进步中所具有的力量，主要展现在工人运动中。从政治上来说，劳工阶层既是革命的主体，也被革命启蒙。从文化上而言，劳工既被知识阶层景仰，也是知识传播的对象。从经济上而言，劳工筑就了经济金字塔的底部，同时也是极大的不稳定因素。中国的劳工阶层在1949年以前，一直处于多种形式的工人运动的斗争状态之中。可以说，劳工阶层的存在与力量表现，在很大程度上决定了城市的经济运行、政治形态以及文化走向。

民国十年至十六年（1921—1927），杭州、宁波、温州等地先后发生数十起工人罢工活动，还组建了多种工人组织。20世纪20年代以后，各种现代工会组织更是大量兴起，一类是行业性工会组织，另一类是地区性跨行业工会组织。20世纪30年代以后，浙江的工人运动进入一个新的发展阶段。南京国民政府成立后，认识到工人运动不仅是经济行为，更与社会主义革命之间存在着密不可分的关系，对工

人运动实行严密控制和严厉镇压，强行查封和解散各地自发组织的工会，尤其是由中国共产党和国民党左派领导的工人组织，代之以由当局组织和控制的工会。同时，由于受世界经济危机的冲击，浙江城市工商业走向衰落和萧条，大批工人失业或半失业，生活陷入绝境。因此，此期浙江的城市工人运动主要集中于两个方面：一方面反抗和抵制国民党政府对工会组织的控制，另一方面展开改善生活条件的斗争，斗争形式包括罢工、抗议、静坐、绝食、集会、暴动、游行、发通告等等。

显然，这一新兴城市阶层所显示的力量是惊人的，无法被忽视的，他们成为社会转型的推动力量，而不是沉默的大多数。历史发展到现在，科技革命之后的城市劳工阶层，其阶层构成已经发生重大改变，中产阶级化趋势明显，但是，他们对于城市经济所产生的影响，一样难以忽视。

阅读链接：

《浙江省工会志》，中华书局，1997年版。

浙江省总工会编：《浙江工人运动史》，浙江人民出版社，1988年版。

《杭州市工人生活状况》，《浙江建设月刊》，1930年第4卷第4期。

商贸繁盛

历史上，浙江商业贸易兴旺，是『海上丝绸之路』的起点之一。繁盛的商贸活动，是古代浙江经济繁荣的重要象征，也是中国古代经济重心南移的直接结果。

引 言

在浙江漫长的文明进程中，沉淀着丰富多彩的商业元素。历史上，浙江商业贸易兴旺，是“海上丝绸之路”的起点之一。繁盛的商贸活动，是古代浙江经济繁荣的重要象征，也是中国古代经济重心南移的直接结果。

历史上的浙江，孕育了富有传奇色彩的浙商。唐代以后，中国经济重心开始逐渐南移，江浙一带成为中国经济较为发达的地区之一，是我国明清时期早期工业化的起源地之一。鸦片战争以后，浙江商人成为中国民族工商业的中坚，为中国工商业的近代化起了巨大的推动作用。浙商的历史崛起，是浙江活力的重要体现，是浙江文化的重要传承。从范蠡到唐代明州商团，从龙游丝商李汝衡到杭剪名商张小泉，从胡雪岩到虞洽卿，浙商们走过了坎坷的路程，谱写了传奇的篇章，铸就了不凡的事业，成就了丰富的人生。

浙江还孕育了历史上颇具实力的开拓型商人群体。这些商人群体在商帮史上留下了浓墨重彩的一页。他们秉承吴越大地的英气，在历史转型的关键时期，接受了经世致用的浙东学派学说，志在天涯，无远弗届。他们打破了浙江的资源瓶颈，利

用既有的交通物资，谱写了浙江发展史上的璀璨和绚丽。从“遍地龙游”到“无宁不市”，从“湖丝遍天下”到“四海为家”，龙游商帮、宁波商帮、湖州商帮、温州侨商等，创造了近现代浙江辉煌的历史。

浙江具有悠久的历史文化，历史变迁中各种元素、层次在内容和结构上出现碰撞、解构、融合而形成了富有生命力的革新动力。这种革新动力，催生了浙江历史上丰富多彩的经济思想。政治家、士人、富商巨贾、企业家都从不同的角度、不同的立场，提出了自己的经济思想和主张。有的一脉相连，传承着历史发展的脉络。比如从范蠡的“农末兼营”，到叶适的“本末并举”，再到王守仁“士农工商”的“异业而同道”论和明代中后期盛行的恤商、护商、厚商说，从单纯为商业正名，发展到对“四民观”的重新调整。这不仅是商业、商人与社会经济不对称矛盾的突出体现，也是渐进式推动“士农工商”四民观发生深刻变化的理论武器。有的因势利导，挖掘出历史瞬间的光彩。比如范仲淹的荒政之说，难能可贵地依托浙江的历史传统，探索出赈灾的新方式和新途径。“浙东二蛰”的维新思想主张，根植于宁波地区丰富的商业文化和创新环境，在浙江近代的维新变革中树立了旗帜。

在下面的篇幅里，我们描写了历史上著名的浙江籍商人、寓居浙江并在浙江留下足迹的非浙江籍商人的成长历程、坎坷心路、突出事迹、精神风范，描述了浙江籍士人、企业家的经济思想和主张，描述了浙江历史上商贸发展历程中的重要事件和时刻，描述了浙江历史上某个阶段、某个区域的商业风貌。梳理、研究历史，是为了更好地以史为鉴，推动社会发展。我们注重以史实为准绳，紧密结合当前经济社会发展中所面临的诸如品牌之争、转型升级、企业经营困境、民间资本等问题，加以分析记述，以求为今天的现实决策提供历史借鉴。

范蠡的经济思想和商业实践

范蠡像

范蠡，字少伯，生卒年不详，春秋时期楚国宛（今河南南阳）人。著名的政治家、军事家、商人。早年因不满当时楚国政治黑暗、非贵族不得入仕而投奔越国，辅佐越王勾践20余年，苦身戮力，灭了吴国，助越王勾践成就了霸业。之后，他急流勇退，带领儿子和门徒北上齐国，化名鸱夷子皮，在海边结庐而居，垦荒耕作，兼营副业及经商。后经商成巨富，自号陶朱公。其后半生在经济和商业领域功绩卓著，特别是丰富的实践活动、精辟的理论学说，更为后世所津津乐道。后人称他为“商圣”。

范蠡主张“农末兼营”，大力发展农业生产，动员越国百姓开辟田野，以实现“府仓实”和“民众殷”。他主张开展多元化的经营。在他和计然、文种的苦心经营下，越国农业、手工业得到迅猛发展，养殖、畜牧、纺织、冶炼、造船、采伐等行业都逐渐具备了相当的规模。但当时，在“士、农、工、商”

的等级秩序下，商业被视为“末业”，范蠡主张为“末”正名。在越国执政期间，他倡导农业与商业相辅相成，农末俱兴。在他退隐之后，仍努力以自己的亲身实践为商贸经营活动正名，他身体力行地向世人表明：资本是兴业之本，经商是财富之道。

范蠡从振兴国家的角度，提出了农业经济循环论。他认为农业收成状况具有典型的周期性，“六岁穰”“六岁旱”的自然规律不仅影响到农产品价格，关系到国计民生，更会导致整个经济社会的不稳定。鉴于此，范蠡认为，在农业经济占据主导地位的社会环境下，由于农业的周期循环，因此必须深谙通变之术，即“让货等人”“待乏贸易”，也就是等待货物缺乏的时候调节物资。“夏则资皮，冬则资絺，旱则资舟，水则资车。”(《国语·越语》)所以，范蠡建议商人应讲究节令、超前预测、把握商机、适应市场。

范蠡倡导“积著之理”，即采取储存货物的方式猎取高额的利润。“务完物，无息币……论其有余不足，则知贵贱。贵上极则反贱，贱下极则反贵。贵出如粪土，贱取如珠玉。财币欲其行如流水。”(西汉司马迁《史记·货殖列传》)范蠡强调要做好物资保存工作，加快资金的流转和存货的折现。根据存货预测商品价格，当商品价格在高位时，应如粪土一样将存货抛出，当商品价格徘徊于低位时，应如金银珠玉一样大肆收购，择机再售。这种控制物流、加快资金流转的经营之道，被后世商家奉为圭臬。

范蠡强调“平粜齐物”。范蠡认为，政府应该对物价有所管制，引导合理的物价波动，使物价的波动能“农商俱利”。那么，如何才能做到这一点？丰收年国家把粮食收购储藏，在歉收年缺粮时国家再把粮食平价粜出，这样方能起到平定粮价和其他物价的作用。他已然认识到市场价格对商品流通的重要作用，也认识到不适当的价格会影响流通，从而影响生产。因此，要通过国家的力量，完善价格管制、整顿市场秩序。

范蠡早年从政率军，后来经商致富。他晚年经商的履历，很大程度上是对早年从政时的经济主张的再认识和再实践。他的经济思想和主张，既有从政治家治国的角度，为国政方针的制定提供政策思路，也有从一个商人经商致富的角度，为后世商人的商业之路提供行为范式；既有宏观的战略眼光，也有微观的参考价值，更有切实可操作的实践性。浙商鼻祖之称，也因之成名。

智言慧思

贾挟资以出，守为恒业，即秦晋滇蜀，万里视若比舍，谚曰遍地龙游。

——（明）万历《龙游县志》

阅读链接：

《国语》，凤凰出版社，2009 年版。

（西汉）司马迁：《史记》，北京出版社，2006 年版。

雷蕾：《千秋商祖范蠡全传》，华中科技大学出版社，2010 年版。

京杭运河和古代杭州商贸的发展

京杭大运河是世界上最长的一条人工运河，是我国重要的南北水上干线。它贯通南北，北起北京，南至杭州，经过北京、天津、河北、山东、江苏、浙江六省市，沟通了海河、黄河、淮河、长江、钱塘江五大水系。它对古代浙江与北方的经济、文化发展与交流，特别是对浙江境内运河沿线地区工农业经济的发展和城镇的兴起，均起了重要的作用。运河最南端的杭州，古代商贸繁荣发展，即得益于此。

隋朝大业年间，运河的开辟，打通了从陕西宝鸡水运至杭州的航路。《元和郡县志》卷五中记载："自扬、益、湘南至交、广、闽中等州，公家运漕。私行商旅，舳舻相继。"该航路的开辟，推动了浙江商贸格局的变迁。长期以来，杭州就是利用运河便利的交通，开展与外界的商贸往来。通过京杭运河航线，浙江西端经由洛阳连接丝绸之路，东端利用运河延伸段杭甬运河将商路延伸至明州通向大海。作为衔接点的杭州，在海陆两条并驾齐驱的对外商路中，扮演了重要角色。

到唐朝后期和北宋时期，运河已成为中国南北最为重要的交通通道，极大地促进了杭州经济社会和海内外贸易的发展。首先是夜市的兴起。据《隋书·地理志》记载，隋代的杭州已是"珍异所聚，故商贾并辏"。唐代后期，依托运河而发展起来的商业已经突破了城市"夜禁"制度，杜荀鹤《送友人游吴越》中的"夜市桥边火"依稀刻画了当时河边夜市的场景。其次表现在商贸的繁盛。从白居易《东楼南望八韵》中描述的"鱼盐聚为市，烟火起成村"可以看出，当时日常生活所需要的粮食、丝绸、陶瓷、纸张、鱼肉瓜果，都成为商业交易的对象。运河和其他各种交通路径，加速了杭州成为区域物资集聚中心的步伐。其三，在加大浙江内部商贸往来的同时，也吸引了大量海外的商贾。如唐代中期，浙江境内存在着两条重大的商路。一是海外商贾可在明州登陆，沿着浙东运河到达杭州。宋人姚宽在《西溪丛语》卷上曾说宋以前航海而来的商贾“畏避沙墠，不由大江，惟泛余姚小江易舟而浮运河，达于杭越”。另外，海外商贾也可从澉浦登陆，经过江南运河进入杭州。当然，当时集聚杭州的外商，也有经过陆路再辗转进入运河的，杜甫《解闷十二首》描述的“商胡别离下扬州，忆上西陵故驿楼”，即反映了商贾经由扬州沿着运河东下的场景。商贸的发展，直接带动政府商税的收入。杜牧在《上宰相求杭州启》中说，唐元和年间，杭州每年税钱达到50万缗，竟占了全国商税的1/24。

南宋时期，长江以南由镇江到杭州的江南运河已成为维系首都生存的重要生命线。南宋政府赖以维生的诸路上供的财赋，大多数经过这条水路运抵都城临安。江南运河作为临安与长江连通的交通要道，承载了繁重的交通运输任务。《宋会要辑稿·方域》中记载，“自临安至井口，千里而远，舟船之轻徙，邮递之络绎，漕运之转输，军期之传送，未有不由此途者去也”。陆游曾游历常州运河奔牛闸，作《常州奔牛闸记》，其中就提到当时四方税赋、客商往来都经由此地，这客观反映了当时运河的特殊使命。

元代，京杭运河正式完成。尽管元代开通海运，但是每年

几百万石的漕粮、东南的贡赋和官吏商民每年不下亿万件的消费品都要过江南运河，入长江渡淮河，经会通河北运。海外运来的商品过境之后也须经运河到燕京，如明州入境商品，过杭州，经运河北上到达京畿地区。明代，依托运河交通，杭州商业呈现出一派繁荣景象。万历《钱塘县志》形容杭州为“水陆之要冲，盖中外之走集，而百货所辏会”。杭州出产的丝绸等产品经过运河运输分散到全国各地，而四川、湖广等地的粮食等商品又经过运河源源不断地输入杭州。由于京杭运河是南北经济的大动脉，政府在沿线设立七大税关，其中北新关就处于今拱墅区大关，设立于明宣德四年（1429），目的在于收取京杭大运河上的船料钞，后兼收商税。这就是罗马尼亚人尼古拉·斯帕塔鲁·米列斯库《中国漫记》中所描述的杭州两大“海关”之一。

杭州大运河

清代，围绕着城内运河的开发，杭州商业主要集中在东河两岸、中河两岸以及小河之东清河坊一带，城内运河边商铺，流传至今的多为百年老店，享有盛誉。如胡雪岩阜康钱庄、王润兴饭店、朱养心膏药店。而城外运河商业，以塘栖镇繁盛的商贸活动闻名于世。塘栖镇还曾经云集了一大批徽商、甬商、杭商、绍商。

阅读链接：

范金民：《明清江南商业的发展》，南京大学出版社，1998年版。
[罗马尼亚]尼古拉·斯帕塔鲁·米列斯库：《中国漫记》，中华书局，1989年版。
孙忠焕主编：《杭州运河史》，中国社会科学出版社，2011年版。
张环宙：《河兮，斯水：基于杭州案例群的大运河遗产价值分析与旅游规划研究》，中华书局，2010年版。

浙江历史上的盐业经济

浙江地处东南沿海，拥有漫长的海岸线和大片滩涂，优越的地理环境非常适合海盐的生产。特别是许多沿海地区，自然资源丰富，岛屿林立，港湾众多，且多能躲避风浪，日照时间充裕，海水煮盐具备天然的优势。再加上浙江气候温暖湿润，利于植物生长，能保证煎盐所需的大批柴草。

浙江自古以来就是中国的产盐大省，盐业也成为浙江沿海许多地区改善民生的重要产业。秦朝时，浙江制盐业已具有一定的规模。从三国时期开始，中国经济重心逐渐南移，浙江的盐业经济也随之发展。宋元时期，浙盐的年产量一般约占全国年总产量的四分之一。明清时期，盐业成为浙江沿海许多地区的支柱产业，明代胡宗宪称舟山有“五谷之饶，鱼盐之利，可以食数万家”（清嵇曾筠等修纂《浙江通志》），嘉靖《宁波府志》记载当时宁波“民多刚劲而质直，利鱼盐，务稼穑”，由此可见当时鱼盐对当地居民的重要性。

历代政府都非常重视对盐业的管理。秦朝时期，政府专门在浙江产盐的郡县设置了海盐县。西汉初年，盐的生产和流通都比较自由。但是到了西汉中后期，为增加政府的财政收入，缓解财政困难，政府开始强化盐铁专卖。《汉书·地理志》记载，西汉中后期和王莽时全国设置盐官的郡县有36处，其中就有会稽郡海盐县。三国孙吴统治时期，社会经济有较大发展，煮盐业是孙吴政权重要的经济来源。为加强对盐业的控制，孙吴又设司盐校尉和司盐都尉等专门管理盐业的官吏。东晋时期，虽然允许私人经营盐业，但在重要的盐产地，朝廷仍设盐官管理，如在钱塘县就设有司盐都尉。唐代刘晏盐政改革时，曾在全国主要产盐区设立了10所盐监，管理盐场生产和食盐收购。10监中属于浙江的有临平、兰亭（今绍兴）、永嘉（监所设在苏州）、嘉兴、新亭（今台州）、富都（今定海）6监，监下设场，如兰亭监下辖有会稽东场、会稽西场、余姚场、怀远场和地心场。此外，刘晏又在涟水、湖州、越州、杭州设四大转运场，负责食盐的收贮、中转和分销。

在生产方式上，越国时期的盐业生产方式还仅仅停留在煮海为盐的水平，即直接将海水煎熬成盐。经过秦汉两朝生产工艺的改进，到东晋时期，制盐技术从直接取海水煮盐发展为先制卤后煮盐。晋代文学家郭璞在《盐池赋·序》中称："吴郡沿海之滨，有盐田，相望皆赤卤。"可见当时的吴郡，已经采用先制卤后煮盐的盐业生产工艺，并且已经具备了一定的生产规模。唐代海盐生产技术已达较高水平，淋卤制盐法的基本环节已比较完备。顾况《释祀篇》中记载文宗大和甲寅年（834），"永嘉大水，损盐田"，说明当时永嘉已开始利用盐田制卤。

浙江盐业经济的发展历程，在整个浙江人文地理中留下了深刻的烙印。据载，越王勾践卧薪尝胆立志灭吴时，曾采取了一系列增强国力的改革措施。如设立盐官管理盐业："朱余者，越盐官也，越人谓盐曰'余'。去县三十五里。"（《越绝书》卷八）正因为越语"余"即汉语"盐"，故而陈桥驿先生指出"余"字"常常出现在于越的地名中"，除了朱余（即今绍兴县齐贤镇朱储村）

古代煎煮海盐

外，“还有余姚、余杭、余暨等等”，“这些古代的沿海聚落，都和朱余一样，和当时的盐业生产有密切关系”（《越绝书》序）。秦统一后，在会稽郡设置海盐县，这主要是因为该地“海滨广斥，盐田相望”，故取名叫海盐。当时海盐县约辖今海盐、平湖、金山县和海宁、松江、奉贤、上海县的一部分，治华亭乡（今江苏金山县境东南），后移治武原乡（今平湖县城并镇东）。尽管后来谭其骧对海盐县的面积和治所都存有疑问，但是现实说明，当时该地区的盐业生产已经颇具规模。

阅读链接：

浙江省盐业志编委会编：《浙江省盐业志》，中华书局，1996年版。

郭正忠：《中国盐业史》（古代编），人民出版社，1997年版。

陈衍德、杨权：《唐代盐政》，三秦出版社，1990年版。

范仲淹的救荒之政

范仲淹像

范仲淹（989—1052），字希文，北宋苏州吴县（今属江苏省）人，北宋中期著名的政治家、思想家和文学家。曾先后在浙江睦州（今建德）、江苏苏州、浙江越州（今绍兴）、浙江杭州等地做地方官。为政期间，他致力于兴修水利、治理水旱灾害，在当地留下了不少善政，深受百姓爱戴。他的一生，努力践行着达则兼济天下、施惠于民的崇高理想。其《四德说》有云："于天为膏雨，于地为百川，于人为兼济，于国为惠民。"

北宋皇祐元年（1049），范仲淹出任杭州知州，在任三年。期间，杭州发生严重的饥荒。范仲淹审时度势，从经济发展规律出发，打破传统的救灾模式，采取了一套有效的赈灾举措，使杭州成为这年全国大饥荒中没有受到灾害严重冲击的地方。

范仲淹的荒政举措是我国救荒史上的一大创举，对后世影响深远，尤其是他的以工代赈的荒政思想，充分利用投资带动就业、利用旅游增加财政收入的举措，为后世发展当地经济、改善民生提供了良好的借鉴，极具指导意义。沈括在《梦溪笔谈》中专门对此作了详尽的描述。

首先，范仲淹充分利用价格杠杆，调整供需关系。在杭州发生灾荒时，采取有力的措施平抑粮价、打击投机米商，缓解饥荒。灾荒发生后，当时杭州的谷价一斗涨到一百二十钱，并且还出现持续上涨的势头。在这种情况下，范仲淹下令将米价增为一斗一百八十钱，并且派人去杭州城内外交通要道张贴告示，详尽说明杭州所面临的困境。在巨额利润的诱惑下，各地粮商趋之若鹜，纷纷运粮入城。由于供给瞬间膨胀，杭州城内的粮食随即供过于求，价格急跌，不久谷价又重新恢复到斗一百廿钱的水平。这种通过价格杠杆调剂余缺的方式，不仅解决了杭州的饥荒问题，也增进了公众对于物价调节方式和作用机理的深刻认识。

其次，范仲淹利用旅游经济的发展和振兴，扩大公众消费，增强政府财力。当时，杭城百姓喜好赛舟，每年节庆之日，湖边市民云集观看赛事，比肩继踵。鉴于此，范仲淹鼓励百姓举行和参与划船比赛，自己则带头在湖上宴饮。从春至夏，当地的百姓几乎天天都扶老携幼在湖边争看赛舟。范仲淹强调，这是“欲以发有余之财以惠贫者”，通过游玩项目调动富余的社会资金，增加政府财政收入，增强政府赈灾的财力。

再次，范仲淹充分认识到灾荒年利用投资带动就业的重要性。由于当地百姓笃信佛教，范仲淹于是召集各佛寺住持，建议他们利用饥岁荒年工人工钱低的有利条件，兴修寺院。在他的鼓励下，各寺庙住持纷纷招募工人，大肆扩建寺院。此外，范仲淹又招募工人兴建官家谷仓及吏卒官舍，每天募集的工人多达1000人。鼓励寺院、官府大兴土木，其用意就是利用投资创造需求，解决一部分人的生计问题。在饥荒之年，许多靠出卖劳力的百姓，即便没有得够及时受到政府的救济，也能够依赖官府和民间创造的工作机会，解决生存问题，不至于最后背井离乡或者饿死荒郊。

范仲淹在杭州“发司农之粟，募民兴利”的办法，后来也被朝廷所采用。完备的救灾措施、灵活的调配方式以及其内部衍生的最原始朴素的经济学原理，都反映了范仲淹对社会经济规律的深刻认识。尽管有人弹劾范仲淹不顾荒年的财政困难大兴土木、不恤民情，但是，事实证明，这种打破传统的赈灾方式，不仅解决了饥荒之年百姓的生计问题、促进了社会的稳定，也对增强政府财力、提高政府赈灾能力、推动当地经济的发展，起到了积极的作用。

阅读链接：

（北宋）沈括：《梦溪笔谈》卷十一，中华书局，1985 年版。

（南宋）吴曾：《能改斋漫录》卷二，中华书局，1985 年版。

李华瑞：《北宋荒政的发展与变化》，《文史哲》，2010 年第 6 期。

南宋临安繁茂的商业世界

随着经济重心的南移和江南经济的发展，早在唐代，杭州的工商业就出现了迅猛发展的势头。进入宋代以后，杭州的经济地位逐渐提高。从北宋中后期开始，杭州所纳税额已经跃居全国第一。作为全国首屈一指的商业城市，杭州的丝绸、造船、酿酒、煮盐、造纸等手工业已经具有一定的基础，都市商业活动发达，日本高僧成寻《参天台五台山记》中形容杭州市町“买卖不可尽言”。南宋时期，临安作为都城，其繁盛程度远胜于北宋的汴梁。在临安，工商业氛围异常浓厚，行业划分空前细微。临安城商贾云集、名品名店迭出。《马可·波罗游纪》记载：“城中有商贾甚众，颇富足，贸易之巨，无人能言其数。”以繁盛的商业活动而著称的临安城被视为“东南第一州”，日本学者斯波义信称之为“中国商业革命、城市革命的颇具代表性的一个范例”。

南宋临安商业的繁茂突出反映在城内林立的店铺。无论是普通市井小巷，还是居民密集的闹市区，形式多样的店铺鳞次栉比，仅南宋御街中段有店名可考的大店就有 120 多家，如官巷口光家羹、受慈宫前熟肉、候潮门顾四笛等。《梦粱录》中记载，当时临安城内“处处各有茶坊、酒肆、面店、果子、彩帛、绒线、香烛、油酱、食米、下饭鱼肉鲞腊等铺。盖经纪市井之家，往往多于店舍”。可见当时临安的店铺，门类齐全，除众多饮食店外，还有珠宝、彩帛、绒线、香烛等十余类店铺。在这种环境下，临安城内买卖昼夜不绝，有些饮食店甚至通宵经营，生意兴隆。此外，多元化的商业中心业已形成，在朝天门、清河坊、羊灞头、官巷口、众安桥，聚集着销售珠玉、花果、海鲜、野味等商品的店铺。商业贸易的繁盛，使临安店铺销售的商品品种丰富，琳琅满目，使人目不暇接。商品涵盖范围广阔，不仅包括民间日用百货，还包括中外珍异宝物、古今奇器精品。葛澧在《钱塘赋》中描述临安市井的商品有来自“上党之石蜜赀布”“剑南之缟纻笺锦”“信都之枣”“固安之栗”“暨浦之三如”“奉化之海错”，种类繁多，数不胜数。此外，富有特色的流动摊点，起到了拾遗补缺的作用，如流动叫卖食品、流动卖花、流动卖日常用品，由于其流动性强、数量庞大，因此直接渗透到城内外的大街小巷，深受市民欢迎。

临安城的商业市场也极其繁荣。据载，当时已经出现了类型多样的市场。这些市场中，不仅包括日市、夜市，而且包括许多适应买卖时令或者节日商品需求而出现的季节市、专业市。如临安城里在官巷的蟋蟀市，设于每年秋天，到天寒方休。还有清明市，《西湖老人繁胜录》里这样描述道：“公子王孙、富室骄民，踏青游赏城西。店舍经营，辐辏湖上，开张赶趁。”在专业市场上，当时已经出现花市、菜市、肉市、书市、珠子市、药市、象牙玳瑁市、丝锦市、枕冠市、故衣市等。如书市，主要集中在橘园亭书房，该处所经销的书籍，除本地出版外，还有许多来自全国各地，包括建阳版本书籍。朱熹就曾自豪地说：“建阳版本书籍，行四方者，无远不至。”（《建阳县学藏书记》）这样的优势，使临安集聚了众多慕名前来购书的海内外商旅。

南宋都城临安一景

在市场交易方面，当时已经出现以行老为首的批发机构，批发商通过团行将同业零售商组织在一起，形成了完整、细密的批发零售市场网络。如鲞团先统一招温、台、四明等地的鲞商，集中于临安城南的浑水闸，然后再分销给城内外100多家鲞铺及叫卖小贩，从而帮助鲞鱼商迅速进入城市的消费市场。

阅读链接：

[日]斯波义信：《宋代江南经济史研究》，江苏人民出版社，2001年版。

徐吉军：《南宋临安工商业》，人民出版社，2009年版。

何忠礼：《南宋史及南宋都城临安研究》，人民出版社，2009年版。

水心先生的“通商惠工”

叶适（1150—1223），字正则，浙江永嘉（今温州）人，世称水心先生，南宋时期著名思想家、文学家、政论家，永嘉学派的代表人物。在经济上，他主张“本末并举”，承认农业生产的重要性，但是他反对政府限制工商业发展的政策。他力赞“通商惠工”，主张应以国家之力扶持商贾。他对传统的“抑末厚本”观予以了批判和否定，反对为崇本而抑末、反对打击富商大贾的主张和做法，主张让工商业者进入统治集团参政议事。他盛赞的“通商惠工”思想，务实、创新，是南宋繁盛商业发展冲击传统意识的缩影。

在叶适看来，要实现“通商惠工”，首先要反对“抑末厚本”。叶适认为，所谓的“抑末厚本”并非自古就有。他指出，《尚书·益稷》中倡导的“懋迁有无化居”，就是鼓励人们通过相互贸易，互通有无，改变各自的生存状态。周朝时的“讥而不征”，稽查而不征税，表明了积极支持商业发展的姿态。春秋时期，各国都重视“通商惠工”，积极以国家之力扶持商贾。这意味着，“通商惠工”在先代曾经起到过积极的作用。直到汉朝，政府才开始实行“抑末”困辱商人。如汉高祖时“贾人不得衣丝乘

叶适墓

车”，汉孝惠帝、高后时，抑商法令虽有所松弛，但仍不准商人及其子弟“仕宦为吏”。到汉武帝时才有“算船告络之令”“盐铁榷酤之入”。也就是说，“抑末厚本”并非自古以来的正论。工商业者，属于四民之列。叶适认为只有“四民交致其用”，即士农工商各尽其用，互相交换，协调发展，才能实现社会经济的发展，因此就不能采取“抑末”的办法。后世政府之所以采取“抑末”之策，实际上是国家夺民间之“末”而自为“末”以取利。“重本抑末”，阻碍了工商业的发展，既不合理，也不公正。

“通商惠工”的前提是，通过“本末并举”提高商人的地位，反对打击商贾的做法。历代王朝一直推行重农抑商政策，不仅仅从经济上对商人进行打击、剥夺，而且还从政治上对商人进行压制，极力贬低商人的社会地位。叶适从反抑商的观点出发，在历史上第一个提出废除歧视商人的政策，要求提高商人的政治和社会地位。他认为四民分业，不但可以使“商之子恒为商”，工商之子也应该与士农子弟一样，能够进入士大夫阶层。胡寄窗对此大加赞赏，认为叶适的主张“把工商业优秀成员也和士人一样，作为统治阶级新陈代谢的补充因素之一……是在消极地批判抑末观点之外，积极地为工商业者争取政治权利”（《中国经济思想史》）。叶适还主张入“资”拜爵，即对出资招民屯垦的富商大贾，国家要按出资多少予以官爵，这是提高商人政治地位的重要措施。

当时，社会上反对富商大贾的主张认为：打击富贾可充实国家财政，而且国家的商品流通过程也不应该被富商大贾所控制。叶适对此作了批判。他从人性好利的观点出发，认为不能因为嫉妒商人而想将商人的利益变成国家的利益。他从社会发展的角度认为，随着社会的发展，国家已不能完全控制整个商品流通过程。在这一背景下，国家试图夺回这一控制权是违背历史发展的潮流的。因此，在商品流通领域，国家要与富商大贾共同分享轻重敛散之权。

与此同时，叶适主张调整政策，营造良好的经商氛围。为了适应社会经济的发展，叶适积极鼓励编余士兵归商。由于当时商品经济的发达，人地关系异常紧张，特别是随着荒地被开垦殆尽，国家没有足够的土地吸纳社会剩余劳动力，秦汉时期政府采取的遣散兵士“解甲归田”“卖剑买牛”、重理农业的做法已经行不通。因此，必须对鼓励政策作出调整。叶适主张使编余兵士归商，特别是给编余的士兵“子本”充当经商的本钱以谋生路。通过营造良好的社会氛围，促进通商，互通有无，发挥商业对社会经济的积极作用。

阅读链接：

（南宋）叶适：《习学记言序目》，浙江古籍出版社，1996年版。

（南宋）叶适：《水心文集》，浙江古籍出版社，1986年版。

周梦江：《叶适与永嘉学派》，浙江古籍出版社，1992年版。

两宋时期浙江的市舶司

市舶司是我国古代在沿海地区设置的用于管理对外贸易等事务的机构，类似于今天的沿海海关。《宋史》中将其功能表述为“掌蕃货海舶征榷贸易之事，以来远人，通远物”。市舶司始于唐，盛于宋，至明末逐渐萎缩，清时因设海关而废。唐朝有市舶使的官名而无市舶司机构名，市舶司的名称最早出现于宋代。它的设置是当时海外贸易不断发展、兴盛的见证，也是唐以后中央政府加强海外贸易管理的重要标志。

宋代是市舶司制度发展、完善的重要时期。在宋代，不仅市舶机构增多，有关制度亦渐见完备。元朝大致沿袭宋制。宋代的市舶司有不同的简称，如“舶司”“市舶”“琛台”“舶台”，辖下有市舶务、市舶场和市舶库等机构。宋朝的海外贸易管理主要由福建路的泉州，广南路的广州，两浙路的杭、明州市舶司，即所谓的“三路舶司”承担。在浙江，随着海上商路的开辟和海上贸易的发展，政府分别在澉浦、江阴军、秀州、杭州、明州、温州等地设市舶司、市舶务和市舶场。

从宋代两浙路市舶司的设置时间上看，杭州市舶司的设置最迟不会晚于北宋端拱二年（989），而明州市舶司则于淳化三年（992）设置。路级市舶司治所先是从杭州转到明州，后迁回杭州，再转至秀州。此外，机构也出现过撤销和合并的过程。如南宋建炎元年（1127）曾将杭州、明州市舶司移交转运司管理。

从设置目标上看，北宋端拱二年（989）在杭州设市舶司时曾强调：“自今商旅出海外蕃国贩易者，须于两浙市舶司陈牒，请官给券以行，违者没入其宝货。”（《宋会要》）这与广州市舶司的职能有些明显的区别。广州市舶司主要致力于管理海外来的船商，带有非常明显的朝贡贸易痕迹，而浙江市舶司的设立主要是为了管理境内船商出海。

这表明宋代浙江发展海外贸易侧重于主动对外开拓、寻求“扬帆越海”的精神。从职能细分上看，市舶司的设立，带有非常明确的经济职能和行政职能。其经济职能包括检阅货物、对舶船运来的诸国货物进行征税、加大政府对浙江贸易物品的专买专卖、强化政府对物品的强制性收购、治理港口和修筑城池。

行政职能则包括监察和荐举地方官员、发放进出贸易的公据。《续资治通鉴长编》记载，元丰二年（1079），“贾人入高丽，货及五千络者，明州籍其名，岁责保给引发船，无引者如盗贩法”。也就是说，如果没有获得政府发放的公据而私自出外贸易，或者有违公据所规定的内容，如物品数量不符、去处改变等，一经发现，政府均会给予相应的处罚。

通过设立专业机构市舶司加强对浙江海外贸易的管理，可以使管理更加细致、有序和专业。但是市舶司的设立，带有一定的主观性。如从设置地点上看，政府总是优先选择贸易比较发达，并且在交通上能够直达京师的地方。如杭州、明州市舶司，两处对外贸易活动频繁，交通条件优越。

杭州位于大运河南端，与北宋京师东京水路相连，水运条

件异常便利。这样的条件说明，宋政府在贸易管理机构的设置上，并不是纯粹为发展某地外贸而设立的。外贸的发达是宋朝设置市舶司的前提，而不是结果。这也意味着，市舶司很大程度上是宋朝政府控制海外贸易、增加中央政府外贸收入的重要手段。与此同时，政府还赋予市舶司垄断的权限。如规定只有市舶司才能经营利润大且稳定的专卖品，后来又规定远洋商船只能在设置市舶司的少数几个港口出入，所有出入这些港口的商船都要接受市舶司的管理，如征收海外贸易税、强制进行进口商品的官市。这种政府对贸易的直接控制，有时候也会出现不利于外贸发展的政策法令，从而使贸易发展受挫。如南宋绍兴年间，市舶司曾执行朝廷关于龙脑、白豆蔻征收 40% 高税率的规定，直到后来海外贸易受到重挫方才重新调整了税率。

阅读链接：

吴振华：《杭州古港史》，人民交通出版社，1989 年版。

李玉昆：《近年中国市舶司制度研究综述》，《中国史研究动态》，1988 年第 1 期。

[日]藤田丰八：《宋代之市舶司与市舶条例》，商务印书馆，1933 年版。

“海上丝绸之路”和浙江海外贸易

海上丝绸之路，是陆上丝绸之路的海洋延伸。由于古代航海技术与造船水平的提高，许多人积极寻求向海上发展，海上丝绸之路便逐渐兴盛。它是古代中国与外国交通贸易和文化交往的海上通道，形成于秦汉时期，发展于三国两晋南北朝时期，繁荣于唐宋时期，转变于明清时期，是已知的最为古老的海上航线。这条航线由于运输货物的不同，又有许多别称，如它还可称为“海上陶瓷之路”“海上香料之路”等。近年来，又有“海上书籍之路”等新的概念出现。商路所涵盖的范围包括日本、朝鲜以及南海诸国、波斯湾沿岸。贸易出口的商品包括丝绸、茶、瓷器、金、银、五金、书籍等，进口的商品包括琉璃、猫眼石、明珠、象牙、香料、琥珀等。

在对外贸易中，丝绸、瓷器、茶叶等商品是主要的外销产品，而这些产品的产区基本上都在东南沿海。如浙江，是丝绸、茶叶等的主产区，在贸易中占据重要的地位。汉唐期间的章安港（今台州椒江境内），是当时海上丝绸之路的主港。随着航海技术的进步，早在三国孙吴时期，就已经初步形成了东海丝绸之路。它根据季风的变化规律和海流的方向，夏季（6—8 月）从

江浙沿海出发，借助风帆和海流移动的力量，航渡出海可远至日本等地。后来南朝、隋唐时期贸易商船的往来，大多利用这条航线。宋代在临安府（今杭州）、庆元府（明州，今宁波）、温州、嘉兴府（秀州）澉浦镇（今属海盐）和上海镇（今上海市区）设立市舶司，对海外贸易进行专门的管理。这些都充分证实了在海上丝绸之路中浙江所占据的地位和体现的作用。

最初通过海上丝绸之路的贸易商品包括丝绸、陶器、漆器、瓷器，后来又有药材、茶叶、工艺品等。以丝绸贸易为例，历史上从杭州、温州、宁波出口的浙江优质丝绸在海外获得了极大的声誉。在北宋时期，浙江出口的织锦精美绝伦，备受海外市场的青睐。到了元代，丝料贸易成了政府对外的主要收入，浙江明州就是当时丝绸品集中出口的港口。尽管明代时已用棉织品作衣料，但丝织品仍然是出口贸易的大宗物品。中央除直属管辖丝棉织造外，还在浙江杭州府、绍兴府、温州府、宁波府、

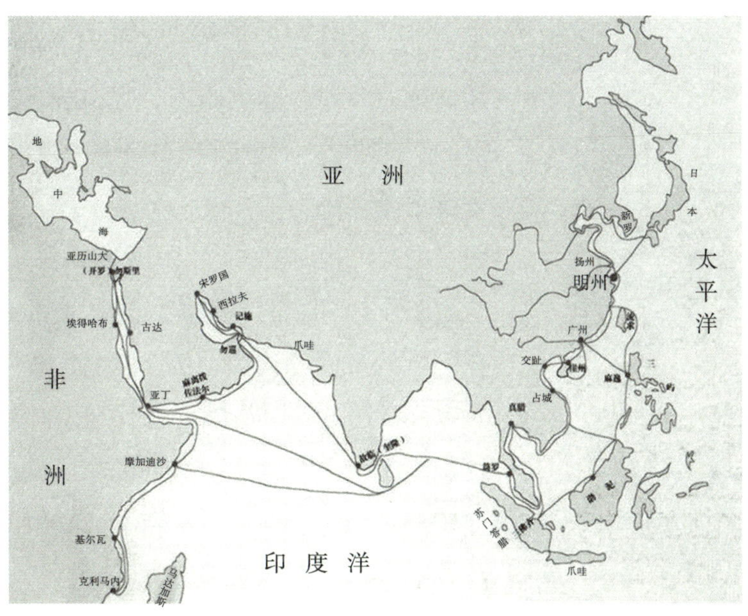

海上丝绸之路

阅读链接：

黄纯艳：《宋代海外贸易》，社会科学文献出版社，2003 年版。

龚缨晏：《20 世纪中国海上丝绸之路研究集萃》，浙江大学出版社，2011 年版。

姚文仪：《古代浙江地区对外贸易述略》，《史林》，1997 年第 2 期。

金华府、湖州府、嘉兴府等处设置织染局。除丝绸贸易之外，陶瓷贸易也是海上丝绸之路的重要角色。浙江越窑所产青瓷，是对外贸易的重要输出物品。1973—1975 年，在宁波义和路古代海运码头出土了大批准备运销国外的精美青瓷，其背后展现了历史上繁盛的陶瓷贸易。根据《宋史·食货志》《宋会要》《诸藩志》等记载，从宋代开始，通过明州港出口的中国商品主要还是以丝制品和陶瓷制品为主，且陶瓷贸易所占的比重后来逐渐提高，成为大宗出口商品之一。之后，铜钱、书籍等商品的出口比重也大大增加。清代，随着新工艺的发展和别具一格的包装设计，除丝绸织品外，黄白两种生丝、木棉、漆器等也由海船纷纷外运，之后矿产品、农产品、水产品、半成品的纺织品、动物肉制品、干鲜果品、文化用品等均成为对外贸易的重要商品。如漆器在制作技术上有了新的发展，当时宁波泥金彩漆、描金漆器，闻名遐迩。又如宁波、温州一带的草席，又称“甬席”“明席”“宁席”，由于编织精良，光滑柔软，经久耐用，颇受海外欢迎。

浙江的海上丝绸之路，反映了历史上浙江繁荣的对外贸易，也反映了唐朝至清朝期间，浙江商品经济的发展日渐显示出其在区域经济中的优势地位。随着海外贸易的不断扩大，几十个国家和地区的商品不断涌入我国，如象牙、樟脑、槟榔、木料等，这加深了我国与世界上其他国家之间的经济文化交流。作为重要门户窗口的浙江，吸纳百川、交融互惠，展现了历史上浙江蓬勃的生机、充沛的活力。

浙江历史上的贸易港口

古代浙江海外贸易源远流长。随着造船和航海业的发展、海上航路的不断开辟，浙江成为海上丝绸之路重要的起点站，在我国海外贸易史上占有重要的地位。作为古代海外贸易重要窗口的对外港口，其发展变化反映了古代浙江海外贸易发展格局的重大变迁。

秦统一后，曾经在宁波地区设置鄞、鄮、句章三县，其中鄮县的建制与当时浙江的海上贸易密切相关。关于鄮城，清雍正《浙江通志》卷四十三《古迹》载："鄮城，鄞县东三十余里为鄮山，古鄮县以此为名。"南宋《乾道四明志》载："鄮山……以海人持货贸易于此，故名。"早期甬江口出现的句章港，据唐张守节《史记正义》载，距鄮县西 100 里，是海上交往活动重要的窗口。汉唐时期，章安古港逐渐崛起。它位于今台州湾椒江入海处，是浙江中南部沿海最早兴起的港城。两晋时期，章安古港甚至成为南方著名的"海疆都会"。

唐宋时期，明州港成为对外贸易的主要港口。唐代的明州，是日本遣唐使主要登陆港口之一。遣唐使的大批来华，对宁波海外贸易的发展影响显著。宋代以后，明州港地位日渐提高。日本的海船往来都集中在明州，中国到日本经商的商人船舶也必须从明州港出发。宋神宗元丰三年（1080）八月，中书省下令"凡中国之贾高丽与日本，诸藩之至中国者，惟庆元得受而遣焉"（南宋《宝庆四明志》），从而确立了明州在与日本、高丽贸易中的地位。除明州之外，北宋时期还新添了杭州港，并分别在两个港口设立市舶司。此外，北宋政府还要求全国出海的商船都必须向设在杭州的两浙市舶司办理手续，充分体现了杭州港在当时的重要地位。杭州和明州的贸易对象除了涵盖日本、朝鲜半岛外，还远涉大食、交趾、占城、渤泥、真腊等国。

从南宋到元朝，是浙江古代海外贸易发展的鼎盛时期。相应的，重要贸易港口开始不断向南发展，港口的数量也开始不断增加。南宋时期，浙江著名的港口包括澉浦港、明州港、温州港。由于南宋定都临安，政府禁止贾舶进入都城临安府，因此，杭州外围的澉浦港顺势发展，承接并逐渐取代了先前杭州港在对外贸易中的功能和地位。温州港是南宋时期新增的对外贸易港口。温州的漆器工艺精美绝伦，在当时闻名全国。龙泉所产青瓷，“胎薄如纸、光润如玉”。这些产品大部分沿着瓯江下游从温州港出口，远销东南亚和欧洲以及非洲中部的东海岸。据称，温州设港后，曾经吸引了全国各地的商舶前来贸易。广州、泉州、杭州、明州等地的商舶不断来温州贸易，温州的商舶亦不断出入东南沿海的各个港口。南宋著名学者陈傅良在《汪守三以诗来次韵酬之》中将其形容为“百粤三吴一苇通”。

元代，浙江海外贸易仍然繁荣，元代也是历朝海外贸易港最多的时期。当时的海外贸易港主要有庆元（即宁波）、澉浦、杭州、温州、乍浦、定海等。庆元港即明州港，繁荣程度在元代一直保持着领先地位。特别是至元三十年（1293），元政府将温州市舶司并入庆元；大德二年（1298）将上海、澉浦市舶司也并入庆元。这样，元代庆元港的功能得到了强化。输出的

古代的明州港

商品不仅有传统的丝绸，还包括大宗的龙泉青瓷。宁波港是明代三大市舶司港口之一，是明朝和日本等国朝贡贸易的主要港口，也是内地与海外进行互市贸易的重要窗口。澉浦港在南宋已成为杭州的外港。到元代，它已然是商贾往来的重要对外贸易港口之一。至元十五年（1278）置市舶提举司。马可·波罗描述澉浦港离杭州“二十五迈耳之远……成有极良的港口，有很多很大的船，从印度及别的地方，装载巨量的宝贵货物来到这港”。杭州港尽管失去了都城的光泽，但是作为重要港口的功能在元代开始不断恢复，意大利旅行家鄂多立克曾盛赞杭州是“最好的通商地”。

阅读链接：

郑绍昌：《宁波港史》，人民交通出版社，1989年版。

周厚才：《温州港史》，人民交通出版社，1990年版。

吴振华：《杭州古港史》，人民交通出版社，1989年版。

王守仁的“士农工商”四民观

王守仁像

王守仁（1472—1529），字伯安，号阳明子，浙江绍兴府余姚县人，世称阳明先生，故又称王阳明，明代最著名的思想家、哲学家、文学家和军事家，也是我国历史上著名的全能大儒。经济上，他突出的成就表现在其“士农工商”四民异业同道之说。它把握了社会发展的规律，顺应时代的潮流，在我国商业和商法史乃至社会思想史上，都掀开了划时代的一页。

“重本抑末”的政策下，在“士农工商”四民排序中，商人始终列于末位，无论是在经济上还是政治上，商人总是处处受到压制和歧视。然而，迨至明代中期，随着商品经济的发展，整个社会风气发生了巨大的变化。以龙游商人、湖庭商人、江右商人等为代表的商人群体开始出现并逐渐壮大，社会结构出现了裂变，社会对商业在改善社会民生方面所起到的积极作用正悄然地予以肯定。富

商巨贾一朝一夕的赢利，对读书人十年寒窗苦读追求功名的传统模式产生了强烈的冲击。2006 年 6 月发现的龙游横山塔铭中描述的“功名显达，买卖遂心”，反映了当时世风的嬗变，儒生的社会意识中已将“功名”与“买卖”同列并重，并以此作为人生理想的追求，不反对经商致富的欲念。一时间，社会上弃儒服贾、舍儒就商、弃农从商者比比皆是。归有光称：“虽士大夫之家，皆以商贾游于四方。”唯士独尊、追求功名等观念开始淡化，传统意义上的“士农工商”四民等级观也在悄然地发生变化。

王守仁敏锐地捕捉到这种思潮的变化，他的“新四民”论主张“儒贾同道”，“士农工商四民异业而同道”。他在《节庵方公墓表》中提出：

> 古者四民异业而同道，其尽心焉，一也。士以修治，农以具养，工以利器，商以通货，各就其资之所近、力之所及者而业焉，以求尽其心。其归要在于有益于生人之道，则一而已。士农以其尽心于修治具养者，而利器通货犹其士与农也。工商以其尽心于利器通货者，而修治具养犹其工与商也。故曰：四民异业而同道。

也就是说每一生民都应该根据自身条件和家庭社会背景，特别是根据个体的素质，如智力、体力、财力、技能来选择自己的职业，同时还可以根据条件的变化随时调整自己的职业。所谓“儒贾同道”，王守仁所讲的“道”主要是强调“有益于生人之道”，也就是说强调只要对社会民生起积极作用，就能“尽其心”。只要尽心，在“道”的面前即完全处于平等地位，人人各司其职，并无人格高下之分。他不仅强调“士农工商”四民平等，也对商人经营的辛苦表示理解和同情，如在《禁止榷商官吏》中说的：“照得商人比诸农夫，固为逐末，然其终岁弃离家室，辛苦道途，以营什一之利，良亦可悯。”从这里可以看到，王守仁适应形势的发展，承认社会发生的巨大变化。在这种情况下，必须重视商业对社会经济的重要作用，同时需要重新评估商人的价值，让拥有财富的商人获得其应有的社会地位。

王守仁的“士农工商，四民异业而同道”观点，对后世产生了深远的影响。特别是他强调“治生亦是讲学中事”，而且学者只要“调停得心体无累，虽终日做买卖，不害其为圣为贤”。这种观点消除了商、儒之间的对立，强调商人亦可“为贤为圣”，这是对西汉以来形成的“重本抑末”传统思想的重大突破。此外，他希望通过“士农工商”四民关系的重新调整，扩大商贾活动的空间，提高商贾的社会地位，使商贾对经济社会的积极作用能够被广泛认识到。王守仁的“四民观”，对明代中后期胡宥等人的恤商、护商说以及黄宗羲等的工商皆本说具有一定的先导作用。

阅读链接：

（明）王阳明：《节庵方公墓表》，《王阳明全集》卷二十五，上海古籍出版社，1992 年版。

（明）王阳明：《传习录》，凤凰出版社，2001 年版。

陈学文：《明中叶以来“士农工商”四民观的演化——明清恤商厚商思潮探析》，《浙江学刊》，2011 年第 3 期。

明代浙江的恤商之政

明朝中后期，随着商品经济的发展、商人商帮的逐渐形成，商人的势力已经不容忽视。然而，由于历史上长期受到重本抑末思想的影响，商人群体仍然受到不同程度的压制。特别是在手工业繁荣的江南地区，这种不对称的矛盾异常尖锐。从王守仁的“四民异业而同道”，到李梦阳的“商与士，异术而同心”，再到张居正的以轻税厚商利农与厚农资商两个范畴来调节生产与流通关系，传统的“士农工商”四民观在明代中后期逐渐发生了深刻的变化。在浙江，特别是晚明至清时期，弃农弃儒从商之风日炽。此时，浙江的许多地方行政长官已经深刻地意识到商业和商人的重要作用，也认识到生产、生活、交换的互相关系，他们从发展经济、安定社会的角度出发，发出了恤商、护商的呼声。

从谭元礼的《苏商碑记》中可以看到，明隆庆、万历年间，德清知县谭元礼就曾经提出苏商政策：“赢粮跃马为猛鸟之鸷发，捐亲戚，去坟墓，涉风波，牵牛车，远服贾，何为哉？其将为某邑日用不足，供亿不给，往而备其不时之需乎，抑锱铢刀锥，唯利是知也。”浙江崇德知县蔡贵易离任时，当地以商人为主的邑民为之送行，树碑建亭纪其恤商之功德。胡宥《崇邑蔡侯去思亭记》中记载：“世日降而民日众，风日开而用日繁，必有无相通，而民用有所资，匪商能坐致乎。”他充分肯定了蔡贵易的恤商之举，“使商悦而愿藏其市，此恤商之道可见矣”。蔡贵易，字尔通，又字道生，福建同安人，进士，明隆庆六年（1572）任崇德县知县。据清光绪《嘉兴府志》《石门县志》记载，蔡贵易在其任上，“于是贾始安于市，而民始苏于乡矣”。“徽人商于崇德者感贵易不扰……诸商归而立四知亭。”

明代中后期浙江的恤商、护商、厚商，实质上是四民平等观的实际反映。随着消费的增长，公众逐渐意识到应转变对商人的歧视和压制观念，恤商重商，发挥商人作用，促进地方经济发展。蔡贵易在崇德期间，减轻商税，积极招揽外地商人来本地经商，为本地商人营造良好的社会氛围，也因此赢得了商人们的尊重。

浙江的恤商、护商、厚商，也从另外一个侧面反映了商人的历史角色，即商人在不同的历史时期发挥着不同的作用。在商品经济发达的明朝中后期，随着人口的增加和消费的扩大，必须充分利用商人以通有无，这是最原始最朴素的以商品流通促进商品生产的经济思想。胡宥《崇邑蔡侯去思亭记》中所强调的“民用有所资”，“匪商能坐致乎”，正是这种思想的集中体现。在商品交换日趋频繁的情况下，商业能满足民用之需。因此，需要充分发挥商贾的中介作用。

浙江的恤商、护商、厚商，对于引导外地商人来浙经商、参与浙江建设起到了积极的推动作用。据悉，蔡贵易在任时期，崇德是浙江嘉兴府的一个平原县，交通便利、物产丰富，再加上良好的经商环境，吸引了不少徽商携巨资涌入。据悉，早在明弘治年间，崇德就有徽商在此经营典当质库。明崇祯《嘉兴县志》卷二十二《艺文志·嘉兴县蒋侯新定均田役法碑记》中

蔡贵易改修的宁波“海曙楼”

就多次提到在崇德境内的新安（徽州）商人。

浙江的恤商、护商、厚商，是明代中后期“四民观”的重大演变，社会大众已经从实际生活中体会到消费能促生产、商品流通能促商品生产的经济原理，恤商、护商、厚商之政，正是“四民观”变化的时代缩影。营造良好的商业环境、开放式地招徕外来商人，推动当地经济的发展和社会的稳定，这种恤商、护商、厚商的理念，至今仍然渗透于浙江的整个商业环境中。

阅读链接：

陈学文：《晚明经济思想史上的一大发展——〈崇邑蔡侯去思亭记〉的评释》，《浙江学刊》，2010 年第 1 期。

黄宗羲的暴税“三害”说

黄宗羲像

黄宗羲(1610—1695),字太冲,浙江余姚人。早年为父鸣冤,庭锥奸党,后从学于著名哲学家刘宗周。其一生跌宕起伏,先是兴兵抗清,兵败后隐居。晚年设馆讲学,著述以终。黄宗羲作为明末清初著名的思想家,与顾炎武、王夫之一并被誉为清初三大儒。其思想深邃、学问广博。

在财税主张上,黄宗羲反对日益苛重的赋税征收,“吾见天下之田赋日增,而后之为民者日困于前”。他看到当时江南税赋的沉重,有些田亩将一年的产量“尽输于官,然且不足”。因此,他提出了著名的暴税“三害”之说,即便在今天,仍具有深远的借鉴意义。

第一,“积累莫返之害”,这被后世称作“黄宗羲定律”。历史上,税制每经过一次改革,都导致赋税的进一步加重。概而言之,当时政府主要通过变换手法的方式,实行重复征税。

在黄宗羲看来，重复征税的主要方式是合并税种，改变税收的名称。这种方式很有可能使人产生错觉，那就是原来的税种没有包括新增加的税赋。通过累计翻滚的方式，最后税收将会高到逼民众陷入困境的地步。因此，他不无感慨地说道："嗟乎！税额之积累至此，民之得有其生也亦无几矣。"（明末清初黄宗羲《明夷待访录》）由于我国传统赋役历来就有"明税轻、暗税重、横征杂派无底洞"的弊病，财政安排上很难量入为出。为了有效克服胡征乱派之弊，减少税收中途流失，明清政府通过"一条鞭""地丁合一"等方式，并税、除费，从而简化税则。但是，事与愿违，这种征收方式为后人新立税种名目创造了条件，特别是后来明政府为确保国家财政收入的稳定，加征辽饷、剿饷、练饷等各种名目的田赋，导致了并税、除费的结果与初衷大相径庭。

第二，"税非所出之害"。截至明代，除漕粮以外，所有的赋税都必须折算成银缴纳，甚至包括谷米。黄宗羲认为，这样的缴税方式无异于"使民岁岁皆凶年"。折合银两缴纳，意味着民众在缴纳税赋的同时，还需要承担由于汇兑带来的经济损失。通过田赋征银，而银并非农业的直接产出，因此纳税者很有可能因折银而遭受损失。他认为这种缴税方式，不仅不合理，也不公平。他呼吁"出百谷者赋百谷"，"出桑麻者赋布帛"（《明夷待访录》）。尽管黄宗羲反对赋税纳银，但是并不忽视货币在社会生产中的作用。他对货币的本质及其职能有深刻的认识。由于当时白银流通的严重不足，造成物价和田价的急剧下跌，不利于社会经济的正常发展。因此，他反对以银纳税，而主张以钱为币，以钱纳税，克服因白银不足引起的商品流通不畅的弊病。

第三，"田土无等第之害"。这是指不分土地的肥瘠程度而只按一个标准征税，造成负担不均。黄宗羲认为，民间田地价格的差别不小于 20 倍，但是问题在于政府却按照一个标准收税。原本贫瘠的土地，休耕数年或许能变为沃土，但是在当前

阅读链接：

（明末清初）黄宗羲：《明夷待访录》，中华书局，1981 年版。

蔡志新：《民国时期浙江经济思想史》，中国社会科学出版社，2009 年版。

沈善洪主编：《黄宗羲全集》，浙江古籍出版社，2005 年版。

政策下，不得不连年耕作，致使土地愈发贫瘠，如此反复，恶性循环，影响的终究是耕者之利。因此，他认为应该按照土地的质量分为上、中、下三等，上等土地以 240 步为 1 亩，中等土地以 480 步为 1 亩，下等土地以 720 步为 1 亩，此外根据土地质量，再酌加 360 步为 1 亩和 600 步为 1 亩两种，共分为五等，这样就可以将参差不齐的各类田地“不齐者从而齐矣”。

明末清初时，中国封建社会的商品经济已经孕育着资本主义的萌芽。在明王朝灭亡后，黄宗羲以“天下为公”的儒家信条为武器，不仅对明王朝，而且对整个传统体制都进行了系统的剖析和深刻的反思。他在批判“一条鞭法”弊端的同时，强调减轻税负、恢复赋税分征、加强土地管理。从某种意义上说，他已经超越了体制，挖掘出了整个社会经济制度的弊端。可以说，他的暴税“三害”之说是古代财税领域重要的批判主义思想。

智言慧思

或问井田可复，既得闻命矣。若夫定税则如何而后可？曰：斯民之苦暴税久矣，有积累莫返之害，有所税非所出之害，有田土无等第之害。

——（明末清初）黄宗羲《明夷待访录·田制三》

朱养心店的400年变迁

朱养心店是浙江著名的中华老字号，历经 400 多年，是我国传统中药发展史的见证。其创始人朱养心，名志七，浙江余姚人，幼年经常入山采药，专治外科。明代万历元年（1573），朱举家来到杭州清河坊旁的大井巷开设药室。因朱养心宅心仁厚，手到病除，不久即远近驰名。万历《杭州府志·方技》记载:朱养心“徙于杭，幼入山，得方书，专门外科，手到疾愈，迄今子孙皆世其业”。

朱养心及其后人在长期的医疗实践中形成了以膏丹为主的外治法特色，并创建了名震江南的朱养心药室，该药室与《本草纲目》同时代问世，声名远播。朱养心药室家传产品以治疗跌打损伤、痈疽疮疡的膏药和防治眼疾的眼药为主体，都是精心选用地道药材炮制而成。其所生产的传统膏药，采用传统工艺操作，按照选料、炸药、下丹、去毒、烊膏、摊涂等十多个步骤进行，著名的产品包括阿魏狗皮膏、万灵五香膏、红膏药、八宝神效眼药等。清人丁立中在其《武林市肆吟》中赞道:“毒去痈疽肉长肤，铜精绿绣炼醍醐。生涯毕竟从心养，认得朱家辟火图。”随着朱养心药室的声名远播，其商标意识也逐渐开始强化，药室各类成药均在药名前冠以“朱氏”二字。晚清时，朱养心药室开始步入鼎盛时期。当时由民间集资在大井巷为朱养心建造大宅一幢，形成了前店后厂的分布格局。据称，当时这一带商人云集，朱养心药室一度门庭若市。

延续了 400 多年的“朱养心”老字号，历经岁月磋跎，百折不挠。现存于大井巷朱养心药室由清人吴恒撰文、金鉴书碑的《杭州朱氏日生堂药室重兴记》，描述了咸丰年间朱养心药室的数度变迁。由于遭受兵祸，朱氏后裔为避战乱，远走绍兴、宁波、上海等地。朱养心第八代孙朱大勋、朱大成在上海开朱养心药室，重整旗鼓继续营业。后朱大勋借贷重修"日生堂"，使朱氏家族得以重返杭州，朱养心药室得以重兴。民国初年，由于朱氏后代房族的日益增多，子孙各房志趣各异，导致药室缺乏专人主管，家业开始转衰。新中国成立前，朱养心药室经营的方式已经从原先的房族共营改为分房轮流执管，各方自行进货、制药，轮流营业，收入归己，这些都导致了朱养心药室的中道衰落。

新中国成立后，这个作坊式的药店历经艰难曲折。在1956年公私合营时，朱养心后人的私股资金已所剩无几，技术资料则因为依靠老员工手抄本而得以保存；1966年，曾更名光明药室；1982年7月正式建立朱养心膏药厂，并在同年兴建了1600平方米的新厂房；1984年，朱养心膏药厂在大井巷原址附近重新开张；1988年6月更名朱养心药厂；1999年10月加盟杭州华东医药集团有限公司；2001年3月，改制为有限责任公司，后更名为杭州朱养心药业有限公司。经过重组，朱养心店从原始作坊式的药店逐步组建成符合现代管理规范的制药企业，具有现代化的生产设备、工艺和检测机器。改革开放后的30年，朱养心店不再囿于传统膏药的生产，而是在总结传统古方、参照民间验方并结合自身研究的基础上，采取了产品多元化、全面化的发展战略，加大对胶囊、颗粒、散剂等产品的研发和投入。

起步于明代的著名店铺，有着400多年历史的老字号朱养心店，其产品至今仍然因为疗效好、选料精而深受好评。关于朱养心店，民间流传最广的当属“泼水墨龙”与“和合二仙”的故事，还有“良药良医世沾幸福，利人利己天赐吉祥”的佳话。其驰名中外的传统膏药制作技艺也被评为浙江省非物质文化遗产。2006年被商务部授予“中华老字号”称号，这让“朱养心”这一中华老字号重新焕发光彩。朱养心店技术秘方的手抄本保存至今，前店后厂的老宅至今仍位于杭州市重点保留与维护的历史街区内。

阅读链接：

唐晓燕：《天下浙商历史卷》，浙江教育出版社，2011年版。

吕洪年：《杭州“老字号”传说的历史价值》，《浙江大学学报》（哲学社会科学版），1992年第2期。

戎彦：《浙江老字号》，浙江大学出版社，2011年版。

明清杭嘉湖地区早期手工业的发展

早期工业化是近代工业化之前特殊的发展阶段。在这个发展阶段，工业发展使工业在经济中所占的地位日益重要，直至超过农业。因此，它又被称作“工业化前的工业化”。李伯重认为，江南早期工业化的地域范围主要在苏州、松江、常州、镇江、江宁、杭州、嘉兴、湖州八府及太仓直隶州。该地区也被称为长江三角洲或太湖流域，总面积约 4.3 万平方千米。这是一个由地理、水文、自然生态以及经济联系等方面形成的整体。杭嘉湖地区处于该整体的南翼，依托太湖水系纵横交错的水路网络与其他的五府一州联系在一起。该区域商品经济发达，作为区域中心城市的杭州，处于运河南端，与上海、南京、苏州一样，不仅是当时的商业城市，也是重要的工业城市。丰富的商业活动、便利的交通，使杭嘉湖地区人口、资源高度集中，对周围城镇产生了极强的辐射示范效应。

以丝织业为例，杭嘉湖地区早在元末明初的时候，就有初期的丝织业手工作坊出现。徐一夔在《织工对》中记载：在钱塘（今杭州）之相安里，“有饶于财者，率居工以织，每夜至二鼓。一唱众和，其声欢然，盖织工也”，“杼机四五具，南北

向列，工十数人”，这表明当时丝织业中以雇用关系为基础的手工生产作坊已经出现。到了明朝中叶，在浙江的丝麻纺织中心地区，手工作坊和手工工场逐渐增多。如明成化年间，浙江杭县人张毅庵，最初“购机一张，织诸色纻帛，备极精工，每下一机，人争鬻之”。在此基础上，他不断寻求生产规模的扩大，“积两旬，复增一机，后增至二十余”（明张瀚《松窗梦语》）。清代，杭州民间丝织业发展处于鼎盛时期，雍正时人厉鹗说：“杭东城，机杼之声比户相闻。”（《东城杂记》）范金民因此估算乾隆年间织机至少达万台以上。在湖州，尽管明代中后期丝织业尚不发达，但是到了清乾隆时也已有织机 4000 余台，织工人数上万。其下辖双林镇，清初镇上有衣庄 70 余所，乾隆时期尚存 40 余所。嘉兴的濮院镇，在明万历年间就已经出现“机杼声轧轧相闻，日出锦帛千计”（陈学文《明清时期江南的一个专业市镇》）；清乾隆时期杨树本形容“他邑之织多散处，濮川之织聚一镇”，“机杼为阖镇恒业”（《濮院琐志》）。据悉，清中叶该镇就有织机上万台，织工达三四万人。濮院镇丝织业不仅规模集中，而且已成为该镇的主导行业，是该镇的“衣食之本”。

与之相应，杭嘉湖地区劳动力市场也出现了深刻的变革。明朝后期，浙江地区已经出现了许多资本实力雄厚的大油坊。如明万历年间嘉兴的石门镇，拥有 20 多家大油坊。全镇油工就有 800 人，平均每个油坊雇工人数约 40 人。在生产规模扩大、生产技术改进的前提下，在浙江杭嘉湖地区还出现了一定规模的自由劳动力市场。如桐乡县濮院镇在乾隆、嘉庆年间，就有“织工拽工，或遇无立。每早各向通衢分立，经工立于左，拽工立于右，来雇者，一见了然”（清杨树本《濮院琐志》）。湖州双林镇上的一家专制绫绢的皂坊，有工人上百。南京的一些手工作坊主和手工工场主也经常到浙江的石门、斜桥等处雇寻织工。杭嘉湖地区乡村工业从业人数的比例，明朝后期为 17%，清朝中叶为 17.4%，而 17 世纪的欧洲，工业从业人数比例仅为 4.76%。城镇工业从业人数比例则略低于 17 世纪欧洲城市工业从业人数比例。城乡劳动力市场的变化，从侧面反映了早期工业化进程中浙江经济结构的深刻变化。

明清时期江南的早期工业化，使杭嘉湖一带一度成为当时世界上最发达的地区之一。尽管这个早期工业化最后没形成自发的近代工业化浪潮，但是它毕竟为后来的近代工业化提供了相当好的基础。到了20世纪30年代，江南地区已是亚洲最发达的地区之一，浙江的湖州丝商也因此闻名海内外。整个20世纪，江南地区一直在中国工业化进程中发挥着引擎作用。直到如今，杭嘉湖地区仍然聚集了浙江省乃至整个长三角地区优质的资本、人力、技术、资源，对浙江经济发展发挥着积极的作用。

阅读链接：

李伯重：《江南的早期工业化（1550—1850）》，社会科学文献出版社，2000年版。
徐新吾：《近代江南丝织工业史》，上海人民出版社，1991年版。
范金民、金文：《江南丝织史研究》，农业出版社，1995年版。

杭剪名商张小泉和他的品牌之争

“张小泉剪刀”，这个形成于清初的著名中华老字号，不仅拥有经久不衰的质量保证，而且有着深厚的文化内涵。张小泉的“杭剪”，曾经与孔凤春的“杭粉”、王星记的“杭扇”、都锦生的“杭锦”、宓大昌的“杭烟”并称名品“五杭”，家喻户晓，声名远播。

张小泉，生卒年不详，原是安徽黄山市黟县人。明末清兵入关，为躲避战乱，随父张思家迁到杭州，在杭州吴山脚下的大井巷开设了“张大隆”剪刀作坊。他们运用“嵌钢”工艺，一改以往用生铁铸造剪刀的常规，并且选用了浙江龙泉和云和之钢，还采用了镇江特产质地很细的泥精心磨制，打出的剪刀不仅光亮照人，而且锋利耐用，与众不同。其制作的剪刀有“信花、山郎、五虎、圆头、长头”五款，靠镶钢均匀、钢铁分明、磨工精细、刃口锋利、销钉牢固、开合和顺、式样精巧、刻花新颖、经久耐用、物美价廉等十大特点称雄制剪业。得益于此，张小泉制

张小泉剪刀

作的剪刀很快便名噪一时，一些裁缝、锡匠、花匠等专业用剪人都慕名前来定制剪刀。由于当时杭州商业发达，而剪刀作坊又位于杭州商业中心，云集了一批“上江客”“浙东客”，所以生意格外兴隆。

张小泉剪刀品牌最早成名于清康熙二年（1663），形成至今300多年来，一路充满了坎坷和波折。其前身是张小泉父亲开创的“张大隆”剪刀作坊。“张大隆”剪刀作坊开张以来，生意兴隆，不少制剪铁匠开始冒“张大隆”之名销售剪刀，一时间市场上充斥着挂牌“张大隆”的剪刀，质量良莠不齐。这种情况，一度对口碑甚佳的“张大隆”剪刀造成了致命的伤害，生意也开始一落千丈。张小泉一气之下，在其父去世后，毅然将“张大隆”的招牌改为“张小泉”，并在剪刀上铭刻其名字，他希望通过这样的方法杜绝假冒，拯救其父子精心打造的品牌。

然而即便如此，似乎也不能完全杜绝假冒者。面对效仿者日众的尴尬情景，张家似乎也没有很好的应对办法。张小泉过世后，他的三个儿子分别继承了其事业，从事制剪业。据说张小泉生前还收过不少徒弟，这些徒弟自立门户后也都挂起这个招牌。此时，张小泉品牌已经在杭州乃至全国影响日甚，以至于江南地区各家打制的剪刀都以“张小泉剪刀”命名。所以到了后来，杭州的剪刀铺挂的都是清一色的“张小泉剪刀店”招牌，最多时曾达86家。杭城内甚至一度出现“青山映碧湖，小泉满街巷”的盛况。为了保护自身的利益，张家在“张小泉”名字下面加上了“近记”两字，以便于客户对产品真伪进行辨别。

但是，这场品牌之争到此依然无法彻底平息。直到清朝中后期，才逐渐出现了些许转机。据悉，乾隆四十六年（1781）乾隆皇帝下江南时，曾经微服光顾过张小泉剪刀店，并对其制作的产品赞誉有加。之后，乾隆帝钦定张小泉剪刀为朝廷贡品，并将御笔钦题“张小泉”三字赐予张小泉剪刀店。光绪年间，钱塘县令束允泰曾当众写下“永禁冒用”，允许张小泉剪刀店将其立碑置于作坊门口。宣统元年（1909），张小泉第八代孙张祖盈，以“海云浴日”商标报农商部注册，商标上还加上“泉近”字样，以示正宗。与之相应，杭城许多剪刀作坊，在招牌上标注“琴记”“井记”，以示区别。

历时数百年的品牌之争，终究无法改变张小泉剪刀在社会上享有的美誉。民国四年（1915），张小泉“近记”剪刀在巴拿马“万国博览会”上获奖。从此，“近记”剪刀不仅在国内畅销到赣、皖、湘、川等省，而且开拓了南洋市场，产品甚至远销欧美地区。此时，张小泉剪刀店平均每月剪刀门市销售量约一万把，销售额近万元。民国六年（1917），张祖盈对加工工艺进行了部分革新，如将剪刀表面加工改为抛光镀镍，深受顾客的好评。民国十五年（1926），他的剪刀获得了美国费城世博会银奖。直到现在，张小泉剪刀仍然以选料讲究、磨工精细、品种丰富、式样精美等特点而名扬海内外。

阅读链接：

唐晓燕：《天下浙商历史卷》，浙江教育出版社，2011 年版。

杭州张小泉集团有限公司编：《张小泉剪刀锻制技艺》，浙江摄影出版社，2009 年版。

王贤辉：《明朝“张小泉”剪刀创始人张思家》，《产权导刊》，2008 年第 8 期。

龙游商帮和浙西南的崛起

龙游商帮是明代浙江著名的商人集团，商帮虽以龙游命名，但并非单指龙游一县商人，而是实指浙江衢州府所辖龙游、常山、西安（今衢县）、开化、江山五县商人。其中龙游商人人数居多，经营手段最为高明，知名于世，故以“龙游商帮”概称之。它发轫于南宋，活跃于明中叶，鼎盛于清乾隆年间。龙游商帮利用衢州地理上的优势和南宋以来江南经济发展的契机，凭借较高的文化素养和勇于开拓的精神，成为闻名遐迩的衢商群体。其所经营的行业，涉及木材、漆、纸、书籍、珠宝。龙游商帮经营的产品和他们的足迹一样，远涉国内外，故人称“无远弗届，遍地龙游”。丝商李汝衡、布商胡筱渔、姜益大棉布店，至今广为传颂。

龙游商帮的兴盛，得益于衢江。衢江发源于仙霞岭大山深处，历经百世风雨，孕育了以衢州为中心的一府五县的政区格局。它如同一条纽带，集合了整个衢州的商界精英。敢于打拼的龙游商人很早就把目光投到了仙霞岭和千里港外的广袤世界，通过衢江，他们搭建了盆地与外界的联系。尽管最初的货物品种单调、数量稀少，但是驶出衢江的商人们发现，一旦接

轨外面的市场，他们供给的货物似乎远远无法满足外界的需求。这种最初的供需矛盾，推动了以衢江水运为主的商路的开辟。这条商路的开辟，保证了贸易的顺利进行，也促进了衢州地区商业的进一步繁盛，一个个新的码头在衢江边出现，至今衢江两岸仍有不少冠以“埠”字的地名，张家埠、罗埠、定埠……它们在当时承担着货物集聚中转、商旅停靠歇宿的功能。龙游的驿前码头和茶圩码头，甚至在东南沿海的交通网络中占据了非常重要的地位。明朝《新刻士商要览·天下水陆行程图》中就载有以此为中转点的由衢州到建宁、由杭州到福州、由处州到衢州的三条通商要道。“四省通衢”“五路总途”的衢江，给衢州带来了奔腾的活力，也提高了龙游商帮的声誉。

衢江孕育的是整个龙游商帮开放的精神。首先，不畏艰难无远弗届。龙游商帮

四省通衢的衢江为龙游商帮孕育之地

商人富有开拓精神，所谓无远而弗届，不畏艰难困苦而志在四方。史载，“龙游之民多向天涯海角，远行商贾”，“万里视若比舍，俗有遍地龙游之谚”。由于龙游商帮商人大多从事长途贩销活动，再加上其不辞辛劳、不怕路途遥远的精神，足迹遍及海内外。据载，明成化年间，就有浙江龙游、江西安福商人三五万人在云南姚安府（今云南楚雄）一带经商垦荒。其次，海纳百川博取众家之长。龙游商人在不断走出去的同时，通过开放迎商开拓市场。龙游商帮的商人们以宽容的心态容纳和吸收外来者，取长补短，相互融合。这种有容乃大的精神，是龙游商帮得以形成并发展壮大的重要原因。如清代安徽的姜德明定居龙游后，开办了姜益大棉布店，成为浙西南百年老店的开山之祖。福建的傅元龙，随父迁居龙游溪口后，尽心于公益事业，建凤梧书院、修通驷桥。宁波也有不少商人来龙游开设客栈号，从事当地产品的收购和外销，直接带动衢州内部物流市场的活跃。据悉，清至民国时期，龙游商帮群体已融合了徽商、粤商、苏商、闽商和赣商等外地商帮商人，因而出现了龙游县籍商人渐少而客籍居多的现象。

龙游商帮的崛起依赖于特殊的地域条件和区位优势，还有由此孕育的“敢为天下先”的勇气和精神。然而，19世纪中叶以来，西方经济势力的渗透导致整个商业格局发生了剧变，龙游商帮的盛世也随着水运时代的终结而画上了句号。封闭无法从外界获得生存发展的养分，无法适应新旧转型的经济要求。封闭禁锢着思想，封闭束缚着行为。“遍地龙游”神话的出现

和终结，似乎也因此成也萧何败也萧何。今天，在整个浙西南尤其是封闭山区转型的过程中，似乎这样的对比和启示更有借鉴意义。四省通衢之地的今天，重新以开放的姿态参与和融入外界，对接沿海和平原，借力舟山、义乌、福建海西，重新挖掘那种“无远弗届”的精神，对于浙西南联动促发展、开放促发展、实现浙江省内陆地区重新崛起意义深远。

阅读链接：

唐晓燕：《天下浙商历史卷》，浙江教育出版社，2011年版。

陈学文：《龙游商帮研究：近世中国著名商帮之一》，杭州出版社，2004年版。

杨涌泉：《中国十大商帮探秘》，企业管理出版社，2005年版。

近代通商口岸宁波的开埠

宁波，扼南北水路要冲，自古以来就是我国东南沿海重要的对外贸易港口。鸦片战争后，宁波被辟为“五口通商”口岸之一。清道光二十四年（1844）一月一日，宁波港以“条约口岸”正式开埠。它的开埠，无疑对近代宁波经济、浙江对外开放格局都产生了深远的影响。

近代宁波的开埠，选择将江北岸辟为通商地点。从地理上看，江北岸由甬江、余姚江和奉化江在宁波市内汇合而成。江北陆路可直达镇海，又可从慈溪、余姚通向内地，因此，形成港口后有利于进出口货物集散。这为开埠后宁波在对外经济中角色的转变、城乡商品经济的发展，提供了有利的区位条件。

五口通商，直接改变了宁波在开放经济中的角色。历史上，宁波曾经是我国东南沿海重要的商业枢纽和对外贸易港，商贾云集，商贸活动频繁。早在鸦片战争前，英商就曾对宁波寄予“厚望”。他们认为宁波商贸发达，开埠后，宁波可以发挥积极的作用。然而事与愿违，他们的期待与宁波开埠后的贸易事实大相径庭。这不得不归因五口通商后上海港的崛起。鸦片战争前，广州是唯一的对外通商口岸，鸦片战争后，它在对外贸易中的

近代通商口岸宁波

贸易额出现了下滑趋势，上海则逐渐取代了它的地位，成为我国对外贸易的主要基地。“宁波密迩上海，上海既日有发展，所有往来腹地之货物，自以出入沪埠较为便利”（姚贤镐《中国近代对外贸易史资料》），“自上海发达，交通日便，外人云集，宁波之商业，遂移至上海，故向以宁波为根据。从事外国贸易之宁波商，亦渐次移至上海”（《商务官报》）。资本的外流促使宁波从鸦片战争前的对外贸易重要港口转型成为转运贸易港。洋货的进口、土货的出口，都开始利用上海港转运。如浙江省内绝大多数土货采取便利的水路运往上海，而本地土货很多是到宁波后，经由外商将其运至上海，“并经行帮准件才能得到”（姚贤镐《中国近代对外贸易史资料》）。据统计，光绪十六年（1890）宁波直接进口的洋货额占进口总额的6.7%，而直接出口的土货额却只占出口总额的0.074%。

宁波的开埠，刺激了城乡商品经济的发展，也相应地带动了宁波相关产业的发展。它一方面打击了本地手工业生产，如宁波运销台湾的紫花布和台湾运销宁波的土布，都因洋布低廉的市场价格而被排挤。但是另一方面，它刺激了人们推动改良、仿洋自造的积极性。如光绪丙申年（1896），王承准仿照洋花布式样，制机自造了一种膏布，亦称雨布，较洋布坚实，花色美过土布，受到了社会普遍的欢迎。再如宁波手工业中堪称发达的草帽业、草席业以及提花业，都因洋货冲击而不得不寻求工艺技术上的改造。由于草帽业的原料主要采自本地，品质也相对比较粗糙，所以产品主要供应国内市场。但是随着外来草帽在市场的盛行，宁波土产草帽采取相应的改良措施，出口量不断增加，并且逐渐推广到了浙江沿海各市县。此外，宁波的开埠，刺激了很多新兴行业的发展，其中包括茶叶加工业、药业等。宁波的茶叶加工业，正是随着茶叶出口需求的增长而逐渐兴盛的。同治十一年（1872），宁波本地就有茶叶加工厂20余家，有工人约9450人。同样，西药业药材正是随着“屈臣氏药房”“天一信孚堂”“积善堂”等药房的开设而逐渐形成和兴盛的。再加上当时全国各地药材商集中到宁波贩卖药材，宁波逐渐发展成为我国东南各省主要的药材集散地。

五口通商加速了宁波近代的对外开放，尤其是加速了近代宁波港的形成。鸦片战争前，宁波港的重心是江厦街一带，战后宁波港的重心转移到江北岸。当时宁波港口角色发生了重要变化。作为长三角重要转运港，它在长期的航路优化过程中，创造了两条优化的航线，即沪甬线和五三头线（宁波至镇海、舟山、象山、海门、温州各线）。进口货基本上从上海转运，再由五三头线等航线集散。与此同时，开埠加速并推动了宁波融入国际市场。如开埠后，宁波的集市开始纳入以宁波口岸为

中心的商品流通结构中，成为国际商品流通体系的一部分。原先，集市汇集的商品，主要供区域或者国内流动，而在开埠后，集市开始转而汇聚于通商口岸后进入国际市场。如宁波府所属市镇的集市上交易的粮食、丝、茶、棉、药材等货物，通过甬江和镇海海口运送至海外，这一变化相应地带来宁波本地集市商品结构的变化。交易的商品不再以农副产品、手工业品为主，交易本身也不再局限于不同生产者之间的调剂余缺。商品结构多元化趋势日趋明显，洋纱、洋布、煤油、家用杂器的争相涌入，推动了宁波集市交易的转型。

阅读链接：
姚贤镐：《中国近代对外贸易史资料》，中华书局，1962 年版。
《宁波港史》编委会编：《宁波港史》，人民交通出版社，1989 年版。
郑绍昌编：《宁波港史》，人民交通出版社，1989 年版。

宁波商帮的成长和鼎盛

宁波帮巨商叶澄衷像

“宁波商帮”泛指旧宁波府属鄞县、奉化、慈溪、镇海、定海、象山六县的企业家群体，如今其范畴又进一步扩大，包括余姚、宁海的商人群体。宁波商帮形成于明天启、崇祯年间。五口通商后，通过改变旧式商帮的格局，取得了长足的发展，至今仍活跃于世界各地。宁波商帮对于推动我国工商业的近代化，为我国民族工商业的发展作出了突出的贡献。

有着漫长海岸线的宁波地区，历来有着浓郁的渔乡风情。在浓厚的海洋文化熏陶下的宁波商帮的成长和鼎盛，与这一区域的自然环境、社会氛围、文化积淀密不可分。宁波港处于中国漫长海岸线的中点，面朝太平洋，与日本、朝鲜、南洋相距不远。由于背靠镇东半岛，又有舟山群岛为屏障，宁波港因而具有不冻、不淤的天然优势。这种优越的自然环境使其很早就成为浙东粮、棉、土特产的集散地。因此，它较早地营造了早

期宁波浓郁的商业气息。宁波商人很早就把向外开拓的目光转向漫长的海岸线，早在秦汉时期宁波就开始了海外贸易，到唐宋时期，已经成为海上丝绸之路起点站之一。正因为如此，唐宋元明四朝都曾经在此设市舶司，主管外贸、验货、征税、仓库等。到了明清时期，全国各省乃至海外东南洋群岛，凡商贾所萃之地，皆有宁波商人的车辙马迹，故有"无宁不成市"之称。史载："宁波人素以善于经商闻，且具有坚强之魄力。"（杭州《民国日报》）由于南联闽广，东通日本，北通高丽，商船往来，物货丰衍，宁波很早就出现"商船番舶，乘潮出没"的景象。

近代五口通商以来，宁波商帮利用通商开埠和洋务运动的契机，开始了由旧式商帮向近代工矿实业家的转型。他们将大量资本投入银行、保险、证券等新式金融业，加大对近代工矿、航运各业的投资力度。长期孕育的海洋文化和开放理念，使他们对开埠通商后近代经济发展趋势具有独到认识。因此，在宁波商帮崛起之初，就显示出果敢勇为的气派。

他们善于依托开放的环境，创造外贸奇迹。镇海庄市人叶澄衷，以其拾金不昧的诚信精神获得了天赐良机。清同治元年（1862），他在上海虹口百老汇路口开设了中国人最早开办的一家对外贸易商行：老顺记洋货号。由于虹口地处黄浦江边，又接近杨树浦工厂区，该地迅速成为五金业集聚地。后独家代理经销美孚火油，获利至少有 10 万两。叶澄衷也因此被称为"五金大王""火油董事"，享誉沪上。

他们善于借助时机，实现商业向进口替代型工业拓展。如镇海人宋炜臣，改变了最初的商业经营模式，加快向进口替代型工业转化，力求能够实现替代型民族工业的振兴。他先与叶澄衷合资兴办燮昌火柴厂，后在汉口创办了燮昌火柴二厂，开民族火柴工业之先声。后又开创既济水电公司，设立扬子机器制造公司，用于制造铁路、桥梁、岔轨、车辆、轮船引擎等。

他们敢于对外拓展，利用近代工业作为推力带动航运业的发展。如沙船业向轮

阅读链接：
王俞现：《中国商帮 600 年》，中信出版社，2011 年版。
林树建、林旻：《宁波商帮》，黄山书社，2007 年版。
乐承耀：《宁波帮经营理念研究》，宁波出版社，2004 年版。

船业的飞跃，就是这一创新的积极成果。航运业是宁波商人主要的经营行业之一，五口通商前宁波商人就已经营沙船业，航行海上贩运货物。之后，他们借力于近代机器制造业，加快推进航运业的硬件提升。清光绪三十年（1904）奉化人朱志尧设立了求新制造机器轮船厂，这是当时上海最大的一家民营机器造船厂。在最初 10 年间，该厂制造了几百吨的小火轮 15 艘。宣统元年（1909），镇海人虞洽卿创办了资本 100 万元的宁波轮船公司，以两艘 1000 吨轮船航行沪、甬之间。

"通商互市甬江东。"宁波商帮的成长与鼎盛，得益于沉淀千年的海洋文化。海洋造就了宁波商帮商人们纵横世界的雄心壮志、敢为天下先的魄力勇气。他们拥有开阔的视野，善于把目光投射远方，感受时代发展的新气息。正因如此，鸦片战争后，宁波商帮充分利用近代通商口岸的开埠，不失时机地突破旧的经营模式，利用沪、甬对外通道，加大对外经济交流、改造传统产业、复兴民族工业。他们适应了社会经济发展的需求，勇于尝试和创新，他们所走的道路代表了旧中国商帮发展的一种方向。

充分借力于辽阔的海洋，以海促陆，推动沿海工商业转型，寻找新的增长点，这不仅仅是宁波商帮寻求经济发展模式的转变，更是一种开放经济条件下对未来发展方向的准确把握。

严信厚的三个“第一”

严信厚 (1828—1906，旧说 1850—1918，不确)，原名严经邦，字筱舫，浙江慈溪人。早年在宁波鼓楼前恒业钱肆当学徒，后经胡雪岩推荐被保荐为候补道，加封知府衔，而后出任河南盐务督销、长芦盐务督销等。时值洋务运动，与胡雪岩一样，严信厚成为由早期洋务派官僚转化而来的商人。他先在天津经营商业，在天津估衣街开设了物华楼金铺和老九章绸缎庄。清光绪十二年（1886），他又在天津东门里经司胡同开设同德盐号，经营盐业，积累了大量的财富。光绪二十年（1894）甲午战争前后，他把巨额资金投向了民族工业。

如果说宁波商人在上海滩的前期打拼是一种量能积累的话，那么，严信厚无疑是这种积累在关键时刻的一个拐点式人物。在他的一生中，有几多壮举，为宁波帮开拓了新的天下。他是中国第一批民族工业的创办人之一，是中国人自办的第一家银行的发起人和实际创办者之一,是中国第一个商会组织的创立者。这三个“第一”，为宁波帮的崛起和发展奠定了三块基石，严信厚也因此被誉为近代宁波帮的“开山祖师”。

作为近代民族工业的创办人，严信厚是第一个投资于机器纺织工业的企业家。光绪十二年（1886），严信厚投资 5 万两，在宁波弯头地方创办了通久源机器轧花厂。这是我国最早出现的一家机器轧花厂，虽还不是完全的纺织厂，但却是中国第一家把新式机器引进纺织工业的工厂。该厂从日本购进了蒸汽发动机、锅炉和 40 台新式轧

宁波外滩严氏山庄旧址

花机，就地收购余姚地区的棉花，轧制皮棉，主要供出口，获利甚丰。此后，在通久源轧花厂的基础上扩建而成的通久源纱厂，把轧花、纺纱、织布三工序连成一条完整的流水线。通久源纱厂也因此成为浙江著名的“三通”之首。值得一提的是，在这当中，以通久源为代表的沪杭甬商办纱厂，打破了洋务企业对纺织业的垄断。

中国自办的第一家银行是中国通商银行。光绪二十三年（1897），受盛宣怀委托，严信厚筹备成立中国通商银行。在盛宣怀看来，中国旧有的钱庄、票号已不能适应对外开放之需，必须自办银行，以“通华商之气脉，杜洋商之扶持”。严信厚成为与盛宣怀、叶澄衷、朱葆三并列的中国通商银行九大总董之一。在九大总董的名单中，以严信厚为代表的宁波帮人数占发起人总数的3/4，占总董人数的1/3。此外，依托盛宣怀的信任，严信厚推荐了宁波帮中人陈淦、谢纶辉出任通商银行的华大班。

在这之后，严信厚还积极参与上海四明银行的筹办，也因此造就了不少银行业人才，其中包括民国初年任中国银行上海分行经理、因抵制袁世凯停兑令而名噪全国的宁波帮银行家宋汉章。

严信厚也是名副其实的业界领袖。光绪二十四年（1898），清政府曾令各省设商务局，两江总督刘坤一曾照会时任银行总董的严信厚“办理商务，通上下情，议立商会”。光绪二十八年（1902），严信厚以创立商会“为华商生命所系，集帮商，排众难，期必成”，乃“捐资赁房”，“定简章六条”，成立了上海商业会议公所，他被委任为首任总理。光绪三十年（1904），清政府正式批准各地成立商会，严信厚率先以筹集的1.2万两白银为经费，将上海商业会议公所改为上海商务总会。这是一个足以控制上海金融贸易和影响全国商业的商人团体，它由于在近代中国历史上的首创性而被誉为“第一商会”。于是，先前行帮性质的各业行会，开始联合形成一个统一的近代商业团体。在那之后，宁波帮在历届商会的改组中都占据了绝对优势的地位，掌握着内部的实权。如后任商会总理宋汉章、虞洽卿、朱葆三、方椒伯、傅筱庵、俞佐庭，皆来自宁波帮。

严信厚无疑是宁波帮形成和发展过程中一位开创局面的人物，他的三项创举，奠定了他在宁波帮中“开山祖师”的地位。宁波帮后人的成就，一定程度上得益于严信厚所开拓的良好局面。

阅读链接：
林树建、林旻：《宁波商帮》，黄山书社，2007年版。
王俞现：《中国商帮600年》，中信出版社，2011年版。
唐晓燕：《天下浙商历史卷》，浙江教育出版社，2011年版。

红顶商人胡雪岩的传奇经历

红顶商人胡雪岩像

胡光墉（1823—1885），字雪岩，安徽绩溪人，中国近代著名红顶商人，富可敌国的晚清著名企业家、政治家。最初在杭州设银号，后入浙江巡抚幕，为清军筹运饷械。清同治五年（1866）开始协助左宗棠创办福州船政局，在左宗棠调任陕甘总督后，主持上海采运局局务，之后顺势在各省设立阜康银号 20 多处，并经营中药、丝茶业务，资产最高时达 2000 万两以上，是当时的“中国首富”，人称“为官须看《曾国藩》，为商必读《胡雪岩》”。胡雪岩的成功之道，很大程度上归因于他亦官亦商的角色。通过建立与政府高层的关系，影响政府的最终决策。在胡雪岩的商海生涯中，因辅佐陕甘总督左宗棠有功，清廷赏封布政使衔，从二品文官，顶戴用珊瑚，赏穿黄马褂，人称“红顶商人”。著名作家高阳长篇历史小说《红顶商人》，描写胡雪岩一生的商海浮沉，使其“红顶商人”的名号家喻户晓。

胡雪岩之所以能够迅速崛起，得益于当时的浙江巡抚王有龄。早年胡雪岩资助过落魄的王有龄，后来王有龄仕途得意，从海运局坐办、粮台总办、杭州知府、道员一直做到浙江巡抚。感激于胡雪岩当初的支助，王有龄出任浙江巡抚后，主动将税银存入阜康钱庄，为胡雪岩提供了充足的经营资金。王有龄死后，经曾国藩保荐，左宗棠继任浙江巡抚一职。当时左宗棠所部正处于困境，战争物资匮乏，胡雪岩抓住机会雪中送炭，筹齐十万石粮食，不仅在左宗棠面前一展自己的才能，而且得到了左宗棠的赏识和信任，被委以重任。

在获得左宗棠的充分信任之后，胡雪岩开始辗转于宁波、上海等通商口岸之间，筹资为左宗棠购买粮草、向国外贷款、整顿军备。在左宗棠任职期间，胡雪岩负责管理赈抚局事务，他设立粥厂、善堂、义塾，修复名寺古刹，收殓了数十万具暴骸；整修道路，恢复了因战乱而一度终止的牛车，方便杭州民众出行；向杭州城里的广大官绅大户劝捐，以缓解战后财政紧张的状况。在胡雪岩的鼎立相助下，杭州社会秩序逐渐恢复，经济开始逐渐复苏，胡雪岩因此名声大震。

当时洋务运动方兴未艾，长期周旋于洋人间的胡雪岩深知西方先进军事技术的重要性，他认识到要实现国家强盛，必须向西方学习，自强御侮。他借助与左宗棠的密切关系，开始协助洋务。同治七年（1868），清政府命左宗棠在福建马尾兴办船厂，建造轮船。在左宗棠调任陕甘总督的时候，曾向清朝廷推荐沈葆桢与胡雪岩共同筹办福州船政局。经胡雪岩等人多年的努力，福州船政局在 7 年间共造船 15 艘。其后，胡雪岩协助左宗棠筹办西征的军需，在寻求外国银行贷款的同时，不惜自掏腰包解左宗棠燃眉之急。另外，他还筹资从国外购置大量的新式枪炮。这一系列举措有效地帮助了左宗棠的西征平叛。

在协助洋务、支援西征的过程中，胡雪岩获取了巨额的利润。他以此为资本，从事贸易活动，在各市镇设立商号，利润颇丰，短短几年间，家产已超过千万。他涉足的行业颇多，早年经营钱庄，开设银号，后又参与生丝贸易，专营出口。他所经营的胡庆余堂，到清光绪六年（1880）前后，资金已经达到280万两，其声誉已经与北京老字号同仁堂并驾齐驱。作为红顶商人，胡雪岩的名言是："如果你拥有一县的眼光，那么你可以做一县的生意；如果你拥有一省的眼光，那么你可以做一省的生意；如果你拥有天下的眼光，那么你可以做天下的生意。"这反映了他超人的胆识和放眼天下的战略目光，这也是他能够从一个普通钱庄学徒转变成为身家千万的富商的主要原因。

阅读链接：

唐晓燕：《天下浙商历史卷》，浙江教育出版社，2011年版。

刘方华：《胡雪岩韬略》，吉林大学出版社，2009年版。

高阳：《胡雪岩全传》，时代文艺出版社，2010年版。

著名丝商黄佐卿的革新

黄佐卿（1839—1902），名宗宪，浙江湖州人。我国近代第一代实业家，上海第一家华商机器缫丝厂——公和永丝厂创始人，湖州丝商在上海的领军人物。作为华东缫丝工业第一人，清光绪二十八年（1902）上海《捷报》称他为“一位杰出的中国商人”，“丝业公所的领袖之一，采用缫丝机器最早和最热心的人物之一”。

黄佐卿幼年入私塾就读，勤奋好学。成年后，随家乡习俗，进丝行当学徒。太平军入浙江后，黄佐卿一家迁居上海。之后，他在上海一家丝栈做事。19世纪70年代初，黄佐卿自己开设祥记丝栈于江西路（今江西中路），自任通事（翻译兼经营业务），经营土丝外，还代洋行收购丝吐下脚及蚕茧等。通过多年在丝业的细心观察，黄佐卿认识到，中国蚕丝业存在着抱残守缺、缺乏革新的弊病，如不进行革新，将无法与外商竞争。

当时中国制造的生丝，粗细不匀，胶质坚硬，运销欧美后需要经过二次加工。随着与国外生丝贸易的扩大，这一问题日益突出。如湖州辑里丝，“富于拉力，色泽洁白，丝身柔润”，但是由于生产工艺落后，没有固定的条份和品质标准。而且当时国内普遍采用手工缫丝，导致出现了许多致命的工艺缺陷，如“条份不准，匀度不及”，“今日销美厂丝，匀度都须在八十分以上，而辑里丝之匀度，至多不过四十至五十分之间耳……不适用于机器生产”。质量上的劣势、生产工艺上的落后，使中国缫丝业受到国内通商口岸外国丝厂的致命冲击。外商丝厂在中国的开办，让

百年湖商黄佐卿（左）

黄佐卿认识到形势的危急。特别是咸丰十一年（1861），英商在上海设立怡和纺丝局，作为中国境内第一家外国丝厂，规模庞大、设备先进，沉重打击了国内传统的生丝行业。黄佐卿意识到如不进行技术革新，国内传统的生丝行业难免会有被淘汰的危险。

光绪七年（1881），在上海丝行同仁的支持下，黄佐卿投资 14 万元，向法国、意大利购买了 104 部缫丝车、2 个锅炉、马达、吸水器等机器设备，在上海闸北苏州河边筹建了公和永缫丝厂，外商称之为昌记丝厂，这是上海第一家中国人开办的机器缫丝厂。次年，黄佐卿还聘请意大利人麦登为工程师来“指导厂务”，招工近 300 人。公和永缫丝厂是继广州陈启源创

办继昌隆缫丝厂之后，在上海出现的最早的民族机器缫丝厂。黄佐卿斥巨资振兴机器缫丝业之举，对江浙商人产生了巨大的辐射带动作用，许多民间商人纷纷开始将资本投向机器缫丝工业。如镇海人叶澄衷在上海闸北开办了纶华丝厂，南浔人顾敬斋在上海盘进了法商的乾康丝厂，无锡人祝大椿在上海开办了永泰丝厂等。到光绪二十七年（1901），上海有 28 家丝厂，其中五六家为外商独揽，其余均为中国商人所办或者中外合资所办。黄佐卿占有其中 3 家丝厂，再加上他在苏州和湖北开办的丝厂，使他成为名副其实的华商机器缫丝业领袖。

生丝是中国的传统出口商品，鸦片战争后上海成为生丝的主要出口地。清同治九年（1870）出口量为 250 万千克，光绪二十年（1894）达到 475 万千克。湖州的生丝产量为全国各州府之冠。所以，当时湖州丝商颇多经营生丝出口，如南浔的“四象八牛”，菱湖的杨万丰、陆鼎茂、唐广丰、陆亨荣、杨信之等。与他们相比，黄佐卿的经营范围更广，是他最早在上海建立了丝站，并有进一步把江、浙、沪三地丝业连成一片的打算。光绪二十六年（1900），黄佐卿联合杨信之、周爵卿、薛南溟，设立无锡建茧公所，黄佐卿任董事。之后，他又在上海组织了三省丝茧总公所，经营丝茧内转外销业务。同时，他还担任浙江丝业会董事。黄佐卿希望通过区域性的行业联合，增强与外商竞争的能力。

阅读链接：
唐晓燕：《天下浙商历史卷》，浙江教育出版社，2011 年版。
陶水木：《近代浙商名人录》，浙江人民出版社，2005 年版。
汪敬虞：《从中国生丝对外贸易的变迁看缫丝业中资本主义的产生和发展》，《中国经济史研究》，2001 年第 2 期。

金融巨擘金润泉

金润泉（1878—1954），字百顺，浙江萧山金西桥人。曾经担任过大清银行浙江分行经理，辛亥革命后历任南京中国银行营业部经理、中国银行杭州分行行长、杭州市商会会长等。自清宣统元年（1909）十二月出任大清银行浙江分行经理后，金润泉长期供职于金融界，对浙江的繁荣发展作出过贡献，被誉为“金融界的常青树”。

金润泉在浙江金融界的业绩突出表现在：首先，整顿币制。民国初期，政府初建，货币流通异常混乱。政府为统一币制，着力推行国家银行券，金润泉积极响应政府号召。他委托商业银行、钱庄代理发行兑换券，并且建议在收购农产品时采取用银行兑换券进行支付的方式。在他的积极努力下，到民国十五年（1926），浙江市面上的流通货币基本上被中国银行兑换券所替代。他的积极举措基本上统一了浙江的币制，稳定了浙江的金融秩序。其次，代理国库，经理地方公债。民国三年（1914）底，中国银行杭州分行在独家控制浙江省库款的同时，发行公债达1360万元。其三，督促浙江军政府收回军用券。为了保证地方金融秩序的稳定，金润泉曾经多次据理力争，督促军政

中国银行抗拒停兑令

府收回发行的军用券。如在最后一次齐卢战争中，金润泉为了防止卢永祥乱发纸币对金融秩序的冲击，主动争取杭州商界的合力支持，垫款50万元换取卢永祥的待发纸币。

在金润泉供职于金融界期间，最为出色的事迹莫过于拒绝袁世凯的停兑令，维护中国银行的券行信誉。民国五年（1916），袁世凯被迫取消帝位后，全国局势动荡，各地纷纷发生银行兑换券挤兑现洋和提取存款的风潮。当时的国务会议商议决定“停兑禁提”。这消息在全国传开后，市场震惊，上海、杭州这些沿海工商业城市充满着惊慌、不安、愤怒和不满情绪。当时，浙江已经宣告独立，按照道理可以不执行该国务院令。但是，问题在于，如果允许浙江的银行继续兑现，现银就会大量流失，风险很大，这让浙江陷入了左右为难的困境。在这生死攸关之际，金润泉出面与杭州商界、银钱业人士商量后，一致决定反对停兑。在这之前，金润泉一方面争取中国银行上海分行的全力支持，另一方面向各银行、钱庄共借进银元 45 万元，加上库存，共计有银元 100 多万元，以备挤兑风潮来袭。之后几日，中国银行浙江分行委托杭州的惟康、晋泰、开泰、生昌等 30 多家大钱庄公开挂牌无限制兑现中国银行的钞票。然而，挤兑风暴依然席卷到了杭州。为了稳定秩序，中国银行破例在星期天开门办理钞票兑现，防止骚乱的进一步扩大。金润泉不仅亲临现场，而且沉着应对，有效地稳定了当时的局势。5 月 19 日的杭州《民国日报》上刊登了这样一条新闻："各界人士闻此兑付消息，欲兑现洋者转觉松懈，浙江金融已复原状。"

拒绝停兑令的胜利，极大地提升了中国银行钞票在浙江的信誉度。主持沪行的张嘉璈称，"此次的惊人的抗命事件在当时深得人心，奠定了以后中国银行在全国的信用与地位"。金润泉的举措，稳定了浙江金融市场的局面，他也因此成为民国时期浙江金融界公认的巨擘。

阅读链接：

仲向平：《银行家金润泉传》，中国文化出版社，2011 年版。

浙江省政协文史资料委员会编：《浙江近代金融业和金融家》，浙江人民出版社，1992 年版。

李新：《民国时期浙江金融巨擘》，《浙江档案》，2005 年第 9 期。

刘鸿生近代商业帝国的创业史

刘鸿生（1888—1956），名克定，近代著名实业家，祖籍浙江定海，出生于上海。他 13 岁进上海圣约翰中学读书，17 岁考入圣约翰大学继续深造，各门功课一直名列前茅。但是到大学二年级的时候，刘鸿生出于自身对未来的职业规划，拒绝去美国留学，因此被校方开除。从此，他被迫走上自我谋生之路。

之后，他先在上海工部局押捕房当一名教员，后又担任过英文翻译、英文教员。清宣统元年（1909），经友人介绍，刘鸿生进了英商上海开平矿务局当职员，从事煤炭推销工作。这成为他一生事业的起点。宣统三年（1911），他升为开平矿务局

工部局五华董（左起：徐新六、贝淞荪、虞洽卿、袁履登、刘鸿生）

上海办事处买办，设立账房，赚取佣金。随后，他又与上海义泰兴煤号合作，经销开滦煤。一战时期，他自租船只，由秦皇岛装载开滦煤运沪销售，约在三年时间内赚银百余万两。这期间，他已经成功地跨出上海市场，在江、浙、皖及京沪铁道沿线诸要埠开设煤号和码头堆栈，形成完整的开滦煤供应网。民国七年（1918）为扩展煤炭经营业，他与义泰兴煤号等伙设义泰兴董家渡煤栈，并委托英商壳件洋行经理码头业务。此后，他又在上海及长江下游各埠与人广设销煤机构。到民国十二年（1923），开滦煤在上海市郊和长江下游商埠的销售量已超过100万吨，占开滦矿务局总销售量的25%，而刘鸿生也在推销这些煤炭中获益匪浅，在10年时间内，迅速成为坐拥上百万资产的社会名流。

一战期间，民族工业得到了喘息发展的机会，如进口火柴在民国三年（1914）后呈减少趋势，这为民族工业的再次崛起和焕发生机带来了前所未有的机遇。而此时的刘鸿生已积累了一笔十分可观的资金，亟需寻找新的投资领域，为资金寻找出路。他详细地调查了近几年进口火柴和国内火柴生产情况，认为投资火柴工业不仅所需资金少，风险小，而且火柴工业机器设备简单，技术也不复杂，大部分工序是手工劳动，进行生产比较容易。考虑到当时上海已经有5家火柴厂，同业竞争相当激烈，而苏州仅有1家火柴厂，且设备落后，经营管理不善，地价远远低于上海，民国九年（1920）1月，他决定在苏州设立鸿生火柴有限公司，出资近12万元，其中刘鸿生个人出资

9万元，出任总经理。但是，在火柴厂经营的最初10年间，不断遭受到来自日本、欧美火柴的低价倾销，整个火柴行业的发展举步维艰。在这样的情况下，刘鸿生提出同业联合的建议，得到了整个行业的积极响应。在民国十八年（1929）11月，全国52家火柴厂在上海成立全国火柴同业联合会，推举刘鸿生为常务委员会会长。民国十九年（1930），鸿生火柴厂和中华火柴厂、上海荧昌火柴厂合并，成立大中华火柴股份有限公司，刘鸿生出任总经理。到民国二十五年（1936），大中华火柴股份有限公司不仅在香港设立分公司，而且产品远销南洋。

此后，刘鸿生采取了投资多元化的战略，加快向实业领域拓展。他独资或与人合资设立华商上海水泥公司、中华煤球公司、大华保险公司、华丰搪瓷公司、章华毛绒纺织公司、中华工业公司、华东煤矿公司、中国企业银行等。到民国二十年（1931）底，刘鸿生的企业投资已经达到745万元。从最初一名普通的煤炭推销员，到拥有庞大资金的刘氏企业集团的掌舵者，刘鸿生通过自己的不懈努力，缔造了这个繁盛的商业帝国。从“煤炭大王”到“火柴大王”，再到“水泥大王”“毛纺业大王”，正是以刘鸿生为代表的民族企业家实现商业资本向工业资本转化的成功尝试。

阅读链接：

陶水木：《近代浙商名人录》，浙江人民出版社，2005年版。

刘光永：《企业大王刘鸿生》，中国社会科学出版社，2011年版。

唐晓燕：《天下浙商历史卷》，浙江教育出版社，2011年版。

经元善的企业管理创新

经元善（1840—1903），字莲珊，浙江上虞五驿乡（今驿亭镇）驿亭人。由于出身于商人世家，经元善自幼追随其父出入上海商场。后涉足洋务企业，成为洋务企业家。终其一生，经元善热心参与社会公益事业。他向往外国企业的集股经营，积极参与新式企业的创建与经营，热心于企业的经营管理。其企业管理思想不仅丰富新颖，而且把握着那个时代的脉搏。近代早期，民族企业经营曾经面临着一系列的困境，如资金不足、管理落后、企业产品竞争力不强，经元善的经营管理创新为此提供了突破路径。

企业打破资金瓶颈依赖于社会资本的招募。近代早期，企业招商股主要通过人际关系的游说，即通过亲缘、地缘、业缘的关系或人与人之间的利益关系招募商股，这种招股形式受制于社会关系而很难最大限度地利用民间资本。基于此，经元善认为“有治人无治法，民无信不立”（《居易初集》）。商务之所以不振，最大的病根在于“不能自信”。因此，他采取了公开登报招募的方式吸引商股。他主持的上海机器织布机局数次公开将招股信息刊登于《申报》，效果显著，原拟章程招募40万元，后竟招募了50

多万元，出现了“尚有退还不收”的情况。这种登报招股的方式，标志着企业的资本集掖突破了以前依靠社会关系网的局限，开始将范围扩大到全国主要城市有盈余资金的商人。这种融资方式，激发了 19 世纪 80 年代兴办公司的热潮。此外，公开刊登招股章程，每月将招股本户名、银两以及资金走向，罗列成清单公开告示，并且承诺若公司中途停办，保证将所收股本及息金如数退还。这种公开企业经营状况的方式，消除了股东的疑虑之心，增加了投资者的自信，同时也解决了商人的后顾之忧。在那个时代里，经元善吸引商股的做法，解决了早期兴办企业资金不足的难题。近代企业克服发展瓶颈的历程中，经元善独辟蹊径。

经元善用过的端砚

近代中国的民用企业一开始采用的是官督商办的管理模式。这种模式，有产权分割的契约，但是不具有规范性。“官”对资本运作、利润分配具有绝对的主导权，钳制了企业的正常运作。因此，经元善认为商务之所以不振，源于官督商办。他主张：首先，企业经营管理应统一事权，“若事权不专，意见参差，最足为患”（《居易初集》）。他还援引了沈葆桢的一段话，“一人兼办数事，数人合办一事，皆无当也”。那么，应如何统一事权？经元善主张仿效湘、淮军通过社会关系网，借助亲戚、朋友、乡邻等关系层层招募，形成类似金字塔的管理架构。其次，他建议将“官

阅读链接：
经元善：《居易初集》，上海古籍出版设，1995 年版。
蔡志新：《民国时期浙江经济思想史》，中国社会科学出版社，2009 年版。
唐晓燕：《天下浙商历史卷》，浙江教育出版社，2011 年版。

督”职位符号化，即“官督”的设置可视为设官员“以崇体制”，而企业管理则应交由通商情的总办经营全局事务，“以专责成”。再次，设各账房使各司其事，“至各账房事有烦简，倘非一手一足之烈所能济者，则应由各账房正执事自行斟酌，添用司事，庶几情意交孚，得收臂指之效”。可以看到，在促进形成总办、帮办、各执事、员工的管理框架的同时，经元善主张以情谊为纽带，推动企业招揽一部分忠诚的员工。

企业提高产品竞争力首先应致力于企业成本与质量管理。经元善认为：首先，需要尽量减少销售成本，选择适销对路的产品，减少交通运输成本。他在《上楚督张制府创办织布局条陈》中明确指出湖北生产的布匹应以川陕为销售市场，相比较从国外进口，省去了从上海到汉江的交通运输费，更不用说将货物运到上海再转销到天津或者牛庄。在交通相对闭塞的时代，选择就近消费市场，对于企业成本的降低具有正效应。其次，要重视品牌效应，主张“独行生意”。他认为首先应打出牌子，生产出物美价廉的商品，提高消费者的认可程度。经元善认为，这是企业抵御市场价格波动的有效途径，即使经营产品市场价格出现下跌的时候，企业产品的销量也不会受到剧烈的冲击。如果出现市场低价的时候，可根据当时的实际情况“关住不售，待价而沽”（《居易初集》）。

尽管受制于当时的条件，经元善很多的经营设想，如管理模式的创新，最终成为水中花、镜中月。但是他的企业管理思想具有非常明确的针对性，为当时中小民用企业摆脱经营困境、拓展生存空间提供了现实的路径选择。

《危言》中的维新经济主张

“东南人望”汤寿潜

汤寿潜 (1856—1917)，字蛰先（或叫蛰仙），浙江省绍兴府山阴县天乐乡（今萧山进化）人。清末民初著名的实业家和政治活动家，是晚清立宪派的领袖人物，曾经因争路权、修铁路而名重一时。他早年曾为金华书院山长，后担任山东巡抚张曜幕僚，开始进行政治活动。汤寿潜的成名作是《危言》，该书初版于清光绪十六年（1890），再版于光绪十八年（1892），是甲午中日战争之前宣传变法维新的代表作之一，与郑观应的《盛世危言》、邵作舟的《邵氏危言》并称“三《危言》”。

尽管《危言》不是一部经济类著作，但是它的经济主张在通篇占有重要的地位。在经济主张方面，汤寿潜参考了西方一些译著，如《西学凡》《列国岁计政要》《地志》《格致汇编》等著作，获取了不少经济数据，同时也从早期维新思想家如薛福成、马建忠等人的著作中吸取了一部分精华。戊戌维新前，《危言》是当时宣传改革思想的力作。扩充财源和促进对外开放是《危言》中经济主张的着力点，反映了作者对当时内忧外患困境的深刻认识和对国家维新富强的独到见解。

扩充财源方面。《危言》中首先提出借内债的主张，尽管欧美诸国借给清政府的贷款利率并不高，但是由于借时以金折银，偿还时以银折金，加上中间人的盘剥，导致开始时利率每年不过四五厘，到最后变成每年八九厘，更使人不堪的是借款带有苛刻的政治条件。针对这种情况，汤寿潜主张就地借用商款，采取的方式是由商人经手变官库为官号的办法，试借国债，而收入与支出则不经过官吏，在获得民众信任的前提下，积极吸引民间资本。其次，《危言》中建议，应该效仿欧美诸国，开征渔业税。汤寿潜了解到，“当时美国岁得鱼约值银二千八百万两”，“……鱼蜃之利，通国赖之”。法国和挪威，“岁得鱼约各值银一千二百万两”，英国“岁得鱼约值银多则二千五百万两，少则二千万两”（政协浙江省萧山市文史工作委员会《汤寿潜史料专辑》)。因此，有必要开辟新的税源，征收渔业税。可仿照各国“什提一二成”之制，以缓解国家的财政困难。其三，在关税的设定上，尽管《天津条约》中规定了 5% 的税率，但是由于物价的上涨，汤寿潜认识到继续沿用前几年的货值确定税率，无疑会使海关的实际税率低于 5%，实际上只有 3%—4% 的税率。在这么低的税率下，海关根本无法起到增加财政收入的目的，更不用说通过设定合理的关税来保护本国相关产业。然而，汤寿潜也深知在当时的条件下，想通过谈判和改约的方式来提高海关税率是不可能的。所以他主张在现在条约的基础上商议重新调整税则，即不明言加税，而先考虑一抵偿之税，以此尽力挽回一些权益。

对外开放方面。首先，汤寿潜在《危言》中积极支持外来投资，他主张应允许外商在通商口岸投资设厂。他认为这样做有五个好处：遇到战争时，购买军火无须长途运输，也可避免

遭到阻截；中国可以派人就近入厂学习，无须出洋学习，可节省相当一部分费用；待技术有成后，可辞退他们，自己来管理；创造就业，解决部分穷人的生计问题；可带动中国民间投资办厂。其次，通过开放带动人才的培养。如针对矿务人才的缺乏，汤寿潜提出从西方招募的办法，如可经由出洋大臣采取优厚的待遇招聘矿师来华。同时，他也认识到，利用洋人的管理却不知其技术，就犹如婴儿不能离开母亲，必须充分认识对外吸引人才中存在的“袭人之旧制，拾人之唾余”的问题。此外，《危言》中较为大胆地摆正了对通商口岸的认识。他认为通商口岸的存在打破了少数洋商对贸易的垄断，因此，可运用设施建设、加重进口税等方式，充分利用对外开放的通商口岸争取权益。

《危言》的成书，比郑观应的《盛世危言》早了四年。不可否认，这些主张和建议是宣扬清末维新有力的理论工具。在《危言》中，处处渗透着作者对当时内忧外患现状的深刻认识，还有有志之士为改变国家命运所进行的积极探索。

阅读链接：

政协萧山市委员会文史工作委员会编：《汤寿潜研究》，团结出版社，1995 年版。

政协浙江省萧山市委员会文史工作委员会编：《汤寿潜史料专辑（萧山文史资料选辑四）》，团结出版社，1993 年版。

韩李敏：《汤寿潜和汤寿潜档案述略》，《浙江档案》，1991 年第 1 期。

陈虬经济思想的三大特征

陈虬（1851—1904），原名国珍，字庆宋，号子珊，后改字志三，号蛰庐，瑞安县城人，祖籍乐清斗山。他出身贫苦，自幼勤奋好学，自学成才。戊戌变法前与汤寿潜合称“浙东二蛰”，与陈黻宸、宋恕合称“东瓯三杰”。他是我国近代著名的改良派思想家，以其维新变法思想载于史册。在经济思想方面，他强调要奖励工商、提高商人地位，兴制造、发展机器工业，广商务、与洋商争利。这种超越传统的胆识，主要源于他对封建的“贵义贱利”观念的突破。他于清光绪十年（1884）在《善举尽可计利以图扩充说》里提出了自己的“义利之说”，反对把义和利完全分裂开来的“重义轻利”观念，认为义和利密不可分，互相依存，二者可以兼得，认为很多人都“不知心乎利则无义非利，心乎义则无利非义”（胡珠生编《陈虬集》），这种“重利”观始终贯穿在陈虬的经济思想中。

陈虬的维新经济思想，突出表现为三大特征：

陈虬的出发点是为了抑制外国的经济侵略。有别于西方的重商主义，陈虬特别强调发展工商业是为了“收回利权”。“收回利权”的主张，与西方重商主义所倡导的对外经济扩张具有

明显的区别。陈虬从当时中国现实利益考虑，认为当务之急在于大兴商务，与洋商争利。可通过对外通商贸易，与外商争夺市场，缩小彼此之间的贸易逆差。他认为当时中国习用洋货，其实中国的商品，如丝、茶、大黄，西方人也嗜之若渴。他指出，当时苏州的顾绣、处州的冻石、江西的瓷器，都使西方人赞赏不已。因此，他建议采购各省新奇的商品到国外销售。他坚信完全可以利用商品的差异性缩小贸易逆差，摆脱困境，最终使中国百货都能够远销海外，人人能从海外贸易中获利。陈虬思想与汤寿潜相似的地方在于他们都认为利用通商口岸是振兴商务的一大途径，应当采取开放政策，在约开商埠附近自开商埠，仿照洋式经营，与洋商竞争，在中外贸易中掌握主动权。

陈虬的经济改革思想从各个阶层利益出发，兼顾国家、商人、贫民的利益。陈虬大力倡导发展工商业，建议政府通过“奖励之道”提高商人地位；应当保证商人经商的安全，为商业的发展创造良好的社会环境。他强调要“藏富于国”，谋求国家的繁荣和富强。最难能可贵的地方在于，他从来没有忽略一般贫民的利益，而是认为“治国以保富为要，保富以恤贫为先。人贫而吾不能独富也，国贫而吾不能徒治也”(《自强学斋治平十议》)，反映了他谋求国家富强兼顾社会公平的思想主张。

在发展工商业问题上，陈虬主张既要注重民间商人的力量，又要强调依靠政府的作用。陈虬提出奖励工商，提高商人的地位，提倡民间自由集股创办公司等。他认为民办企业可以补充官力之不足，可通过专利制度鼓励民办企业的发展。特别是在保险、信局、铁路、矿务、织布等领域，可对华商开放，并给予专利。与此同时，陈虬又强调依靠政府的力量扶持工商业，如设立商局主持商务，减税保护对外通商贸易，奖励、扶植机器的发明创造。应借政府之力，招华商回国投资，解决工商业人才和资金不足的问题。他建议清政府因势利导，晓以祸福，设法将海外华商招回内地，从事开采、铸造业。通过政府和民间的合力，互惠互助，共同实现工商业的振兴。

陈虬密切关注社会现实，积极探索经济改革方案，以求改变近代中国落后挨打、风雨飘摇的现状。他勇于提出自己的主张，分析精辟，影响深远。他与汤寿潜的维新变革主张，使浙东在清末维新变革思想领域的舞台上占了重要的一席。

智言慧思

百里闻雷震，鸣弦暂辍弹。
府中连骑出，江上待潮观。
照日秋空迥，浮天渤解宽。
惊涛来似雪，一座凌生寒。

——（唐）孟浩然《与颜钱塘登樟亭望潮作》

阅读链接：

胡珠生编：《陈虬集》，浙江人民出版社，1992 年版。
吴廷嘉：《戊戌思潮纵横论》，中国人民大学出版社，1988 年版。
《中国近代思想史参考资料简编》，三联书店，1957 年版。

虞洽卿“挽回航权”的航业经营

虞洽卿像

虞洽卿（1867—1945），名和德，后字洽卿，以字行世，浙江镇海人。他出身贫寒，早年只身赴沪谋生，凭着不懈的努力，先后创办宁绍、鸿安及三北轮船公司，其中由他独资创办的三北航业集团成为同业中的翘楚，他也因此被誉为中国最早的“船王”、中国民营航业的先驱。历任上海总商会会长、宁波旅沪同乡会会长、淞沪市政会办、公共租界工部局华董等职。清光绪三十一年（1905）上海发生大闹公审公堂案，虞洽卿目睹民愤挺身而出，与组织当局交涉，据理力争，由是闻名沪上。

虞洽卿一生致力于“挽回航权”的事业，热衷于开创民族航运事业，与洋商抗争，为国家和家乡夺回利权。上海开埠之后，英、法轮船公司占据了上海到宁波的航线。光绪末年，沪甬线上定期班轮主要由英商太古公司的“北京”轮和法商东方公司的“立大”轮垄断着。它们利用垄断的地位联合提高票价，一张普通统舱票要卖1元大洋。此外，这些洋商轮船无论船长、大副还是普通的稽查，都由洋人充当。他们的傲慢和狂妄引起了往来沪甬商人的极度不满。对此，虞洽卿曾以宁波同乡会名义专程前往三家公司进行交涉，希望能够降低票价、改善服务，并且宣称，如果不同意，那么宁波人将自己发起设立航运公司，购轮经营。毫无疑问，处于垄断地位的太古、东方和招商局，最终拒绝了他的降价要求。于是，光绪三十四年（1908）五月虞洽卿集宁绍两帮商人，集资自办轮船公司，虞洽卿被推选为总理。宁绍商轮股份有限公司额定资本总额为100万元，设总行于上海，设分行于宁波。此外，又在上海、宁波等15个国内主要商埠及日本横滨设立代收股款处。之后，虞洽卿先后向马尾船厂订购“宁绍”“甬兴”两艘轮船，自造一艘“新宁”轮船，组织营运。虞洽卿等人在《为宁绍商轮公司呈请立案致农工商部文》中称：宁波人要“创办商轮以保航业而挽利权”，“而扩未来之航业”。独出心裁的地方在于，后来他们在发行宁绍商轮公司股票时甚至在股票两边的花边纹饰间印上“爱国爱乡，挽回航权”8个字，表达了希望通过自办航运挽回航权，为家乡谋取福利的信念和决心。民国二年（1913）虞洽卿独资兴办了三北轮埠公司，开辟了宁波至龙山、镇海、舟山、沈家门等航班。之后又出资创建宁兴轮船公司和鸿发商轮公司。到民国二十五年（1936）底，虞洽卿所拥有的独资轮运企业（三北、鸿安、宁兴）总资本为320万元，船只总数达到52艘，总吨位6.785万吨。

在经营的策略上，他采取了购置旧船、负债经营的方式。民国三年至二十五年（1914—1936），虞洽卿先后为三北公司购入旧船36艘。购入旧船成本相对较低，当时买一艘旧船成本约5万—10万元，而船到埠后只需先付30%的现款，随即可以向银行押借70%的贷款。虞洽卿敏锐地发现账面的40%差额，他利用低价购入旧船之后，交给附属企业三北机器造船厂，经

过修配、油漆，向银行押借 15 万—20 万元。通过这种方式，缩短了资金的周转期限，弥补了资金不足的缺陷。当然，这种负债经营之所以能够帮助虞洽卿支撑航运业，与他一开始就把航运业经营与银行搭建关系密不可分。特别是他筹办的四明银行，成为融资的固定渠道。三北公司大多数船只的买进都是向四明银行抵押借款的。此外，他有时也将旧货轮改成客轮，在客轮上他可以招收很多的茶房，而每位茶房上船必须缴纳300—500元不等的押金，利用押柜制实质上可以积累一笔不菲的资金。通过这种负债经营和利润循环积累的模式，虞氏集团成为当时全国三大民营航运企业之首。

虞洽卿早年在做买办的时候，已经积累了一笔财富，但他没有投资田产收租，也没有依附于外商企业，而是利用自己的资本和精明的经营谋略参与实业。民国三十四年（1945）4 月虞洽卿病逝时，国民政府题赠“轮财报国”匾额一块，以表达对虞洽卿一生致力于振兴民族航业、力行实业救国的肯定。

阅读链接：
陶水木：《浙江商帮与上海经济近代化研究》，上海三联书店，2000 年版。
金普森主编：《虞洽卿研究》，宁波出版社，1997 年版。
王凤山：《近代名商虞洽卿》，中国社会科学出版社，2010 年版。

都锦生的“锦绣中华”梦

在杭州的中华老字号中，都锦生丝织厂不仅历史悠久，而且至今享有较高的知名度、美誉度。经久不衰的生命力，与其所产的丝织风景画所具有的良好口碑密切相关。而这一切，都应归功于都锦生的独辟蹊径，利用艺术品产业化、日用品艺术化的创新之路，在满足了人们审美的精神需求的同时，弘扬了我国传统的历史文化，创造了传统老字号经久不衰的神话。

都锦生织锦名画《南屏晚钟》

都锦生 (1897—1943)，号鲁滨，杭州西湖茅家埠人，以首创丝织风景工艺、创办都锦生丝织厂而闻名于世。其父都宗祁毕业于保定军官学校。因酷爱英国作家笛福作品《鲁滨孙漂流记》，故特意为子取名“鲁滨”。都锦生并未曾辜负父亲对他的期望，他毕生正如鲁滨孙那样勇于创新，积极进取，百折不挠。他早年就读于浙江甲种工业学校机织科，当时社会上掀起振兴民族工业、实业救国的热潮，因此都锦生在毕业留校期间，萌发了把西湖美景织成风景织锦、升腾“锦绣中华”之梦的念头。民国十年（1921）春，历经了无数次摸索试样、反复钻研，他终于亲手织出了世上第一幅风景织锦画“九溪十八涧”。第一次试织获得成功使他振奋不已，他决定辞去教职自己开办织锦厂。次年 5 月 15 日，他在茅家埠挂起了“都锦生丝织厂”的招牌，他的织锦产品不断问世且享誉海内外。正是由于他的背景、他的经历、他的专长、他的志向，决定了他能够在这个行业，通过不断的技艺创新、生产工艺创新、经营理念创新，赋予都锦生品牌旺盛的生命力。

作为一个出色的革新家，都锦生善于审时度势，重视对工艺和产品的改进。如原先的丝织风景虽然很受欢迎，但是最初只有黑白双色。鉴于此，都锦生经过精心设计，将著名国画织成丝织彩色国画。如唐伯虎的《宫妃夜游图》在民国十五年（1926）美国费城国际博览会荣获金奖，他创造的风景织锦成为中华民族的独特工艺珍品。在费城获奖后，都锦生将工厂迁到了艮山门，扩大规模，改良产品，拓宽销路。期间他利用东渡日本考察之机，从留学法国的友人处获得一台法国产最新全铁电力机，又购得法国制造的棉织油画风景作样品，与工人、技术人员进行解剖分析，研制新产品。他在 5 年的时间内，将企业从手工小作坊转型成为有一定规模、在社会上享有一定声誉的织锦工厂。据现存于中国第二历史档案馆的《国民政府工商部对都锦生丝织厂基本情况的调查》记载，都锦生丝织厂民国二十年（1931）生产的丝织风景画为 52000 件，销售最旺的区域为南洋地区和英、美等国及中国各省；营业额为15万元，赢利10万元。此时都锦生已经在全国13个大城市建立营业分店，营业范围覆盖杭州、上海、北平、南京、重庆、广州、香港等地。

此外，都锦生还找到了传统文化与现代产业、高雅艺术与市场的结合点。尤其是艺术品产业化、日用品艺术化的举措，成为历史性的创举。都锦生所创的品牌不仅是日用品，同时又是艺术品。除了五彩及黑白丝织风景及人物画外，还有织锦领带及毛毯、内衣料、织锦锻旗袍料、丝质翻领衫和内裤、织锦竹伞、绸扇、织锦手袋等，这些毫无疑问属于大众日常消费品。与此同时，都锦生创造性地融入了他的构思和创意，使其又成为具有艺术价值的工艺产品。如今，都锦生织锦已被列入“浙江省非物质文化遗产代表作名录”和“杭州市传统工艺美术企业保护品种和技艺名录”。正是都锦生独辟蹊径的品牌创新，使都锦生织锦能在近年来丝绸行业遭受挫折的浪潮中，凭借自身的优势，始终保持着一定的市场份额。

阅读链接：

金普森主编：《浙江企业史研究》，杭州大学出版社，1991年版。

吴广义：《苦辣酸甜——中国著名民族资本家的路》，黑龙江人民出版社，1988年版。

李超杰：《都锦生织锦》，东华大学出版社，2008年版。

湖州商帮的民间资本衰亡启示

湖州商帮，主要是指鸦片战争后旧湖州府属乌程、归安、安吉、长兴、德清、武康7县的区域商人群体。它兴起于19世纪40至70年代，鼎盛于19世纪末20世纪初，民国初年开始日渐转衰。

近代湖州商帮的崛起，得益于丝绸工业的发展。湖州气候温暖、水网密布、土质丰腴，适合蚕桑养殖，自古便有“丝绸之府”的美誉。唐宋时期湖丝被列为贡品，至明代已“湖丝遍天下”，清代南浔辑里丝已然“名甲天下”，成为浙江优质丝的代名词。湖州蚕丝业的发展孕育了一批城镇，也造就了大批专业商人。五口通商后进出口贸易格局发生巨大变化，特别是上海的开埠为湖州商帮的发展提供了发展契机，辑里丝开始直运上海并远销海内外。上海开埠的最初4年间，经湖州丝业中心南浔运上海出口的辑里丝在上海生丝出口中平均占55%。湖州丝商也开始成为上海丝商群体中的主体，并基本掌握了同业组织丝业会馆。湖州商帮的崛起还创造了历史上著名的丝商团体“四象八牛七十二狗”。

然而，民国之后，湖州商帮却逐渐没落。它的没落，既折射了近代民族工业衰落的历程，也反映了早期资本原始积累过程中存在的种种病根。湖州商帮的衰落，有其客观原因。湖州商帮以丝业起家，丝业一直是其的支柱产业。湖州丝绸“不独名闻全国，亦且驰誉域外”，“湖属数十万农工商贾，恃以生存”（潘润生《湖绸之衰落与救济》）。然而民国时期，由于日本缫丝工业的崛起和人造丝的发明及大量廉价供应，丝业的发展进入了衰落期。清宣统元年（1909）日本首次超过中国成为世界最大的生丝出口国，民国十四年（1925）其出口额已是中国的2.6倍，20世纪30年代初日本的生丝产量已占世界的80%。江浙皖三省的厂丝，之前最旺时出口达15万担，但是到20世纪30年代初出口仅1万担而已。此外，人造丝发明后，其质量和价格都占据了市场主导优势，这使20世纪30年代初江浙两省的茧本生丝以半价都很难出售，两省抵押于银钱业的丝茧总值达4000万元，以致新茧登市，即便价格跌到每担二三十元都无人问津。

问题似乎又并不完全局限于此。在资本的原始积累中，湖州商帮商人传统的思维模式禁锢着他们的再投资行为。他们并没有像宁波商帮那样，把握着经济发展的脉搏，利用民族工业和金融业产生之机，投资于近代工矿航运各业，及时将巨额财富转化为近代产业资本。湖州商帮原始资本的再投资主要有三大方向。首先，缫丝工业作为主业是其投资的重点，湖州商帮也因此成为上海厂丝业的开拓者和最主要经营者。如黄佐卿于清光绪八年（1882）以10万两白银的资本在上海老闸创办上海第一家民族资本机器缫丝厂公和永丝厂。自此，湖州商帮开始向棉纺、造纸、面粉、铁路公司等方面投资。然而，资本规模相对较小，除造纸业外，湖州帮在这些行业中并没有明显的优势。其次，金融业尽管是湖州商帮资本投资的一个方向，但以旧式金融业典当为主。“南浔四象”之首刘镛经营丝业致富后又开始经营典当，在上海及湖州等地开设当铺达29家之多。

小莲庄

“南浔八牛”之一的邢赓星家族对典当业最为热衷，经营丝业致富后在南浔、海宁、太仓、上海、海盐、平湖及苏北若干城镇开设典当行30余家，其数目居南浔富商之首。再次，盐业和地产业是经营重点。南浔周家的周庆云和蒋家的蒋汝藻放弃父辈致富的丝业，转而将盐业作为经营重点，成为浙盐权威人物。与此同时，房产也成为湖州商帮热门的投资领域。投资地产的不劳而获坐享其成，导致富商将大量资本投入到房产中。南浔张家、刘家、邢家、庞家尽管到上海租界后继续从事丝茶贸易，但最大的投资是购置房地产。此外，由于传统观念的束缚，湖州商帮的商人们，都非常热衷于私家园林的建设，刘家的小莲庄，花费了40年建造而成，据悉可与苏州园林相媲美，足见其投入资本之巨。

随着后来丝价、地价暴跌，典当、钱庄行业逐渐没落，园林别业又不能转化成现实的流动资本，湖州丝商虽坐拥巨资却最终不得不面临破产的命运。邱培豪认为：“湖州人致富的由来，大都靠着丝业，其次为田地、典当和钱庄。现在丝价惨跌，田地已不值钱，典当、钱庄大有岌岌不可终日之势。”(《湖州人今后应投资在哪里》）没有合理引导利润再投资，没有把资本引入到关键领域，将大规模资本游离于实体经济之外，是湖州商帮衰落的根本原因。

湖州商帮衰落的历史表明，引导资本投资于实体经济，不仅要致力把握经济发展的规律，而且要帮助商人及时转变经营的理念、转变发展方式，引领商人将资本投资于成长性的行业，促进整个经济社会的革新。

阅读链接：

陈永昊、陶水木：《中国近代最大的丝商群体：湖州南浔的“四象八牛”》，浙江人民出版社，2001 年版。

唐晓燕：《天下浙商历史卷》，浙江教育出版社，2011 年版。

陶水木：《近代湖州商帮兴衰探析》，《浙江学刊》，2000 年第 3 期。

宁波本帮裁缝的转型升级

所谓红帮裁缝，发轫于清末民初。在当时的通商口岸宁波，驻留的不少裁缝曾为外国人，故名曰红帮。红帮裁缝是我国进入近代社会后产生的以缝制西服为谋生手段的一群新型的裁缝群体。在中国服装史上，“红帮裁缝”创立了五个第一：中国第一套西装，第一套中山装，第一家西服店，第一部西服理论专著，第一家西服工艺学校。不可否认的是，红帮裁缝的先辈主要由来自宁波地区原本缝制中装的传统本帮裁缝转型而来。传统成衣业所具备的诸多优势，为本帮裁缝后来成功转型为红帮裁缝打下了坚实的基础。这种服装行业内的自发转型，堪称行业转型升级的典

红帮裁缝用的缝纫机

范之作。

早在明清时期，宁波的本帮裁缝就得到了长足发展。宁波的成衣业在明代就随着明成祖“携江南富户与百工北上”而立足于北京城。到了清初，宁波裁缝几乎垄断北京的成衣业。据钱泳《履园丛话》记载，清初北京的成衣行都是宁波慈溪人开的。光绪三十一年（1905）的《财神庙成衣行碑》记载：“在南大市路南创造浙慈馆，建造殿宇、戏楼、配房，当时成衣行皆系浙江慈溪人氏，来京贸易，教导各省徒弟，故曰浙慈馆……”足见当时人数之多、技艺之精和会馆规模之大。20 世纪初，宁波人在上海开设的成衣店铺总共达 57 家，主要集中在新大沽路、武定路、黄河路、北京西路、福建北路等地段。这些大大小小的成衣店，擅长做男女中式服装。在奉化县，成衣业占据了最为重要的地位。在民国四年（1915）奉化知事发布的公文中有记载：“成衣一业，较各工业为最，全邑不下二三千。”这充分表明，宁波成衣业在各地都具有较强的实力，行业发展规模已经达到了一定的水平，当地的成衣业已经具有了技术改造的物质基础。规模的扩大直接带来促进转型的人数优势，具体表现在：首先，从事传统成衣业的本帮裁缝人数多，这必然带来劳动成本的降低和行业竞争压力的加大，逼迫本帮裁缝积极寻找新的商机，或者是寻求新的技术突破。其次，红帮裁缝继承了本帮裁缝人才培养方式，特别是本帮裁缝最初与小规模的家庭手工业密切联系，保证了西服业前期发展的人才供应。

在规模扩大的同时，宁波本帮裁缝的“衣经”也成为他们

参与同行竞争的有力工具。所谓“衣经”，是他们在实践中总结出来的一套量体裁衣的经验，能根据顾客的身高、体态、性别、年龄、经历、习惯量身制作，分毫无差。如性急之人，走路较快，制衣可相对短些；若性缓之人，走路稍慢，制衣可相应地长些。凭借丰富的制衣经验积累起来的“衣经”，反映了传统工艺的经验总结，也体现了他们对服装与人的关系的新认识。在本帮裁缝向红帮裁缝转化的过程中，本帮裁缝细心探索缝制技术和做工理念的互通互融。如西服的造型，最讲究与人体的适合度，而本帮裁缝的“衣经”就是他们观察服装与人体之间关系的经验总结。西服缝制过程中要求的精细做工，正是本帮裁缝对针法运用的再创新。长期经验的积累，推动本帮裁缝在转型的过程中挖掘潜在的优势，寻求技术的共通。此外，部分本帮裁缝凭借其娴熟的手工功底和丰富的中装缝制经验，暗中将外国人的西服拆开，研究西服的内部结构，摸索出“自制版”的西服缝制方法，从而将国外技术与传统手工工艺有机结合。这种技术创新之举，兼采中西工艺之所长，其制作的成品新颖、精致。

由于宁波帮具有强烈的血缘和地域观念，乡邻提携互助的精神促使产业、人才向特定区域高度集中。鸦片战争后，西服开始传入我国，一部分本帮裁缝抓住历史机遇，开始走上转型之路。正是由于传统渠道下区域范围内产业、人才的不断集聚，引发区域间形成联动的辐射、帮带效应，在一些发现新商机的本帮裁缝的带领下，其他同乡裁缝也陆续开始从事西服的缝制，缝制西服的裁缝群体也因此迅速扩大，人员流动性的增强又带动了整个产业的转型。

阅读链接：

季学源、陈万丰：《红帮服装史》，宁波出版社，2003 年版。

彭泽益：《中国近代手工业史资料》，三联书店出版社，1957 年版。

季学源：《红帮裁缝评传》，浙江大学出版社，2011 年版。

方显廷的农业经济主张

方显廷像

方显廷（1903—1985），浙江宁波人，著名的经济学家，以学术思想精深、治学态度严谨、工作作风扎实闻名于民国时期学术界，与同时代的刘大钧、马寅初、何廉并称民国时期四大经济学家。民国十年至十七年（1921—1928）间先后求学于美国威斯康星大学、纽约大学和耶鲁大学，民国十八年（1929）1月受聘于南开大学，任社会经济研究委员会（1931 年后改称经济研究所）研究主任兼文学院经济系经济史教授。

方显廷对 20 世纪 30 年代中国农业经济的现状进行了深入的分析，对制约中国农业经济复兴的因素有着深刻的认识。他认识到农业在振兴国家经济中的基础地位，也较早地发现随着经济的增长，农业在一国国民生产总值中所占比例将逐渐下降的规律。他曾明确地提出复兴中国农业的政策建议。他的农业

经济思想突出体现于《中国农村经济之复兴》(1938)、《中国经济之症结》(1938)等著作中，既具有鲜明的时代特征，又具有一定的前瞻性。

在方显廷看来，影响中国农村经济复兴的主要有三大制约因素。首先，从农业环境角度看，水利失修和交通闭塞是导致农村经济环境恶劣不可掩饰的原因。水利失修导致旱涝灾害频繁发生，方显廷强调筑堤、灌溉、造林等水利兴修工程应成为政府改进农村经济环境的首要工作。交通的闭塞导致各地的农产品无法调剂和流通，这种状况直接导致区域之间供需失衡。因此，要改善农村经济环境，必先加快完善农村基础设施建设。其次，从农业组织角度看，方显廷认识到分散经营、粗放型经营的弊病，“鲜有大规模经营者”，“群以劳力为主体，绝无机械之引用”(《中国经济研究》)。由于农业生产规模狭小，导致最后的状况变成资本利用效率低，劳动力消耗则适得其反。再次，从农业技术角度看，应强调技术改良和人才培养的重要性。应推动政府、高校致力于改良农业技术并积极将它运用到实践当中，应重视农作物改良。如主要作物稻、麦、高粱等经过相当长一段时间的育种试验，每亩收获量都增加了30%。另外，他认为高校设置的农学、农业管理等专业太少，导致人才空缺，不能适应农业经济的发展现实。

鉴于此，方显廷认为农业环境的改善、农业组织的调整和农业技术的改进，是复兴发展农业、复兴农村的主要工作。首先，应完善农业基础设施。农业基础设施是农业和农村经济赖以发展的先行资本。应加强诸如筑堤、灌溉、造林及交通设施在内的农业基础设施建设和维护，探索农业基础设施经营管理，寻求引入民间资本。其次，推动农村融资环境的改善。利用商业银行放贷信用合作社构筑通畅的农业融资渠道。民国时期农村生产凋敝，导致国内现金绝大多数集中于大城市。其结果是银行库存日增，现金积压耗息，使数大银行不得不另觅放款途径。而商业银行参与合作社放款业务，可有效地引导利用银行信贷，同时也改善了农村融资环境。再次，构建合理的农业组织系统。方显廷认为，农业组织系统包括农业合作组织和农业管理机构两个方面。他主张在农村创建信用合作社和非信用合作社组织，并促进相互之间的分工与合作。信用合作社专为农民投资提供资金，而非信用合作社则满足办理其他合作事业的需要。方显廷还主张设置全局性的农业管理机构，中央应整合各相关部门组建农业部，农业部下设农业、合作、水利、渔牧四司各司其职，各省县也应设立专门的农业管理机关。最后，发展涉农教育事业，促进农业人才的培养。政府应筹资在各地兴办农业职业教育学校和农业高等学校，形成人才供给的长效机制。另外，由政策机构、教育机关、民间团体通过举办区域的合作教育，塑造区域与区域之间精诚合作的氛围。不可否认，直到今天，方显廷的思想主张依然具有其闪光点，因为它是对农村经济发展脉搏的深刻把握。

阅读链接：

方显廷：《中国经济研究》，长沙商务印书馆，1938 年版。

方显廷著，方露茜译：《方显廷回忆录：一个中国经济学家的七十自述》，北京商务印书馆，2006 年版。

方显廷：《战时中国经济研究》，重庆商务印书馆，1940 年版。

翁文灏的“工农两业相辅而不相害”

民国时期国民政府经济部部长翁文灏

翁文灏（1889—1971），字咏霓，浙江省鄞县（今宁波市鄞州区）人，民国时期著名的学者。曾担任国民党政府经济部部长、行政院副院长，抗战期间主管中国战时工业生产及经济建设。在任期间，他在建设后方工业基地、解决后方燃料短缺问题、开发西南和西北地区、推进落后地区发展等方面，都具有不可磨灭的功绩。

民国期间，在关于经济发展路径的选择问题上，曾经出现“以工立国”和“以农立国”两种思想的尖锐对立。“以工立国”和“以农立国”都单纯地从工业或者农业本身来看待中国经济发展的路径选择问题，尽管当时“以工立国”拥护者的群体远比“以农立国”拥护者的群体要庞大，因为它似乎更符合世界经济发展的历史潮流和近代中国独立富强的迫切需求，但是“以工立国”拥护者却也从未在理论上驳倒对方。正因为如此，翁文灏以平息双方争议的“终结者”的身份，在民国三十年至三十二年间（1941—1943）两度以政府高官的身份发表文章。

文章在调和两者主张的基础上提出了更切合近代中国国情和独立富强需求的“以农立国，以工建国”方针。他认为不应该割裂工业与农业之间的密切联系，“这两种主张各有其长处，分开来看，都觉太偏，合起来说，才是正道，二者是相辅相成而不可分的”（《以农立国，以工建国》），因此只有平衡发展、相互促进，才是近代中国经济发展的正确路径选择。

在经济发展的路径选择问题上，无法回避近代中国作为一个落后农业国的现实。翁文灏认为，农业是一国经济的基础，“惟有足食足兵，然后方能巩固国基，独立自存，只有农产品增加了，人人衣食无忧，建设的工作方能顺利推进”（《以农立国之道》）。然而，对于当时落后的中国而言，工业化是推动中国国民经济快速发展的根本路径，亦是大势所趋：“惟有工业化然后运输方能通畅，惟有工业化然后矿业始能发达，亦惟有工业化然后农业方能进步。且工业化成功则生产集中，而散漫纷乱之病为之一清，制造力强而农矿工商有所凭藉，即兵工军需亦得有基础。建国之根本，厥在乎此。”（《翁文灏论经济建设》）翁文灏在此已经清楚地看到，只有积极推进工业化，才能带动农业、交通、矿业的迅速发展，加快产业集聚、区域协调，最终实现富国强兵的目的。在抗战的特殊时期，翁文灏关于工业化的系统论述，符合当时巩固国防、发展重工业、争取抗战早日胜利的社会现实。难能可贵的是，他的思想主张大部分转化成了政府的实际决策，特别是在他担任经济部部长期间，担负起沿海沿江厂矿内迁的重任，将国营的资源委员会下属的各工厂以及

众多的私营企业迁往抗战大后方，并在大后方领导组建新的电力、钢铁、石油等工业，这些举措为抗战胜利提供了坚实的工业基础。

在翁文灏看来，重点推动工业化，这并不表示与工农平衡发展的思想相悖。工业化将带来物质文明建设的巨大进步，如农民数量剧减、农业生产机械化、生产效率提高、交通条件和人民生活改善，并且工商相互促进催生了积极向上的景象，使国家面貌焕然一新。“工农两业相辅而不相害，工业的发达正可辅导农业的增长，有了化学肥料……则农田产量自必增高……我们并要推广出口，以丝茶鬃毛油蛋等（农产）物，换回我们建设工业及交通的器材。”（《翁文灏论经济建设》）所以，必须重视农业，促进“以农立国”与“以工建国”并举。

翁文灏的“工农两业相辅而不相害”，“由近代经济造成近代国家”的战略思维，带来了巨大的社会反响，它彻底平息了民国史上持续近 20 年的“以工立国”和“以农立国”的思想纷争，对战时及战后中国经济的发展都有非常重要的启示作用。

阅读链接：

《翁文灏论经济建设》，团结出版社，1989 年版。

翁文灏、顾翊群：《中国经济建设与农村工业化问题》，上海商务印书馆，1946 年版。

李学通：《幻灭的梦——翁文灏与中国早期工业化》，天津古籍出版社，2005 年版。

徐永祚的"改良中式簿记"

徐永祚（1893—1961），字玉书，浙江海宁金石墩（今属祝场乡）人，民国时期著名的会计学家。早年在天津中国银行担任练习生。曾任上海《银行周报》编辑、主编，银行公会书记长和上海证券物品交易所会计科长和常务理事，上海市参议会参议员。民国十二年（1923），他开始执行会计师业务，在上海设立徐永祚会计师事务所（后更名为昌明会计师事务所），并举办会计培训班，普及新式簿记知识。他在20世纪30年代前后，根据我国中式簿记的特点以及自己执行会计师业务的经验，结合西方会计的科学方法，锐意革新，创造了一套独特的中国化的"改良中式簿记"。其所编《中式改良簿记概论》是我国第一部系统论述中式簿记的著作，徐永祚也因此被公认为我国中式簿记改良第一人。

民国期间，曾有过会计制度革新的论证。以潘序伦为首的改革派主张应引进西方会计，彻底取代我国固有的"上收下付"的记账方法。改革派认为西方的借贷簿记法科学实用，其基本原理又通行各国，而传统的中式簿记收付理论只适用于消费机构，不能反映工商企业经济活动的全过程。此外，就形式上看，

中式簿记采用毛笔、楷书、直写的记账方法，无法适应未来日趋复杂的财务活动的需要。因此，必须予以彻底改革。但是以徐永祚为首的改良派则主张对传统的中式簿记进行改良，这样更适合我国国情。尽管当时我国传统的“上收下付”的记账方法账目不全、科目不明、结算不清、报表反映不全面，不能精确地反映资金活动的实际，但是不可否认的是，当时上海工商业户的会计制度，采取新式簿记的企业并不多，绝大多数企业仍然采用传统的“上收下付”的记账法。中式簿记历史悠久，基础巩固，符合当时国人传统的逻辑，因此实现彻底的革新并非易事。特别是西方会计理论深奥，操作繁琐，借贷两字，也似乎很难在短时间内被广大会计所理解和接受。

因此徐永祚认为，中式簿记虽有弊端，但只要加以改良，不仅形式上有维持的价值，在实质上也有保存的可能。于是他提出了系统的改良大纲，从多个角度对中式簿记和西式簿记进行了对比和改进。采取的原则是：若中式簿记的理论及法则与科学法则及会计原理相符的话，就继续沿用；若与科学法则及会计原理相抵触者，则对其进行改良。首先，强调两者之间的共通性。如中式簿记和西式簿记的账簿格式存在着“上收下付”和“左借右贷”的差别，但这属于中西文书写方向不同而导致的结果，两者并无特质和作用的差别。其次，积极吸收西式簿记的优点。如

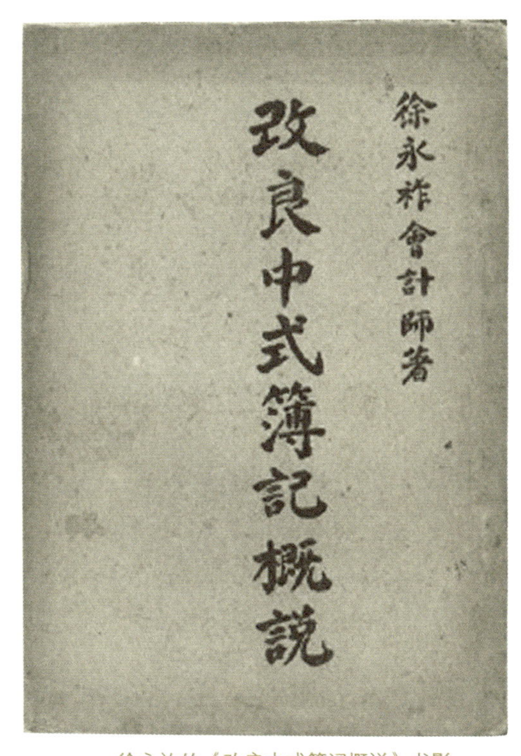

徐永祚的《改良中式簿记概说》书影

中式账簿栏目简单，不编页码，不注明过账页，导致查核不便。因此，应仿照西式簿记法则，将各账簿栏目编定页码，注明过账页，并在每本账簿后详细附上登记方法。其三，保留中式簿记中合理的成分。如中式簿记采用的收付现金记账法似乎比西式簿记中的借贷科目记账法更通俗易懂，所以在改良中式簿记时仍照旧沿用。其四，挖掘中式簿记的部分精华。如改良中式簿记沿用原有的四柱结算法，可表现一个时期收付之比较、经过与结果，其在效用上明显优于西式簿记中仅能表现一个时期借贷结果的平衡结算法。

徐永祚提出的改良之举，引发了我国会计发展史上最激烈的一次学术争论。潘序伦、顾华等人先后撰文，批判徐永祚的改良论，他们为全面改革会计制度而高声呐喊。面对改革派的批评，徐永祚也高调反击，在他主编的《会计》杂志上撰文阐述收付簿记法理论，论证四柱结算法的优越性。这种渐进式的改良得到了广大中小企业的欢迎，后国民政府制订税法草案中涉及设账问题时，在多次与徐永祚商酌之后，肯定了改良中式簿记的优越性。后来财政部在“统一会计制度”中既采用借贷复式簿记，又承认改良中式簿记，并将其纳入高级商业职业学校的课程中。

阅读链接：

蔡志新：《民国时期浙江经济思想史》，中国社会科学出版社，2009 年版。

刘常青：《中国会计思想发展史》，西南财经大学出版社，2005 年版。

徐永祚：《改良中式簿记讲义》，徐永祚会计师事务所出版部，1933 年版。

温州华侨经济的变迁

浙江华侨遍布海外，居住在世界 170 个国家和地区，省内的归侨侨眷就达 150 多万人。特别是温州，作为知名的侨乡，亘古迄今，就与海外保持着密切的联系。

温州华侨迁居海外，有着近千年的历史。两宋时期，由于温州对外贸易的发展，产品远销海内外，因此不少温州商人逐渐开始随贸易商船到国外经商，有的被“诱以禄仕，或强留之终身”（《宋史·高丽传》），有的则客居那里经商。早在北宋真宗咸平元年（998），就有温州人周伫随商船到高丽经商并定居当地。史载周伫骤迁礼

侨乡文成山水

部侍郎中枢院直学士、历内舍人秘书监右常侍，拜翰林学士，食邑三百户，后又迁礼部尚书，是温州人移居海外的华侨先驱。南宋淳祐年间，永嘉人王德用因科举屡试不中，遂与其兄王德明，变卖房屋田地，伪造国书，携带违禁品，赴交趾（今越南）经商。交趾国王认为王德用才艺兼备，给予厚礼将之留下。但是，从明清开始，受到海禁的影响，迁居海外者甚鲜。

鸦片战争之后，中国被迫重新打开国门，温州对外移民的浪潮再次兴起。到第一次世界大战结束之前，温州的海外移民已经稍具规模。这类迁移主要有两个方向：一是赴南洋从事木器业。如清同治、光绪年间，瑞安县华表人张新栋因家境贫困，在福建以贩敲饴糖度日，后随福建人赴南洋谋生。起初，他为人执洒扫役，渐积工钱后改行进行商贩活动，获利颇多。二是以劳工或者应募参战的方式赴欧洲，特别是在清光绪二年（1876）温州被辟为通商口岸后，随着对外贸易的发展，常有温州人随商船至欧洲及南洋英、荷属殖民地国家和地区从商或做苦力。如清光绪二十二年（1896），永嘉人田合通及其父业已在德国经商。据田合通自述，他在德国经商每年经营额多者十万（两），利息约有五六千金。

一战后，温州华侨的流动方向出现了新的变化。如20世纪20年代，由于一战后日本工业的发展和对劳力需求的膨胀，温州出现赴日高潮。民国九年至十一年（1920—1922）春，温州、处州两地赴日本做工、行商的达3500人以上。20世纪30年代之后，迁居方向开始出现较大的调整，除了赴日之外，许多温州华侨开始流向东南亚和西欧诸国。据不完全统计，20世

纪二三十年代，温州人漂洋过海到日本、东南亚、欧洲诸国经商谋生，到新中国成立前已有华侨 3.8 万人。

二战后，温州华侨文化知识结构发生了很大的变化。这种世代交替直接促成了战后温州华侨的结构性变化。如温州华侨当中，高级科技人员逐渐增多。传统以谋生为目的的海外迁移，也逐渐变成谋生与创业的相互结合。传统以苦役、商贩角色出现的现状，也逐渐被以从事高端经营管理的趋势所取代。二战后许多温州华侨直接移居欧、美等国家，从事科学、文化、教育工作。此外，他们非常重视子女的教育，特别是重视对子女移植新式的管理理念，这些对于目前温州华侨在国外的经营理念、融资方式、企业组织结构设计都具有非常深刻的影响。

二战后，温州华侨的投资领域也开始发生重大的变化。如二战后餐馆业的迅速崛起。许多温州华侨在二战后，利用自己的积蓄开设餐馆。据统计，民国三十五年（1946）至 1956 年，文成县旅荷华侨在荷兰各大城市开设的餐馆不断出现，其中较大的有 10 家。1956 年以后，文成县旅荷华侨的餐馆业又有了较大发展，到 1984 年底，这个县在荷兰各地开设的餐馆达 121 家。目前浙江海外侨资中餐饮行业比重占据了 20% 以上，这种现状归因于二战后温州华侨资本流向的结构性调整。另外，传统的皮革制造业迅猛发展，而早期温州华侨所从事的洗衣、理发业则开始衰落，传统的商贩活动也开始没落。1987 年瑞安共产生 1 万余名华侨，其中在法国、意大利、荷兰三国开设的皮革工场就达 398 家，这导致了目前海外侨资中，生产经营鞋子类商品的行业在二产中占比超过 20%。

阅读链接：

章志诚：《温州华侨史》，今日中国出版社，1999 年版。
胡珠生：《温州近代史》，辽宁人民出版社，2000 年版。
温州市人民政府侨务办公室编：《海外温州人》，世界华文出版社，2002 年版。

后　记

2011年9月1日，习近平同志在出席中央党校2011年秋季学期开学典礼时，发表了《领导干部要读点历史》的讲话，强调领导干部不管处在哪个层次和岗位，都应该读点历史，从中汲取有益于加强修养、做好工作的智慧和营养，不断提高认识能力和精神境界，不断提升领导工作水平。

为贯彻落实习近平同志讲话精神，服务省委、省政府中心工作，传承和弘扬浙江优秀历史文化，浙江省社科院发挥自身优势，及时启动了《浙江历史人文读本》（以下简称《读本》）课题研究和编写论证工作。2011年12月至2012年1月，我们走访了省委办公厅、省委组织部、省委宣传部、省委党校等相关单位及领导、专家，多次座谈论证，大家一致认为，启动《读本》课题研究非常必要，也很有意义，在贯彻落实习近平同志讲话精神、提供省级区域历史人文读本等方面，走在了全国前列。2012年2月，省社科院将此课题列为本院2012年重大课题，以本院历史所为主，组织院内骨干科研人员和浙江文化艺术研究院、杭州师范大学历史系等单位的专家学者，成立课题组，并正式开展研究和编写工作。2012年10月，本课题正式立项为浙江省哲学社会科学规划课题。

《读本》由八个分册组成，每个分册分为若干专题，每一专题由若干子目组成。在体例上，《读本》不是“纵不断线”的通史书写，也不是专一的史料考证或理论论述，而是重在根据有鲜明特色、有重大意义、有突出影响、有重要成就的“四有”原则选取和设立各个子目，撷取浙江历史文化中最灿烂夺目的片断、最精华的材质，尤其是能在中国历史文化中称得上“第一”或“第一流”的人、事与历史场景，经深入探究、浓缩淬炼、精心构思，书写成一个个清新简明、意蕴深长且兼具历史气息和时代特质的“浙江意象”，为广大读者揭示浙江历史上的璀璨人文。

省社科院党委自始至终高度重视本课题的实施，从人员组织、经费落实、书稿审阅、出版发行等各个方面、各个环节精心组织，严格把关，确保质量。院领导及时关注课题进展，全程参加课题研讨，解决面临的各种困难。院学术委员会详细评审了课题方案，各分册评审专家精心审阅了全部书稿，提出了大量真知灼见。课题组成员本着对历史、对社会高度负责的使命感和责任心，精诚合作，全力投入，反复打磨，精益求精，力求学术基础扎实规范、内容选择主题突出、文字表达生动可读，着力创作优秀历史文化当代传承的精品。

省委书记夏宝龙十分重视关心《读本》编撰工作，于百忙之中亲自为《读本》作序，充分体现了省委领导对贯彻落实习近平同志讲话精神、对优秀历史文化及其当代应用的重视以及对我院工作的指导、关怀和支持。

省委组织部、省委宣传部、省社科联、省出版联合集团、省文化厅、省委党校、省委党史研究室等部门和单位的相关领导、专家对《读本》编写给予大力支持。特别是省委宣传部高度重视本课题，要求我院以省级礼品书为目标，精心编写，重视质量，打造精品佳作。省委常委、省委宣传部部长葛慧君亲自担任《读本》编撰指导委员会主任，常务副部长胡坚亲自担任编辑委员会主任，副部长鲍洪俊给予《读本》出版以大力支持。省委组织部干教处，省委宣传部理论处、党教处，省文化厅非遗处负责人积极谋划，多方协调，给予我们极大帮助。

浙江古籍出版社的负责人和各位责任编辑、美术编辑，认真负责，精心编校，为《读本》的出版做了大量增光添色的工作。

在此，我们对以上单位、领导和专家，表示衷心的感谢和诚挚的敬意！

由于浙江历史悠久厚重，《读本》所涉内容面广量大，作者水平有限，编写时间较紧，书稿中难免存在一些不尽如人意之处，敬请各位读者批评指正！

课题组

2013 年 5 月

图书在版编目（CIP）数据

岁时年景 / 俞为洁，郑绩，陈刚著．— 杭州：浙江古籍出版社，2013.5

（浙江历史人文读本）

ISBN 978-7-5540-0052-6

Ⅰ．①岁… Ⅱ．①俞… ②郑… ③陈… Ⅲ．①农业史—浙江省 ②工商企业—经济史—浙江省 Ⅳ．① F329.55 ② F279.275.5

中国版本图书馆 CIP 数据核字（2013）第 097447 号

岁时年景

俞为洁　郑绩　陈刚　著

出版发行　浙江古籍出版社

（杭州体育场路 347 号　电话：0571-85176986）

网　　址　www.zjguji.com

责任编辑　徐晓玲

责任校对　余　宏

封面设计　刘　欣

责任印务　贾　敏

照　　排　杭州立飞图文制作有限公司

印　　刷　浙江海虹彩色印务有限公司

开　　本　787×1092　1/16

印　　张　21.75

字　　数　290 千字

版　　次　2013 年 7 月第 1 版

印　　次　2013 年 7 月第 1 次印刷

书　　号　ISBN 978-7-5540-0052-6

定　　价　50.00 元